Irrésistible volupté

Brûlant Montana

LISA RENEE JONES

Irrésistible volupté

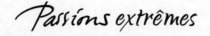

Passions extrêmes

éditions H HARLEQUIN

Collection : PASSIONS

Titre original : WATCH ME

Traduction française de ISABELLE DONNADIEU

HARLEQUIN®
est une marque déposée par le Groupe Harlequin
PASSIONS®
est une marque déposée par Harlequin S.A.

Réalisation graphique couverture : T. SAUVAGE

© 2012, Lisa Renee Jones. © 2013, Harlequin S.A.
83-85, boulevard Vincent-Auriol, 75646 PARIS CEDEX 13.
Service Lectrices — Tél. : 01 45 82 47 47
www.harlequin.fr
ISBN 978-2-2802-8317-5 — ISSN 1950-2761

- 1 -

Des cris perçants résonnèrent dans la nuit et réveillèrent Meagan, qui se redressa d'un bond dans son lit.

Deux secondes plus tard, le système d'extinction incendie se mit en marche. Elle frissonna sous le jet d'eau glacé.

Mon Dieu, un incendie s'était-il déclaré ?

Sans réfléchir, elle repoussa sa couette, déjà détrempée, et regarda autour d'elle pour tenter de reprendre ses esprits.

En tant que productrice de la nouvelle émission de télé-réalité consacrée à la danse, *Pas de deux,* c'était à elle de prendre la situation en mains. Dans la maison victorienne, récemment rénovée, se trouvaient douze futurs danseurs pleins de grâce et d'énergie, poursuivant le rêve de leur vie, douze jeunes filles et jeunes gens qui avaient tout l'avenir devant eux. Et qui n'étaient pas là pour vivre un cauchemar. Ce qui voulait dire qu'elle devait à tout prix aller les chercher et les secourir.

Elle sortit en trombe de sa chambre et tomba nez à nez avec Ginger Scott, l'une des deux chorégraphes de l'émission, qui jouait également le rôle de mère supérieure dans la maison. Ginger était en train d'ordonner à six danseuses de descendre au rez-de-chaussée.

— Y a-t-il des blessés ? lui demanda-t-elle en criant pour tenter de couvrir le bruit de l'alarme et des extincteurs.

— Plus de peur que de mal, la rassura Ginger. Je n'ai pas vu de feu. DJ a regardé au rez-de-chaussée, il n'a rien vu non plus.

DJ était le responsable du groupe des garçons.

— J'ai appelé les pompiers, cria-t-il justement à cet instant. L'incendie pourrait être d'origine électrique. La maison est très ancienne.

Il avait raison sur ce point. La maison avait plus de cent ans, et les rénovations n'y avaient rien changé.

Un incendie d'origine électrique… Il ne manquait plus que ça. Dix semaines après le début des auditions, les soucis continuaient à s'accumuler, à tel point que des rumeurs d'une malédiction, qui se serait abattue sur l'émission, commençaient déjà à se répandre.

Des rumeurs qu'elle aurait bien aimé étouffer. Malheureusement, ils s'étaient installés dans une maison au système électrique défaillant et, si elle en croyait l'alarme et la remarque de DJ, un incendie s'était déclaré dès le premier soir.

— Tout le monde va bien ? leur cria un danseur depuis le rez-de-chaussée. Avez-vous besoin d'aide ?

— Non, c'est bon. Reste en bas. Tout va bien ici. Il n'y a pas de feu.

En tout cas, aucun feu visible. Mais cela, elle le garda pour elle. Elle ne voulait pas effrayer les danseurs plus qu'ils ne devaient l'être déjà.

— Bon, rassemblement dans le jardin ! Prévenez tout le monde, ordonna-t-elle à Ginger et DJ en les poussant vers l'escalier.

Plus vite ils contrôleraient la situation, mieux ce serait. Contrôler ? Vraiment ?

A trente-deux ans, après avoir vu sa carrière de danseuse brisée par une blessure au genou, elle aurait dû savoir que le contrôle ne voulait rien dire, qu'il était impossible de tout maîtriser et qu'en un instant, tout pouvait basculer.

Au bout de quelques minutes, elle parvint néanmoins à réunir tous ses danseurs dans le jardin.

Il lui suffisait de les voir, ruisselants, leurs vêtements leur collant au corps comme s'ils sortaient de la bande-annonce d'un film érotique, pour imaginer comment elle pourrait utiliser ces images dans son émission. Car les caméras disséminées dans la maison avaient forcément capturé tout le spectacle et les responsables des studios voudraient à coup sûr attirer les téléspectateurs avec ces péripéties. Après tout, ils avaient déjà insisté pour rendre publics tous les autres problèmes qu'ils avaient rencontrés : les bus en panne, le décor tombant en ruine, et le fan ayant mis le feu à la réception d'un hôtel où séjournaient les danseurs.

A cette idée, l'angoisse l'envahit et elle se raidit.

Une malédiction, disait la rumeur…

Sous le choc, elle se retourna et fixa la maison, comme si elle était possédée par le diable, comme s'il s'agissait d'un monstre qui, d'un seul claquement de doigts, allait anéantir sa carrière et tous ses rêves.

L'idée de l'émission lui était venue après des années à travailler comme productrice d'une émission journalistique à Dallas, au Texas. Elle avait d'ailleurs pris un risque en renonçant à ce poste et à la sécurité financière qu'il lui offrait.

Un risque qui lui semblait soudain considérable alors que les extincteurs automatiques étaient en train de noyer toutes les caméras, détruisant la maison dans laquelle ils étaient censés vivre pendant les douze prochaines semaines.

Elle connaissait suffisamment bien le show-business pour savoir que, après ce dernier désastre, son émission pourrait purement et simplement être déprogrammée.

Adieu la nouvelle voiture, le chèque et le contrat avec une compagnie de danse pour le gagnant. Adieu l'incroyable publicité offerte à tous les autres participants. Son rêve, et celui des candidats, virait au cauchemar.

Meagan frissonna. Non ! Impossible ! Elle refusait de baisser les bras.

Elle prit une profonde respiration et se força à se reprendre et à se rassurer. Elle avait réussi à mettre sur pied un jury de grande qualité pour les émissions en direct, avec un chorégraphe très connu, un agent respecté dans le métier et un chanteur à la mode. Le studio hésiterait forcément avant de rompre leur contrat et de payer des pénalités.

Enfin... Peut-être pas.

Non, elle se faisait sûrement des illusions. Les dirigeants des studios préféraient toujours limiter les dégâts. Elle n'avait pas le choix : elle devait à tout prix sauver la maison si elle voulait garder une chance de poursuivre son émission.

Et pour cela, elle devait agir. Vite. Tout de suite.

Ignorant Ginger qui lui criait de rester dehors, elle se mit à courir aussi vite que possible vers la maison. Aucun incendie n'était visible. Par contre, les extincteurs à eau étaient en train de l'inonder, de la détruire.

Comme possédée, elle poussa la porte de la cuisine puis se précipita vers la cave.

A vrai dire, elle ignorait totalement comment éteindre les extincteurs, mais elle était bien décidée à couper l'alimentation en eau. Elle avait aperçu le robinet d'arrêt au-dessus du lave-linge.

Elle parvint enfin à la cave et examina les lieux. Le problème, c'était que le robinet était haut, beaucoup trop haut pour elle, et caché dans une armoire électrique fermée à clé.

Dans ce cas-là, elle n'avait plus qu'une solution.

Ignorant les bruits de pas qu'elle entendait dans l'escalier, elle grimpa sur le lave-linge.

— Retournez dans le jardin, cria-t-elle sans se retourner, en tentant d'ouvrir l'armoire abritant le robinet.

En vain.

— J'ai ordonné à tout le monde de rester dehors, en sécurité, répéta-t-elle, toujours concentrée sur l'armoire.

— Descendez immédiatement de là ou vous allez vous blesser, lui répliqua une voix masculine.

Cette voix. Il n'y avait pas de doute. Cette voix profonde et sensuelle, c'était celle de Samuel Kellar. Meagan ferma les yeux.

Samuel était le responsable de la sécurité des studios. Un homme arrogant, agaçant et beaucoup trop beau.

Samuel, ou Sam puisque c'était ainsi que tout le monde l'appelait, s'était occupé de la sécurité de l'émission ces dernières semaines, en particulier pendant les castings. A cette occasion, elle avait noté combien il l'irritait au plus haut point et la rendait folle, combien il la faisait enrager.

Lorsque Sam ordonnait de sauter, tout le monde sautait. Il ne *demandait* jamais à personne de faire quoi que ce soit. Il *ordonnait*. Et elle n'aimait pas les gens autoritaires. Cette attitude lui donnait envie de hurler, de le frapper, et, en même temps, de le pousser sur un lit, de le déshabiller et de le posséder.

Pourquoi ? Elle l'ignorait.

Mais ce n'était pas son genre de crier, ni de coucher avec un homme tel que Sam. Elle préférait les hommes plus subtils, plus doux que cet être arrogant et méprisant, et le lui avait signifié. Malheureusement, Sam ne semblait pas rebuté par ses remarques cinglantes. Au contraire même, cela paraissait plutôt l'exciter.

Et à l'instant même où elle se disait que sa nuit n'aurait pu être pire, le pire arrivait, sous la forme de Sam.

A bout, elle tira sur la porte métallique un grand coup, si fort qu'elle bascula la tête la première et les fesses en l'air. Sous le regard de Sam ! Alors qu'elle portait un

T-shirt si mouillé qu'il était devenu transparent et un short très court !

Certes, Sam avait fait partie des forces spéciales de l'armée américaine, et il se considérait comme un homme aux nerfs d'acier. Mais, il était avant tout un homme ! Un homme qui se tenait face aux fesses rondes et sexy de Meagan Tippan.

Dieu, comme il désirait cette femme ! Une femme interdite… Interdite parce qu'ils travaillaient ensemble et surtout parce que leur relation était beaucoup trop électrique pour être raisonnable.

— Descendez, Meagan, lui ordonna-t-il, devinant qu'elle ne céderait pas aussi facilement.

Leurs disputes étaient quotidiennes, répétées, incessantes.

— Je ne descendrai pas tant que je n'aurai pas coupé l'eau, répliqua-t-elle sans cesser de tirer sur la porte métallique.

— Je vais m'en occuper. Descendez avant de…

Elle glissa avant même qu'il ait pu terminer sa phrase. Elle tenta de se redresser, mais il l'en empêcha en refermant ses bras sur elle.

— Sam !

Elle baissa les yeux vers lui et, instantanément, un éclair de désir d'une incroyable intensité le traversa. Sous le choc, il se figea. C'était comme si tous les deux se rendaient compte qu'elle était à moitié nue, dans ses bras, et que ce n'était pas la première fois qu'il faisait un tel rêve.

— Laissez-moi, reprit-elle au bout de quelques secondes, des notes de panique dans la voix.

— Pour que vous vous rompiez le cou ? C'est hors de question.

Avant même qu'elle ait pu protester, il remonta ses mains sur ses hanches, l'attrapa et la garda contre lui, suspendue au-dessus du sol. Bon sang, comment aurait-il pu la relâcher vu l'intensité de son désir ?

— Mais qu'est-ce que vous faites ? protesta-t-elle.

Ses hanches sensuelles étaient plaquées contre les siennes, ses mains fines posées contre son torse... Des mains dont il avait beaucoup rêvé depuis qu'il avait fait sa connaissance.

Sam sentit un vertige s'emparer de lui. Son corps était soudain en feu, mais Meagan, elle, était en colère, comme chaque fois qu'ils se retrouvaient face à face.

— Bon Dieu, Sam. L'eau va détruire la maison. Ma carrière, aussi, va être détruite, si je ne fais rien.

Elle se débattit et, à regret, il la reposa sur le sol.

— Je dois à tout prix couper l'eau, reprit-elle sans attendre, avant de tenter de remonter sur le lave-linge.

Mais il n'avait aucune intention de la laisser faire alors il l'attrapa et l'obligea à se retourner.

Elle était désormais très proche de lui, si proche, qu'il aurait pu facilement l'embrasser. Et pourquoi se le cacher, il en mourait d'envie.

Mais elle avait raison. Il devait d'abord couper l'eau. C'était la priorité.

— Que vous êtes bornée ! Laissez-moi, je vais le faire. C'est pour cette raison que je suis descendu à la cave. Quand je vous ai vue courir à l'intérieur, je savais que vous n'y arriveriez jamais toute seule.

Au loin, il entendit les sirènes des camions de pompiers, mais les ignora. Il regarda Meagan. Qu'elle était belle ! C'était plus fort que lui, ses yeux glissèrent vers ses seins ronds visibles sous le T-shirt trempé et soudain, l'idée que les pompiers puissent profiter du même spectacle enchanteur lui donna la nausée.

— Sam, fit-elle en croisant les bras devant sa poitrine, le rappelant à la réalité.

Il se passa une main sur le visage, comme pour effacer de sa mémoire le tableau sensuel de ses seins magnifiques.

— Désolé.

Il ne voulait pas la mettre mal à l'aise. Non, ce n'était pas cela qu'il voulait faire à Meagan.

— Excusez-moi. Ce n'était pas volontaire. C'est juste que... Hum.

Se reprenant, il ôta rapidement l'imperméable qu'il avait enfilé avant d'entrer dans la maison et le lui tendit.

— Mettez ceci avant que les pompiers commettent la même erreur que moi.

Puis il grimpa sur le lave-linge et appuya sur le bouton de la porte que Meagan n'avait pas vu.

— J'avais fait le plus gros du travail, lui fit-elle remarquer, comme piquée au vif.

Il esquissa un sourire amusé, mais ne répondit pas. Il aimait savoir qu'il l'agaçait, qu'il lui faisait de l'effet même sans rien faire de particulier.

Il venait enfin de couper l'eau lorsqu'il entendit les voix des pompiers au-dessus d'eux.

Il redescendit du lave-linge. Sur le sol, l'eau atteignait maintenant le niveau de ses chevilles.

Vêtue de son imperméable trop grand, Meagan se tenait à côté de lui, si belle, si séduisante...

Elle repoussa une mèche de cheveux qui masquait son beau visage, un visage naturel, parfait, et il demeura immobile, sous le charme.

Il lui suffisait de la regarder pour la désirer, pour avoir envie de l'embrasser, de la découvrir, de l'aimer.

— Sortez d'ici ! cria soudain une voix depuis le rez-de-chaussée, le ramenant à regret à la réalité.

— On arrive, répondit-il avant de se tourner vers Meagan. Mieux vaut tard que jamais. S'il y avait eu un véritable incendie, des gens auraient pu être blessés. Je vais leur expliquer ce qui s'est passé. Pendant ce temps, un de mes hommes va organiser le transfert de tout le monde vers un hôtel.

Tout en parlant, il perçut une lueur dans le beau regard bleu de Meagan, comme l'aveu d'une vulnérabilité.

— Je… Merci pour l'imperméable, Sam. Et merci d'avoir coupé l'eau, fit-elle d'une petite voix avant de reprendre avec davantage de fermeté. Mais sachez que je l'aurais fait moi-même si vous n'étiez pas arrivé. J'y étais presque.

A ces mots, il se retint pour ne pas éclater de rire. Quoi qu'il fasse, elle ne pouvait pas s'empêcher de le contredire.

— Bien sûr que vous y étiez presque.

Si elle voulait jouer au chat et à la souris avec lui, il était partant. Après, quant à savoir qui était le chat et qui était la souris…

— Mais maintenant, je suis ici, Meagan. Alors pourquoi ne pas utiliser mes services ?

— Vous êtes vraiment incroyable, Samuel ! lui lança-t-elle avant de se diriger d'un pas décidé vers l'escalier.

Il ne bougea pas. Se contentant de la regarder s'éloigner. Ce n'était pas lui qui était incroyable. Ce qui était incroyable, c'était qu'ils puissent tous les deux penser qu'ils en resteraient à ce petit jeu.

Elle le désirait, il la désirait, la situation ne pourrait pas durer une éternité. Il allait devoir agir. Et pour ça, il était prêt à grimper sur tous les lave-linge du monde.

2

Revoir Sam si tôt après que lui l'avait vue… d'aussi près, son T-shirt trempé moulant ses seins… Pour Meagan, la situation était fort gênante, même si, elle devait bien l'avouer, elle avait passé la fin de la nuit dans une chambre d'hôtel impersonnelle à repenser au contact de son corps de dieu grec contre le sien.

Vêtue ce matin d'un tailleur des plus classiques, elle se sentait toujours mal à l'aise, remarqua-t-elle en sortant de l'ascenseur et en se dirigeant d'un pas aussi décidé que possible vers les bureaux des producteurs exécutifs.

Comment pourrait-elle échapper à Sam ? Il était dans les bureaux, elle le devinait, elle le savait. Malgré sa volonté de l'ignorer, elle possédait une espèce de radar capable de détecter sa présence à plusieurs dizaines de mètres. Dès que celui-ci le repérait, son rythme cardiaque accélérait et son ventre se nouait.

Et elle s'en voulait de réagir ainsi face à Sam.

La vie lui avait appris à ne pas faire confiance aux hommes de ce genre, et surtout, à ne pas avoir d'aventures avec eux.

Mieux valait se contenter d'hommes plus simples, sensibles aux désirs des femmes, et dont le seul objectif était de faire plaisir à leur petite amie.

Et ce qu'elle désirait, elle, à cet instant, c'était garder son travail.

Enfin, pas exactement.

Il ne s'agissait pas de son travail. Ce qu'elle désirait, c'était que son rêve ne soit pas brisé, qu'elle puisse aider des jeunes à vivre de leur passion pour la danse, comme sa professeur l'avait fait pour elle alors qu'elle n'était qu'une toute jeune fille, travaillant dur pour tenter de devenir danseuse étoile.

Elle leva les yeux au ciel, souffla, et mobilisa ses forces. Elle était là pour convaincre les producteurs de filmer les participants de l'émission dans l'hôtel où ils s'étaient installés quelques heures plus tôt.

Se forçant à paraître confiante, elle s'approcha de la secrétaire, June.

— Bonjour Meagan, lui lança cette dernière. Ça va ? J'ai entendu dire que la nuit avait été difficile.

— Ce qui ne tue pas... rend la télévision plus forte ! répondit-elle d'un ton faussement léger, tout en repoussant nerveusement une mèche de cheveux.

— Je vais dire à Sabrina que vous êtes arrivée, répliqua June.

Au même instant, Meagan sentit son corps tressaillir et tous ses sens s'éveiller.

Sam.

— Bonjour princesse, lui lança-t-il quelques secondes plus tard. Comment vous sentez-vous ce matin ?

Furieuse qu'il l'appelle ainsi, en public, elle se raidit. Elle était d'autant plus en colère qu'il le faisait dans les locaux des studios, alors que les producteurs exécutifs allaient sans doute lui annoncer, dans quelques minutes, qu'ils déprogrammaient son émission !

D'ailleurs, que faisait-il ici ? Peut-être avait-il été appelé en renfort au cas où elle réagirait mal à la nouvelle...

A cette idée, elle sentit la nausée la gagner, mais elle se força à se reprendre. Elle refusait de se laisser faire. Elle refusait de baisser les bras sans se battre.

Elle se retourna, décidée à le remettre à sa place, mais faiblit en apercevant son regard bleu lagon et son petit sourire amusé. Sous ce regard, elle se sentit comme hypnotisée, envoûtée et dépourvue de toute force.

— Je suis en pleine forme, merci beaucoup, répondit-elle d'un ton qui se voulait assuré en se dirigeant vers la salle d'attente.

Elle jouait la femme sûre d'elle, mais elle cherchait surtout à fuir Sam et son regard intense qui semblait vouloir la déshabiller. Malheureusement, il ne la quittait pas des yeux. Il était déterminé à la rendre folle, bon sang !

Elle s'installa dans un des fauteuils de cuir de la salle d'attente et baissa les yeux. Elle n'avait pas besoin de lever la tête pour savoir que Sam la regardait toujours. Elle pouvait sentir son regard brûlant suivre chacun de ses mouvements, chacune de ses actions.

Elle croisa les jambes puis attrapa un magazine et tenta de se comporter en femme d'affaires implacable et confiante. En vain. Elle releva discrètement les yeux, prête à lui lancer une pique pour se défendre et tenter de reprendre le dessus.

Mais rien ne vint à son esprit. Pas la moindre idée. Elle ne voyait que ses cuisses puissantes, mises en valeur par un jean serré. Elle ne voyait que son torse musclé.

— Vous me semblez un peu agitée ce matin, reprit-il au bout d'un moment, en s'installant en face d'elle. D'habitude, je dois fournir un peu plus d'efforts pour vous faire sortir de vos gonds.

— Si cette nuit je dors encore moins qu'hier, je risque de me fâcher très facilement…

— Dans ce cas-là, je me conduirai bien ce matin. Je refuse de profiter de vous alors que vous êtes fatiguée.

A ces mots, elle sentit ses joues s'empourprer, mais avant

de pouvoir répondre, la porte s'ouvrit et Sabrina apparut, ses longs cheveux blonds relevés dans un chignon strict.

— Entrez tous les deux, leur lança la directrice des programmes. Désolée pour le retard. Puis-je vous offrir une tasse de café ?

— Non merci, répondit Sam en se levant.

— Je veux bien un expresso, répondit-elle pour le contredire et tenter de reprendre le contrôle.

Cette réaction était stupide, immature, et la preuve que, finalement, elle ne se contrôlait plus du tout face à cet homme. Elle pesta en son for intérieur.

Ce qu'il parut deviner, à voir le sourire malicieux qu'il venait de lui adresser. Il savait exactement à quoi elle pensait.

— Je n'ai pas dormi, lui lança-t-elle pour tenter de s'expliquer. Qui ne boit pas de café après une nuit trop courte ?

Puis, sans attendre sa réponse, elle entra dans le bureau.

Une fois à l'intérieur, Sabrina l'invita à s'asseoir et la secrétaire lui apporta son café.

— Bon, fit Sabrina en s'installant, par où commencer ? Nous savions que la mise en place de cette émission ne serait pas de tout repos, mais je ne pensais pas que les péripéties seraient aussi nombreuses. La bonne nouvelle, c'est que ces incidents attirent le public. Plusieurs sites internet ont déjà fait écho des événements de la nuit et évoquent une possible malédiction qui se serait abattue sur l'émission. Twitter et Facebook s'en donnent à cœur joie. Je propose donc de poursuivre dans ce sens : jouons à fond cette carte de la malédiction ! Meagan, durant les deux prochaines semaines avant le premier prime time, tu repasseras les images des auditions et castings. Cela te donnera le temps nécessaire pour reloger tout le monde dans une autre maison. Tu évoqueras la malédiction dans les émissions quotidiennes, tu la mettras en scène.

Je compte sur toi pour t'en occuper. A toi de monter les images de la nuit dernière de façon à créer du mystère et de la tension. Ensuite, en fonction de l'audimat, nous réfléchirons à l'angle des émissions quotidiennes suivantes.

Meagan sentit sa gorge se dénouer. Elle ne put retenir un soupir de soulagement. Dieu merci, l'émission n'était pas déprogrammée. C'était une excellente nouvelle car le show-business est un monde sans pitié.

Cela dit, il restait un problème.

— Comment vais-je pouvoir intégrer la danse dans le programme si je me concentre sur cette histoire de malédiction ? demanda-t-elle.

Sabrina lui sourit.

— Nous t'accordons pour cela une émission supplémentaire. La première semaine des prime time, tu auras deux émissions en direct, de deux heures chacune. Une soirée centrée sur la téléréalité, rassemblant les meilleurs extraits des quotidiennes et une soirée de compétition avec les juges choisissant les trois danseurs susceptibles de rentrer chez eux et les soumettant aux votes des téléspectateurs. Quant aux vedettes que tu souhaites voir apparaître pendant le direct, nous sommes d'accord si, d'ici là, tu arrives à mettre en scène la malédiction et à séduire les spectateurs. Tant que l'audimat suit, nous te soutenons, Meagan.

Elle n'en revenait pas. En dépit du désastre qui avait frappé la maison hier, tout allait bien. Son émission était maintenue.

— C'est formidable, Sabrina, merci, je... Je ne sais pas quoi dire. Sauf que je ne te décevrai pas.

— Je te fais confiance, répondit sa chef. C'est pour cette raison que je soutiens cette émission. Mais tout le monde n'est pas aussi conciliant que moi, aux studios. Certains ont soulevé des questions d'assurance après les derniers événements. Cela veut dire que nous devons prendre quelques précautions supplémentaires pour protéger tout le monde. Sam et toi devrez travailler ensemble pour trouver une nouvelle maison, puis pour y installer les participants. Ensuite, nous devrons mettre en place une équipe de sécurité vingt-quatre heures sur vingt-quatre.

Travailler avec Sam ? A ces mots, l'angoisse la saisit et son cœur accéléra. Tremblante, elle se tourna vers lui.

— Qu'est-ce que cela signifie exactement ?

— Cela veut dire, répondit Sabrina, que cette émission possède un gros potentiel, mais qu'elle est également risquée. Les producteurs exécutifs préfèrent investir dans la sécurité plutôt que dans des dommages et intérêts. Sam a pu intervenir à temps cette fois-ci, mais cela ne se reproduira pas forcément. En d'autres termes, nous avons demandé à Sam de s'occuper lui-même de la sécurité de l'émission, et d'être sur les lieux en permanence.

— En somme, je vais être votre nouveau colocataire, lui lança-t-il sur un ton malicieux. Je vais m'installer dans la nouvelle maison avec vous.

Sous le choc, elle le fixa quelques secondes, bouche bée. Elle n'en revenait pas.

— Est-ce une mauvaise nouvelle ? lui demanda-t-il.

— C'est au contraire une très bonne nouvelle, répondit à sa place Sabrina en se levant. Je suis persuadée que vous allez faire un excellent travail, tous les deux.

3

L'entrevue terminée, Sam suivit Meagan et monta avec elle dans l'ascenseur. Sitôt les portes fermées, elle se tourna vers lui, les mains sur les hanches et le regard noir.

— Vous êtes le responsable de la sécurité des studios, Sam. J'imagine que vous avez bien mieux à faire que de me servir de garde du corps.

— Eh bien, on dirait que vous êtes prête à tout pour vous débarrasser de moi !

— Je suis juste réaliste, répliqua-t-elle. La seule chose que nous faisons bien ensemble, c'est de nous disputer.

— Dans ce cas-là, je pense qu'il est grand temps de voir ce que nous pourrions faire d'autre, rétorqua-t-il en s'adossant contre la cloison pour la regarder plus sérieusement. Je vous rappelle que ceci n'est pas ma décision et qu'elle n'est pas négociable. Si je n'étais pas monté au créneau pour garantir aux studios que je m'occuperais des questions pratiques pendant que, vous, vous concentreriez sur l'audience, il n'y aurait plus d'émission. Et même si je sais que vous me prenez pour un abruti, je ne souhaite ni votre échec ni celui des autres personnes qui travaillent sur l'émission, et je vous l'ai d'ailleurs pour l'instant évité.

Tandis qu'il lui tenait ce discours, il eut l'impression de la voir se détendre un peu, comme si elle baissait légèrement la garde.

— En arrivant ici, j'étais persuadée que l'émission

allait être déprogrammée, lui expliqua-t-elle d'une voix plus douce.

— Mais ça n'a pas été le cas. Vous avez encore toute la vie devant vous. Nous avons toute la vie, ce qui veut dire que…

Il s'interrompit lorsque les portes de l'ascenseur s'ouvrirent, découvrant plusieurs personnes qui attendaient à l'évidence pour monter.

— Je vous propose que nous poursuivions cette conversation dehors.

Elle prit une profonde respiration puis approuva d'un signe de tête et ils sortirent de l'ascenseur. Aussitôt, un de ses adjoints le rejoignit au pas de course.

— Ah, te voilà ! Justement je te cherchais, lui lança Josh Strong.

Cet ancien des forces spéciales, âgé de vingt-huit ans, avait renoncé à la vie militaire pour se consacrer à sa mère malade.

— J'ai imprimé la liste des maisons que tu m'as demandée, continua Josh.

Très bien. Il allait pouvoir en discuter avec Meagan… En fait, non. Trop tard. Profitant de l'interruption de Josh, elle était partie.

— Garde cette liste quelques minutes, dit-il à son adjoint, je reviens.

Puis il courut pour rattraper Meagan. Si elle voulait que son émission réussisse, elle ne pouvait jouer ainsi avec lui.

Il la trouva sur le parking, juste au moment où elle ouvrait sa voiture.

Il posa la main sur la portière pour l'empêcher de s'y installer et, aussitôt, il sentit son corps se réveiller. Tous ses sens se mirent à pétiller en lui.

— Nous devons parler, Meagan.

— Sam, rétorqua-t-elle en se redressant, fièrement.

Lâchez cette porte, je ne suis pas votre prisonnière. Oui, nous avons besoin de parler, mais pas maintenant. J'ai mille choses à faire : rentrer à l'hôtel, monter les images de la nuit dernière, prendre des nouvelles de mes danseurs. Et pour que nous soyons sur la même longueur d'onde, je vous informe que vous ne décidez pas de quoi que ce soit. Vous demandez, nous discutons puis nous décidons ensemble. Compris ?

Oui, il avait parfaitement compris.

— Vous dînez avec moi, ce soir, lui dit-il tout à coup.

— A moins que je ne m'y connaisse pas en grammaire, Sam, ceci n'était pas une question.

— Si je vous avais posé la question, auriez-vous répondu oui ?

Il la vit se mordre la lèvre, puis redresser la tête, comme si elle se sentait prête à relever le défi.

— Non, finit-elle par avouer.

Mais il avait bien vu qu'elle avait hésité. Il avait bien vu aussi qu'elle n'avait fait aucun commentaire sur le fait qu'il se tenait très près d'elle, si près qu'il aurait pu tendre la main pour la caresser.

D'ailleurs, il en mourait d'envie. L'embrasser, la posséder, oui, il n'avait plus que ça en tête. Il fit un effort surhumain pour reprendre la conversation.

— Et si je vous dis que, ce soir, je vais venir avec une liste de maisons pouvant nous accueillir ?

— Je dirais que c'est du chantage. Vous pourriez tout à fait m'envoyer la liste par courriel.

Elle n'avait pas tort, mais ils n'avaient que très peu de temps pour prendre une décision. Alors mieux valait en discuter de vive voix.

— Je suis coupable, je l'admets, fit-il en retirant enfin sa main de la portière.

Mais il ne recula pas. Son parfum délicatement ambré

le captivait, l'envahissait totalement. Il ne pouvait cesser de la dévorer du regard.

— On prendra une décision plus rapidement en en discutant de vive voix, insista-t-il. Ce dîner sera aussi l'occasion de faire la paix, et comme ça, chacun pourra ensuite se concentrer sur son travail, ou sur l'audience.

— Très bien, répondit Meagan. Mais je vous le dis tout de suite, vous aurez droit à une bonne leçon de grammaire, histoire de vous apprendre la différence entre impératif et interrogatif.

Il éclata de rire.

— D'accord !

Il adorait la façon qu'avait cette femme de transformer chaque conversation en débat, en combat. Elle l'obligeait à toujours être au sommet de sa forme.

— Mais merci, Sam, d'avoir sauvé l'émission, reprit-elle d'une voix douce.

— Deux mercis en quelques heures, j'ai l'impression que nous faisons de grands progrès, lança-t-il d'un air taquin.

— Des progrès qui ne dureront pas si vous oubliez que je suis la seule chef sur le plateau, répliqua-t-elle avec un petit sourire. Si vous souhaitez que les procédures changent, il faudra en discuter avec moi. Ensuite, nous déciderons.

— Compris. A une réserve près : en cas de danger immédiat, c'est moi le chef à bord.

— Accordé ! lui répondit-elle.

Il resta silencieux et la regarda plus intensément. Puis il se pencha vers elle et s'approcha de son oreille.

— Vous serez surprise de voir combien, vous et moi, nous ferons des choses formidables, murmura-t-il avant de se redresser.

Son parfum ambré se fit plus irrésistible encore. Il devait à tout prix s'écarter, sinon il allait l'embrasser en public. Ce qui lui donnerait, à coup sûr, droit à une gifle, et n'arrangerait rien entre eux.

— Rendez-vous à 19 heures, ajouta-t-il avant de faire demi-tour.

Puis il s'éloigna.

— Sam, cria-t-elle derrière lui. Disons plutôt 19 h 30.

Il éclata de rire et lui adressa un signe de la main pour lui exprimer son accord. Quelle femme ! A l'évidence, tout allait se négocier, avec elle. Mais il était prêt à relever le défi.

A dire vrai, Meagan était l'un des défis les plus excitants qu'il eût croisés depuis bien longtemps.

En rentrant dans le bâtiment, il aperçut soudain Sabrina qui lui faisait des signes. Elle devait avoir oublié quelque chose.

— J'hésite à vous donner un conseil, Sam, lui confia-t-elle lorsqu'il parvint à son niveau. Je n'ai pas envie que cette information se répande.

— Vous pouvez me faire confiance, Sabrina.

— Lorsque la direction a donné son accord pour que l'émission continue, ils ont insisté pour que certaines personnes fassent partie de l'équipe. Parmi elles, Kiki Reynolds. Sam… Je pense que vous devriez la surveiller.

— Pourquoi ? Pensez-vous qu'elle puisse être source de problèmes ?

— Peut-être… En tout cas, tenez-la à l'œil.

Elle s'éloigna sans en avoir dit plus, et il demeura immobile, songeur.

Pendant les prochaines semaines, Meagan aurait apparemment à faire face à un grand nombre d'obstacles. Sans compter son attirance pour lui, s'il en croyait son instinct. Mais il allait demeurer à ses côtés.

Il serait là pour la soutenir, quoi qu'il arrive.

4

Il la déconcentrait.

Voilà ce que Sam Kellar lui faisait, il la déconcentrait. A cause de lui, elle ne pensait pas suffisamment aux candidats. Elle ne leur accordait pas l'attention qu'ils méritaient.

Elle ferma les yeux et appuya ses mains sur les tempes pour tenter de rassembler ses esprits.

Un peu plus tôt, elle avait troqué ses talons aiguilles contre des ballerines, plus confortables, mais n'avait pas eu le temps de se changer. Tout cela à cause de Sam, à cause de ses beaux yeux couleur lagon, à cause de son irrésistible sourire, à cause de son corps musclé si parfait qu'il lui faisait perdre la tête.

Elle ne voulait pas travailler avec lui, et encore moins vivre avec lui pendant la durée de l'émission. Il était bien trop dangereux. Si elle n'y prenait garde, si elle relâchait son attention, il parviendrait à la mettre dans son lit et il prendrait le contrôle. Elle n'avait aucun doute là-dessus et refusait cette perspective.

Prenant une profonde inspiration, elle jeta un regard circulaire sur la salle de réception de l'hôtel, transformée en studio d'interview.

La chaîne désirait des drames, des larmes, et elle allait leur donner ce qu'ils voulaient. Après tout, elle était la productrice et l'instigatrice de l'émission.

D'ailleurs, puisqu'elle était la productrice, elle aurait dû avoir son mot à dire sur l'embauche de Sam. Mais, malheureusement… Bon, la chose positive était que son projet n'était pas tombé à l'eau. Son rêve d'une émission consacrée à la danse était toujours d'actualité et c'était la seule chose qui comptait.

Elle revint au présent.

Derek Rogers, le jeune et séduisant présentateur, était en train de terminer l'interview d'une des jeunes danseuses. Ce qui voulait dire qu'elle serait libre à temps pour retrouver Sam pour le dîner.

Elle fit une petite moue. Après tout, peut-être pourrait-elle organiser d'autres interviews ce soir : ainsi, elle éviterait ce dîner. Ce n'était pas le travail qui manquait. Elle avait besoin de regarder les derniers rushs et de discuter des événements de la veille avec Ginger et DJ. Ces derniers n'étaient pas simplement chorégraphes, ils surveillaient également les participants vingt-quatre heures sur vingt-quatre. Soudain, une question de l'animateur l'arracha à sa rêverie.

— Quelle a été votre première pensée lorsque vous avez entendu l'alarme incendie ? demandait Derek à Tabitha Ready.

Cette dernière, âgée de vingt-huit ans, était la « doyenne » de la compétition. Cette grande brunette avait beaucoup de talent, mais elle avait tendance à devenir hystérique pour un oui ou un non et n'hésitait pas à jouer les divas.

Tabitha réfléchit à la question quelques instants. Elle croisa les bras devant le sweat-shirt rose bonbon qu'elle portait, puis s'enfonça dans son fauteuil, lui paraissant soudain très fragile.

— J'ai cru que nous allions tous mourir, murmura enfin la danseuse. Les problèmes se sont tellement accumulés depuis le début de l'émission… Dieu merci, Jensen était là.

Jensen, un des danseurs retenus par le casting, n'avait jamais caché son attirance pour la jeune femme.

A ces mots, elle se redressa, soudain très intéressée. Une histoire d'amour, voilà qui pourrait plaire aux téléspectateurs.

Au même instant, Derek lui adressa un petit signe discret, comme pour lui dire que, lui aussi, devinait que cette histoire d'amour, ou potentielle histoire d'amour, était une bonne nouvelle pour l'émission.

— Si j'ai bien compris, Tabitha, reprit ensuite l'animateur, Jensen vous a accompagnée à l'extérieur.

— Il m'a même portée dehors. C'était horrible. Les flammes n'étaient pas visibles, mais nous pouvions sentir l'odeur de la fumée. Nous pensions tous que la maison allait exploser… Il paraît qu'un mauvais sort a été jeté sur l'émission.

Meagan ferma les yeux, comme chaque fois que quelqu'un évoquait la malédiction.

Elle n'était pas naïve, elle se doutait bien que la promiscuité d'une dizaine de danseuses et danseurs dans la même maison entraînerait des histoires, mais l'idée d'une malédiction, en revanche, ne lui plaisait pas.

Elle ne lui plaisait pas, car elle craignait qu'elle n'ait une mauvaise influence sur la motivation des jeunes, et parce que c'était d'abord la danse qu'elle souhaitait mettre en avant. Dans son projet, c'était la danse qui devait séduire les spectateurs. La danse, et le travail.

Hélas, après l'incendie, la rumeur de la malédiction avait alimenté toutes les interviews des danseurs.

Mais jamais autant que celle de Tabitha.

— Nous avons tous peur de ce qui va arriver maintenant, poursuivit la jeune femme. Aucun de nous ne pourra dormir ce soir.

— Savez-vous ce que vous devriez faire, Tabitha ?

Meagan regarda la réalisatrice, une de ses bonnes amies, pour la prévenir que le meilleur était à venir.

Choisir Derek, un ancien footballeur professionnel, pour animer une émission de danse avait été un gros risque. Un risque d'autant plus grand que celui-ci avait l'habitude de dire tout ce qui lui passait par la tête. Mais elle était convaincue que si *Pas de deux* rencontrait le succès, ce serait en partie grâce à l'énergie et au sens de la repartie de Derek.

— Vous devriez faire comme nous autres les sportifs, reprit celui-ci. Vous devriez vous trouver un porte-bonheur. Dans mon cas, il s'agit d'un caleçon.

— Un caleçon ? répéta Tabitha en grimaçant, l'air dégoûté.

— Ne me dites pas que vous-même, vous ne possédez pas une culotte porte-bonheur ?

Tabitha demeura impassible quelques secondes, comme pour se remettre du choc, puis éclata de rire.

— Peut-être que si…, finit-elle par répondre, l'air faussement mystérieux.

— Je me rappelle que dans mon équipe, cinq joueurs au moins possédaient des caleçons porte-bonheur. Ils étaient persuadés qu'ils ne pouvaient pas gagner sans. Ils étaient tellement convaincus que ces caleçons faisaient d'eux des hommes d'acier, des hommes invincibles, qu'ils devenaient bel et bien imbattables. L'important est d'avoir la foi, de croire en soi.

— Et que faire si je ne porte pas de culotte ? répliqua Tabitha, le regard aguicheur.

La jeune femme avait à l'évidence choisi de flirter. Derek allait-il jouer la même partition pour lui donner de bonnes séquences à diffuser en prime ? Si tel était le cas, alors il était encore plus intelligent qu'elle ne l'imaginait.

— Vous pouvez toujours essayer les chaussettes, suggéra Derek, moqueur. Il paraît qu'elles sont tout aussi efficaces.

Toute l'équipe sur le plateau éclata de rire et elle imagina que les téléspectateurs feraient sans doute de même dans leur salon, ce qui était une très bonne nouvelle pour l'audience.

— Mais finalement, Tabitha, reprit Derek, peu importe votre porte-bonheur. Il vous suffit de choisir un objet que vous pouvez toujours avoir à disposition. Je vais vous avouer un secret. Il y a quelques années, j'ai connu un homme qui embrassait sa femme juste avant d'entrer sur le terrain. C'était elle, son porte-bonheur. Résultat, en déplacement, il n'était bon à rien lorsqu'elle ne l'accompagnait pas.

— Et si j'embrassais Jensen pour avoir de la chance ? fit Tabitha.

— Pourquoi pas ? Mais que se passera-t-il lorsque l'un de vous quittera la maison ?

A ces mots, le silence envahit le studio. Meagan savoura. Cela lui convenait parfaitement. Cela donnerait l'occasion aux téléspectateurs de réfléchir aux enjeux de la compétition à mesure que Tabitha se décomposait.

Mais soudain, la jeune femme reprit des couleurs, lui prouvant qu'en plus d'être danseuse, elle était également une bonne actrice.

— Après réflexion, je me demande si ce n'est pas vous, Derek, que je devrais choisir comme porte-bonheur.

Derek se leva et, sous les applaudissements de toute l'équipe, alla l'embrasser avant de boucler l'interview.

Parfait. Encore une fois, il avait fait du très bon travail.

Elle allait le féliciter lorsque brutalement, Tabitha trébucha en sortant du plateau et tomba la tête la première, prouvant à tous les sceptiques qu'une malédiction s'était bel et bien abattue sur l'émission.

A 18 h 45, moins d'une heure avant son dîner avec Meagan, Sam arriva à l'hôtel et donna un gros pourboire au concierge afin que celui-ci porte rapidement sa valise dans sa chambre. Mais il ne devait pas se voiler la face. S'il agissait ainsi, c'était principalement parce qu'il était impatient de voir Meagan.

Il se dirigea vers l'ascenseur et appuya sur le bouton de l'étage de la salle de réception plutôt que sur celui du restaurant. De toute façon, Meagan n'y serait pas encore. Il était même prêt à parier qu'elle serait en retard et qu'elle lui expliquerait que c'était à cause du travail.

Elle avait manifestement besoin de lui prouver qu'elle gardait le contrôle de sa vie et cela ne le dérangeait pas. Il s'agissait de son émission à elle, elle en était la patronne, et pour toutes ces raisons, elle méritait le respect. Mais lui était le responsable de la sécurité. Il devait donc maintenir son autorité afin de pouvoir se faire obéir en cas de danger.

Tous les deux avaient du pain sur la planche ce soir. Mais quoi qu'il arrive, il ne la toucherait pas pour de mauvaises raisons. Ils ne pouvaient mélanger sexe et travail. Une aventure dans un cadre professionnel, même sans engagement, pouvait avoir de sérieuses conséquences sur les relations de travail, il le savait.

En plus, il n'avait pas envie d'une relation compliquée.

Il n'entretenait jamais de relations compliquées. Il préférait de loin les aventures d'un soir, sans lien, sans sentiment. Les nombreux divorces auxquels il avait assisté, lorsqu'il était dans l'armée, l'avaient vacciné.

Le problème était que, malgré toute sa détermination, il ne pouvait s'arrêter de penser à Meagan. C'était la première fois qu'une femme envahissait ainsi son esprit.

Il composa le code pour pénétrer dans l'étage réservé par les studios et sentit gonfler en lui l'impatience.

Il mourait d'envie de revoir Meagan ; ce qui n'était pas particulièrement une bonne nouvelle.

Les portes de l'ascenseur s'ouvrirent enfin. Au même

instant, il entendit un cri strident résonner. Sans réfléchir, il se mit à courir vers la salle de réception.

Il poussa la porte et aperçut Tabitha, une des danseuses, étendue au sol, la bouche en sang. Meagan était accroupie à côté d'elle, de même que Ginger et DJ.

D'un rapide coup d'œil, il aperçut Kiki, la pétillante rousse, un peu en retrait. Elle semblait plutôt amusée par la situation. Sans attendre davantage, il se dirigea vers Meagan.

— Est-ce qu'il faut une ambulance ?

— Oui ! cria Tabitha. J'ai besoin d'une ambulance. J'ai perdu une dent.

— J'ai déjà appelé les secours, l'informa un des assistants réalisateurs.

Bonne nouvelle, même si une dent n'était pas bien grave. Personne ne mourait d'une dent cassée.

Malheureusement, il n'eut guère le temps de souffler. Au même moment, les autres participants de l'émission surgirent, criant comme une meute d'animaux en furie, sous l'œil des caméras toujours à l'affût de bonnes images.

Il croisa alors le regard de Meagan, qui aidait Tabitha à se relever et, en silence, il l'interrogea. Il ne voulait pas la priver d'images de l'incident, au cas où elle en aurait besoin, mais il voulait éviter tout accident supplémentaire.

Heureusement, il parvenait facilement à lire en elle. Et là, son beau regard lui ordonnait de contrôler les danseurs.

Le fait qu'ils soient capables de communiquer sans mots était encore une des preuves du lien très particulier qui les unissait. C'était également la preuve que, contrairement aux producteurs exécutifs, elle ne faisait pas passer l'audimat avant la sécurité.

Encore une qualité qui la rendait particulièrement attirante à ses yeux.

— Assez, cria-t-il en direction du groupe. Je m'appelle Sam Kellar et je suis le chef de…

— C'est la malédiction, s'exclama Tabitha. C'est la malédiction !

En entendant ces mots, plusieurs danseurs se mirent à hurler et il leva les yeux au plafond, imité par Meagan.

Plus de temps à perdre. Il devait à tout prix agir pour sauver les meubles. Tout de suite.

Les studios voulaient des images alimentant la rumeur d'une malédiction qui se serait abattue sur l'émission. Ils allaient les avoir, mais pas parce que Meagan ou lui auraient manipulé les images. Non, simplement parce que les danseurs étaient convaincus d'être vraiment maudits.

Quinze minutes plus tard, les ambulanciers étaient prêts à quitter l'hôtel avec Tabitha. Meagan et lui avaient jugé plus prudent que la jeune femme aille à l'hôpital avec l'un des hommes de la sécurité, au cas où un photographe chercherait à l'approcher.

— Josh est un ancien membre des forces spéciales. S'il ne peut pas maîtriser Tabitha, personne ne le pourra.

Elle hocha la tête et se tourna vers le jeune homme. Elle ne semblait pas convaincue.

— Vous ne connaissez pas Tabitha, Sam, sinon vous ne diriez pas cela. Quant à vous, Josh, je ne peux pas vous laisser seul vous occuper de cette mission. Croyez-moi, vous allez avoir besoin de renforts.

Avant qu'il ait eu le temps de réagir, elle appela Kiki et il remarqua soudain la petite lueur dans le regard de Josh.

— J'ai entendu dire qu'elle avait tué son ancien amant en lui faisant l'amour, murmura-t-il alors à l'oreille de son adjoint.

— Je vois des manières plus désagréables de mourir, lui répondit le jeune homme.

Kiki les rejoignit enfin. Elle avait l'air très mécontente.

— J'ai besoin que tu accompagnes Tabitha à l'hôpital, lui ordonna Meagan. Pour des raisons de sécurité, Josh Strong, l'adjoint de Sam ici présent, t'accompagnera.

— Et pourquoi devrais-je faire ça, Meagan ?

Sam étouffa un juron et leva les yeux au ciel. Quel manque de respect vis-à-vis de Meagan ! Pour qui se prenait-elle ?

— Parce que moi je dois trouver une autre maison, répondit calmement Meagan, et que je ne peux pas risquer d'être vue. Ce serait mauvais pour l'audimat. En d'autres mots, Kiki, j'ai besoin de toi. Tu es mon adjointe, tu possèdes l'autorité nécessaire et Josh a les muscles. Je suis persuadée que tous les deux, vous vous en sortirez très bien.

— Je crois que je te serai plus utile en participant au choix de la maison, objecta Kiki, comme si elle avait peur d'être exclue et se moquait bien de Tabitha.

— Evidemment, lorsque j'en saurai un peu plus, tu seras consultée, la rassura Meagan. Mais pour l'instant, j'ai besoin que tu accompagnes Tabitha, s'il te plaît.

Kiki ne répondit pas. Elle se contenta de se tourner vers Josh.

— Par ici, lui dit-elle.

Il les regarda s'éloigner puis lâcha un long soupir et se tourna vers Meagan.

— Il n'y a rien de plus agréable que de se voir imposer la nièce du producteur exécutif dans son équipe, pas vrai ? lui murmura-t-il avec ironie, imaginant combien Kiki devait être fâchée de travailler sous ses ordres.

— Comment savez-vous ça ?

— Je mets un point d'honneur à être parfaitement informé, Meagan, et j'ai l'intention de surveiller Kiki de près. Je pense qu'elle n'est pas étrangère à la malédiction.

Les trois dernières émissions sur lesquelles elle a travaillé ont été déprogrammées, soi-disant en raison de problèmes techniques.

— Je sais. J'ai entendu beaucoup de rumeurs à son sujet, mais je veux lui accorder le bénéfice du doute. De toute façon, elle m'a été imposée alors je ne peux rien faire.

Il n'allait pas lui révéler tout ce qu'il savait à propos de Kiki, mais il voulait néanmoins qu'elle en sache assez pour être prudente.

— Je comprends votre point de vue, Meagan, mais il ne s'agit pas uniquement de rumeurs. Certains faits ont été prouvés. Par exemple, elle a bien eu une aventure avec ce producteur qui a été licencié.

Elle éclata de rire.

— Dans ce domaine, elle a peu de chance avec moi. Mais peut-être devriez-vous prévenir Josh pour qu'il fasse attention.

— J'en ai bien l'intention.

— Tant mieux, car je ne voudrais pas qu'il souffre alors qu'il a été engagé pour nous protéger. En attendant, tout ce que je peux faire, c'est remercier Dieu d'avoir un ange comme responsable des programmes. Sabrina est merveilleuse et je peux lui faire confiance.

Elle pouvait aussi lui faire confiance à lui, les yeux fermés. Bien sûr, il se doutait bien qu'elle n'était pas prête à l'admettre. Du moins pas encore. Mais peut-être finirait-elle par changer d'avis.

Quinze minutes plus tard, les danseurs acceptèrent enfin de retourner dans leurs chambres. Il demanda alors à trois de ses hommes de surveiller qu'ils n'en sortent pas.

L'équipe technique, également logée dans l'hôtel, prit le chemin du bar pour analyser les premiers rushs de la journée. Seul Derek se dirigea vers eux.

— Des projets pour la soirée ? leur demanda le présentateur. Vous avez sûrement besoin d'un bon verre pour oublier ce désastre. Je pensais que les footballeurs étaient des agités mais aujourd'hui, je sais que ce n'est rien à côté des danseurs !

— Je t'avais prévenu, lui rappela Meagan.

— C'est vrai, concéda le jeune homme, mais sur le moment, j'avais cru que tu exagérais. Aujourd'hui, je sais que ce n'était pas le cas.

— Hélas non. Alors, bois un verre à ma santé parce que j'en ai besoin mais ce soir, je ne peux pas m'offrir cette liberté. J'ai encore du travail à faire.

Derek se tourna alors vers Sam et il leva une main en signe de refus.

— Je ne bois jamais lorsque je travaille, désolé, dit-il en riant.

Il aimait bien Derek. Lorsqu'il jouait au football, le jeune homme avait toujours fait son possible pour être bien vu du public, préférant briller sur le stade, plutôt que dans les soirées mondaines. Une attitude qui lui plaisait.

— Très bien, fit le jeune homme. Exceptionnellement, je ne me limiterai pas à un seul verre et je boirai pour vous deux.

Il s'éloigna enfin et les laissa tous les deux. Sam baissa les yeux vers Meagan.

— Comme j'aimerais que cette soirée soit déjà terminée, fit-elle en soupirant.

Il la dévisagea. Elle paraissait abattue.

— Vous avez l'air épuisée, Meagan.

— Je vois que vous savez comment parler aux femmes !

— Mais même fatiguée, vous êtes toujours aussi belle, murmura-t-il avant d'ajouter : Je suis sincère.

— Les compliments lancés juste après les insultes ne valent rien.

— Vous dire que vous avez l'air fatiguée n'est pas une

insulte, Meagan. Je me préoccupe simplement de votre bien-être. Maintenant, allons manger pour que je vous présente les différentes maisons. Pendant ce temps, mon équipe restera sur le pont pour surveiller tout le monde.

Elle ouvrit la bouche, prête à lui lancer une pique, mais se retint et la referma, comme si elle avait changé d'avis.

— Vous et votre équipe, vous ne vous êtes pas beaucoup reposés non plus, ces dernières heures, lui fit-elle remarquer. La nuit dernière a été un cauchemar pour tout le monde.

Il la regarda passer une main lasse sur son beau visage et ne répondit rien.

— J'imagine que nous devrions manger un morceau avant qu'on vienne de nouveau nous tarabuster avec cette malédiction, reprit-elle.

Bonne idée.

Pendant l'espace d'une seconde, il avait aperçu une autre facette de Meagan, une facette plus douce, plus tendre, qui ne faisait que renforcer son envie de la connaître plus intimement.

Lorsqu'ils montèrent ensemble dans l'ascenseur, quelques minutes plus tard, ils restèrent silencieux tous les deux. Ils se contentèrent de s'adosser contre la cloison, face à face, et de se regarder.

Et, peu à peu, l'inquiétude le gagna.

Meagan ne l'inquiétait pas. Non, ce qui l'inquiétait, c'était le désir qu'il éprouvait pour elle. Un désir de plus en plus impérieux, qui ne cessait de croître.

5

Sur le moment, fuir le restaurant de l'hôtel lui avait semblé une bonne idée, mais à présent, elle en était moins sûre.

Elle s'était installée dans un recoin sombre du restaurant chinois, situé au coin de la rue, elle ne voyait que Sam et se sentait soudain vulnérable, à sa merci.

Et à la merci de son propre désir.

— Cela fait une éternité que je n'ai pas mangé chinois, dit-il soudain, d'une voix aussi douce qu'une caresse.

Mais elle entendait d'autres mots. Ce qu'elle comprenait, c'était *cela fait une éternité que je te désire.*

Ou peut-être était-ce son imagination qui lui jouait des tours. Probablement que son esprit percevait ces mots qu'elle souhaitait entendre. Parce qu'elle devait bien l'admettre, même si elle voulait haïr Sam, même si elle voulait croire qu'il n'était qu'un homme arrogant et méprisable, elle savait bien que ce n'était pas le cas et qu'il l'attirait énormément.

Cela lui avait semblé évident au moment du petit incident avec Tabitha, lorsqu'il avait fait respecter ses ordres devant ses collègues, mais aussi évité un véritable pugilat.

La petite voix de la raison la rappela soudain à l'ordre. Elle était en train de le dévisager, d'admirer sa mâchoire carrée, ses pommettes bien marquées, ses lèvres sensuelles… Et elle ne le faisait pas discrètement du tout.

Se forçant à se reprendre, elle baissa les yeux vers le menu.

— Moi, je commande des plats chinois au moins une

fois par semaine, annonça-t-elle soudain, s'en voulant aussitôt de lui avoir révélé cette information personnelle.

Peut-être était-ce le lieu, la lumière tamisée ou bien le silence, mais elle se sentait prête à faire quelques confidences. A vrai dire, l'ambiance était davantage celle d'un rendez-vous amoureux que d'un rendez-vous professionnel. Alors que ce dîner devait être consacré au travail, elle ne devait pas l'oublier !

En revanche, ce qu'elle devait oublier, c'étaient les événements de la nuit dernière, lorsqu'elle s'était retrouvée seule avec lui, dans la cave, mouillée, presque nue... Et pourtant, c'était plus fort qu'elle, elle n'y arrivait pas.

Pourquoi ?

Pour être honnête, elle connaissait la réponse à cette question. Elle n'arrivait pas à l'oublier parce que Sam la protégeait, la soutenait. Face à lui, elle se sentait presque prête à renoncer à une partie de son pouvoir, et cela lui faisait peur, car les rares fois où elle avait baissé la garde, elle l'avait vivement regretté par la suite.

Elle revint au présent lorsque le serveur vint prendre leurs commandes.

— J'ai une confession à vous faire, fit Sam après le départ du jeune homme, en se penchant en avant comme s'ils n'étaient pas seuls dans le restaurant et que des témoins auraient pu l'entendre.

— De quoi s'agit-il ?

— A cause de l'incident avec Tabitha, j'ai oublié de prendre la liste des maisons dans ma chambre d'hôtel.

A l'évocation de sa chambre, des images osées envahirent son esprit et elle sentit ses joues s'empourprer.

Honteuse, elle se mordit la lèvre pour se reprendre et attaquer avec l'arme qu'elle maîtrisait le mieux, les mots.

— Ce dîner n'a donc plus de raison d'être.

— Tout dépend du point de vue, rétorqua-t-il en rivant son regard au sien.

Aussitôt, comme par magie, elle sentit son cœur accélérer dans sa poitrine.

— En fait, poursuivit Sam, je…

Il s'interrompit lorsque le serveur posa une assiette de nems au milieu de la table, puis échangea quelques mots avec lui.

Apparemment, il ne semblait pas pressé de finir la phrase qu'il avait commencée.

Ce qui avait le don de la rendre folle !

Elle voulait entendre ce qu'il avait à dire. Elle voulait connaître le fond de sa pensée. Les hommes qui ne se comportaient pas comme elle l'entendait l'irritaient, la rendaient nerveuse.

Le serveur s'éloigna enfin et, comme si de rien n'était, Sam croqua dans un nem.

Comme si de rien n'était ? Elle avait envie de l'étrangler.

Pour se calmer, elle but une longue gorgée de soda et tâcha d'oublier le trouble que Sam avait fait naître en elle.

Après réflexion, elle comprit qu'elle devait rêvasser en analysant ainsi tous les mots qu'il prononçait, ce qui expliquait qu'elle trouve sa conduite aussi nonchalante.

— Vous ne mangez pas ? reprit-il soudain en saisissant un deuxième nem.

— Pas si vous avez l'intention de tout manger, rétorqua-t-elle avant de verser un peu de sauce soja dans son assiette.

— Nous pouvons toujours commander d'autres nems, si vous le désirez. D'ailleurs, nous devrions peut-être le faire tout de suite car je meurs de faim. Je n'ai rien avalé à midi.

A ces mots, elle sentit s'effondrer les murs de défense qu'elle avait érigés autour d'elle. Sam avait été à ses côtés, la veille au soir, et depuis, il avait travaillé sans relâche, sans se plaindre. Il devait être aussi fatigué qu'elle, si ce n'est plus.

Elle attrapa un nem, le posa dans son assiette, puis lui tendit le plat.

— Prenez le dernier, Sam. J'ai déjeuné et je préfère me réserver pour mon plat.

Il plongea son nem dans la sauce avant de répondre.

— A propos des maisons, reprit-il ensuite. Celle qui a le plus de chance de vous plaire se situe sur la plage. Elle offre tout ce que nous recherchons : la superficie, le calme, l'isolement, et un aménagement intérieur très pratique. Sur le papier, elle est idéale car elle comprend en plus un petit pavillon et une annexe éloignée d'une centaine de mètres. Vous pourriez utiliser celle-ci pour loger l'équipe technique. Bon, ce sera un peu plus cher que ce que vous aviez prévu, mais je pense que ça vaut le coup.

— En tout cas, la description est alléchante.

— Il y a juste un problème.

— Evidemment. Il y a toujours un problème.

— La maison n'a pas été habitée depuis plusieurs mois, mais maintenant que nous sommes intéressés, d'autres locataires potentiels sont apparus.

— Etes-vous sûr que ce n'est pas une manipulation du propriétaire pour faire monter le prix ?

— Non. J'ai parlé à un autre des potentiels locataires et son offre est très sérieuse. Il a même affirmé au propriétaire qu'il valait mieux ne pas louer la maison à un studio de télévision s'il ne voulait pas la voir détériorée.

— Le propriétaire doit pourtant savoir que l'émission ne ferait qu'augmenter la valeur de son bien.

— Il le sait et je le lui ai répété. Quoi qu'il en soit, il veut une réponse demain, dernier délai.

— Sam ! Mais c'est complètement fou. Nous ne pouvons prendre une décision aussi rapidement, c'est…

Elle s'interrompit lorsque le serveur vint remplir leurs verres.

— Je n'essaye pas de prendre la décision pour vous ni de vous pousser, reprit ensuite Sam. Je n'ai pas encore vu cette maison, mais je mesure ses avantages et ses qualités. Elle possède plusieurs centaines de mètres de plage privée. Vous auriez tout l'espace nécessaire pour filmer en extérieur et cela faciliterait ma surveillance. Ce point n'est pas négligeable car, à cause de cette rumeur de malédiction, nous avons déjà été contactés par plusieurs groupes de fans de phénomènes paranormaux. Sans compter les paparazzi qui…

— Vous avez raison de parler de rumeur, le coupat-elle en déroulant sa serviette. Il ne s'agit de rien de plus qu'une rumeur et, pour tout vous dire, je n'approuve pas la décision des studios de mettre l'accent dessus.

— Je pensais que vous vouliez faire monter l'audimat.

— Pas à n'importe quel prix. Ne vous méprenez pas, au départ, j'étais soulagée d'apprendre que l'émission n'avait pas été déprogrammée, mais au fil des heures, j'ai réfléchi et maintenant, je ne suis plus aussi sûre de l'allure que tout ça prend. Je pense qu'avec cette histoire, nous allons au-devant de quelques gros problèmes.

— Ce qui veut dire…

— Mon père était pasteur dans une petite ville du Texas. Une petite ville ressemblant beaucoup à celle du film *Footloose*.

Il fronça les sourcils, comme pour mieux réfléchir.

— Etes-vous en train de dire que vous avez peur de réactions violentes, Meagan ?

— Oui et non. Par cette émission, je veux donner de la crédibilité à la danse, je veux montrer que le talent et la réussite sont indissociables du travail alors que l'excitation, la gloire artificielle finissent toujours par s'effondrer. Je range la malédiction dans cette catégorie des artifices. Si nous construisons le succès de l'émission dessus, comment enchaînerons-nous ? Les émissions uniquement consacrées à la danse suffiront-elles ?

Elle secoua la tête avant de reprendre.

— Cette malédiction est un cauchemar.

— En effet. Je commence à mieux comprendre comment un petit groupe de personnes peut créer de toutes pièces des démons et susciter la superstition. Résultat, tout le monde se conduit de façon absurde. Tant d'irrationalité peut être dangereuse.

Elle prit une bouchée de nem et, refoulant ses problèmes dans un coin de sa tête, laissa échapper un soupir de satisfaction.

— Soit ce nem est exceptionnel, soit j'avais vraiment faim.

— Je ne peux pas vous dire, j'étais moi-même affamé.

— Hum, je penche plutôt pour l'hypothèse d'une cuisine très soignée. Et j'espère que le reste du repas sera au même niveau.

Ils partagèrent leur dîner dans un silence confortable, puis il se redressa et la fixa quelques instants.

— Je ne vous imaginais pas comme une femme originaire de la campagne, lui dit-il soudain.

— J'ai fui cette campagne aussi tôt que possible.

— Vous êtes venue directement à Los Angeles ?

— Pas immédiatement. Je suis d'abord allée à l'université et j'ai ensuite travaillé sur une émission d'informations à Waco, au Texas. Puis, grâce à un coup de chance, j'ai été embauchée à Dallas, dans une plus grande chaîne de télévision. J'ai grimpé les échelons… Et me voici, prête à tout pour ne pas laisser passer ma chance.

Il lui fit un large sourire. Puis ses sourcils se froncèrent.

— Pour en revenir à la maison. Je pense que nous devrions la visiter demain matin.

— C'est malheureusement impossible. Je dois monter les images prises aujourd'hui.

— Raison de plus pour se décider rapidement. Ainsi, vous pourrez vous concentrer sur autre chose. Vous trouvez peut-être que j'insiste, mais…

Non, elle ne trouvait pas qu'il insistait.

— Même si cette maison est magnifique, je n'ai pas le temps de la visiter demain, Sam.

— J'ai une clé. Peut-être pourrions-nous alors aller la visiter ce soir, après dîner ? Ou alors, je peux y aller seul et vous faire un rapport ensuite. Si elle vaut le coup, je suis persuadé que vous parviendrez à trouver le temps demain…

— Impossible.

Jamais elle ne trouverait le temps demain.

D'un autre côté, elle ne pouvait laisser la décision à quelqu'un d'autre. Ce choix était bien trop important pour la réussite de l'émission. Il n'y avait pas trente-six solutions.

— Bon, ce soir. Allons-y ce soir.

Pendant quelques instants, ils demeurèrent silencieux, à se regarder, et peu à peu, la réalité lui apparut dans toute sa complexité.

Elle venait d'accepter de se rendre dans une maison déserte avec Sam.

Soudain nerveuse à cette idée, elle prit une bouchée de poulet pour tenter de se calmer et releva les yeux en entendant Sam éclater de rire.

— Qu'est-ce qui vous faire rire ?

— Vous, et votre grimace, lorsque vous vous êtes rendu compte que vous alliez être seule avec moi dans une maison déserte. Si cela vous rassure, vous pouvez aller visiter la maison avec l'un de mes hommes, ou je peux demander à l'un d'eux de nous accompagner.

Cette offre la surprit. Elle n'avait pas besoin d'un chaperon. Elle n'avait pas peur de lui.

— Vous avez fait partie des forces spéciales, n'est-ce pas ?

— Oui, pendant quatorze ans.

Et comme il avait une trentaine d'années, cela voulait dire qu'il avait rejoint l'armée à la fin de l'adolescence.

— Dans ce cas-là, je pense que vous possédez l'expérience nécessaire pour me protéger, répondit-elle, essayant mentalement de faire taire sa curiosité.

Mais ce n'était pas facile car elle mourait d'envie d'en savoir plus sur lui, notamment pourquoi il avait rejoint l'armée aussi jeune. En même temps, elle ne voulait pas avoir trop d'informations car elle devinait que, plus elle le connaîtrait, plus elle l'apprécierait.

Et elle ne tenait pas à apprécier Sam.

Ou plutôt, elle ne pouvait pas l'apprécier.

Elle finit son assiette et s'essuya la bouche.

Il la regardait, elle le savait. Elle pouvait sentir la chaleur de son regard bleu sur elle.

Incapable de se retenir plus longtemps, elle finit par relever la tête.

— Pourquoi me regardez-vous ainsi ?

— Je ne sais pas ce que vous entendez par « ainsi » ? Mais je me demandais juste qui allait me protéger de vous.

6

Il l'avait appâtée. Malgré ses bonnes résolutions, malgré sa volonté de rester professionnel, il n'avait pas pu s'en empêcher, impatient de voir son regard azur s'illuminer de cette façon si sexy. Et cela avait fonctionné.

Pour la première fois depuis qu'ils avaient pris place au restaurant, elle se pencha vers lui. Elle se pencha tellement qu'il aurait presque pu l'embrasser.

— Ne me cherchez pas, Sam, et vous n'aurez besoin d'aucune protection.

— Mais vous aimez quand je vous cherche, répliqua-t-il dans un souffle.

— Pourquoi aimerais-je me mettre en colère contre vous ?

— Pour me garder à distance. Malheureusement, le programme a changé. Je suis maintenant ici et je vais y rester, chérie. Alors, qu'allez-vous faire de moi ?

— Pour commencer, rétorqua-t-elle d'un ton ferme, si vous m'appelez chérie encore une fois, sachez que vous aurez bel et bien besoin d'une protection.

— Je suis prêt à tout… Vraiment à tout. En fait, je pense que vous devriez m'utiliser pour évacuer votre rage. Je pense même qu'il y a beaucoup d'autres choses que nous devrions évacuer ensemble pour pouvoir… Aller de l'avant.

A ces mots, elle ouvrit les yeux tout grands, mais ne posa aucune question. Apparemment, elle avait bien compris à quoi il faisait référence. Elle avait compris qu'il parlait de leur désir l'un pour l'autre.

Ce que lui ne comprenait pas, c'était l'effet que cette femme lui faisait. Il avait peur qu'elle empiète sur son pouvoir alors que c'était le contraire qui se passait. C'était elle qui annihilait toute l'autorité qu'il avait cru posséder.

Meagan était différente.

Tout en elle l'intriguait et l'attirait. Sa façon de froncer les sourcils lorsqu'elle réfléchissait, sa passion lorsqu'elle parlait de son émission, sa beauté, son épaisse chevelure bouclée.

Mais cette attirance qu'il éprouvait pour elle le mettait également mal à l'aise, car il ne parvenait pas à passer outre. Penser à autre chose lui était tout bonnement impossible.

A propos, elle n'avait toujours pas répondu à sa proposition… d'aller de l'avant. Voilà qui ne lui ressemblait pas.

— Pas de repartie cinglante, Meagan ?

— Je pense que cela ne pourrait que compliquer les choses, répondit-elle, faisant à l'évidence référence à une aventure. Et après, ça risquerait d'être pire.

— C'est ce que je pensais aussi, jusqu'à il y a quelques minutes. Mais il faut être lucide, notre relation est déjà explosive. Comme nous aimons tous les deux garder le contrôle, je pense que nous devrions organiser cela selon nos termes.

Et il ajouta intérieurement, *je veux te découvrir, Meagan, découvrir ce que tu caches derrière les murs de défense que tu as construits.*

— Vous ne me connaissez pas, Sam, répondit-elle d'une voix hésitante. Vous ne savez pas ce que j'aime.

— Mais j'ai très envie de le découvrir. Cela fait un moment que je vous observe, maintenant, et je possède déjà quelques éléments sur vous. Par exemple, je sais que vous avez quitté votre campagne texane et que vous travaillez maintenant pour de grands studios prêts à tout pour faire de l'audimat. Cela demande beaucoup de force. Vous êtes d'autant plus courageuse que vous êtes ici ce soir, avec moi, seule, en sachant exactement ce qui pourrait arriver. Alors je pense que vous aimez le danger, du moins, tant que vous le maîtrisez.

— Sam, je…

— Meagan !

En entendant cette voix grave au loin, il se raidit et la vit réprimer un soupir.

En quelques instants, une partie des membres de l'équipe technique les entoura. L'un des caméramans, un jeune homme originaire du Texas surnommé Double Dave, pour des raisons évidentes de surpoids, tira une chaise et s'installa à leur table pour parler à Meagan de ses soucis concernant le tournage du lendemain. Puis il fit signe à un autre caméraman de les rejoindre.

Sam écouta Meagan les rassurer puis la regarda prêter une oreille distraite aux deux jeunes hommes pendant qu'elle terminait son dîner. Ses expressions l'intriguaient, de même que ses manières et le respect dont elle faisait preuve, augmentant le désir qu'il éprouvait pour elle.

Elle parlait comme s'il n'était pas là, remarqua-t-il soudain. Peut-être était-ce une technique de sa part pour échapper à la visite de la maison.

Pour en avoir le cœur net, il se leva sitôt son assiette vide.

— J'y vais, Meagan. Je vais visiter la maison et je vous ferai un rapport demain matin.

— Je viens avec vous, Sam, répondit-elle en se levant. Le reste importe peu si nous n'avons pas de maison.

— Vous allez visiter une maison ce soir ? demanda Dave.

— Oui, répondit-elle en le fixant lui, et non Dave. Nous devons donner notre réponse ce soir ou demain matin au plus tard.

Elle se tourna ensuite vers le caméraman et lui annonça qu'elle lui donnerait des nouvelles le lendemain matin. Puis, avant même de s'en rendre compte, il se retrouva dehors avec elle.

— Votre voiture ou la mienne ? lui demanda-t-il tout en tentant de maîtriser son désir qui ne cessait d'augmenter.

Elle hocha la tête. Elle semblait perplexe.

— Pourquoi me regardez-vous comme cela, Meagan ?

— Je pensais que vous étiez le genre d'homme à conduire.

— Et moi, je pensais que vous étiez le genre de femme à conduire.

— Je le suis.

— Dans ce cas-là, je vous suis, répondit-il avec un mouvement de la main.

Mais elle ne bougea pas. Au lieu de cela, elle continua à le dévisager.

— Je préfère vous laisser conduire, Sam. J'ai passé trop de temps en salle de montage, j'ai mal aux yeux. En plus, je n'ai pas envie que vous me donniez des ordres depuis le siège passager.

— Vous préférez me donner les ordres vous-même ?

— Exactement ! Vous avez tout compris.

Amusé, il éclata de rire.

Il mourait d'envie de lui prendre la main et de la serrer dans ses bras. Au moins une fois. Il se retint à grand-peine.

— Nous devrions emprunter la porte de derrière de l'hôtel pour éviter de rencontrer d'autres membres de l'équipe.

— Je pensais que vous deviez passer dans votre chambre prendre la liste des maisons.

— Pas besoin. J'ai programmé l'adresse de celle que nous allons visiter sur mon GPS, tout à l'heure. Elle est située à quarante-cinq minutes de route alors nous devrions partir sans trop tarder.

Elle accepta d'un signe de tête et le suivit avant de reprendre.

— J'ai prévu de commencer à tourner à 6 heures demain matin. Je risque d'avoir du mal à me lever.

— Dans ce cas-là, c'est bien que je conduise, répondit-il. Vous pourrez dormir pendant le trajet.

Elle s'arrêta.

— Arrêtez d'être gentil avec moi, Sam. Je vous préférais largement lorsque vous faisiez tout pour me mettre en colère.

Elle voulait sans doute dire qu'elle se sentait plus à l'aise lorsqu'il lui lançait des piques. Mais il garda sa remarque pour lui.

— Je pensais simplement que vous aviez davantage besoin de repos que moi.

— Et pourquoi donc ? rétorqua-t-elle en plaçant ses mains sur ses hanches, l'air très intéressé. Parce que…

Elle s'interrompit brusquement et hocha la tête comme si elle comprenait enfin.

— Bravo, Sam. Vous venez de prouver que vous êtes toujours capable de me faire réagir au quart de tour. Etes-vous satisfait ?

— Plus que je ne saurais dire ! Mais vous pourriez tout aussi bien prouver l'inverse. Nous savons tous les deux comment faire réagir l'autre.

— C'est vrai, admit-elle d'une petite voix.

Sous le charme, il esquissa un sourire rêveur. Bon Dieu, comme cette femme lui plaisait. Elle ne jouait pas avec lui et cela l'excitait. Enormément, même.

— Bon. Allons-y avant que Tabitha ne revienne.

— Bonne idée, répondit-elle en souriant.

Parvenu à sa voiture, il lui tint la portière ouverte.

— Vous n'êtes pas obligé de faire ça, Sam. Je suis tout à fait capable d'ouvrir la portière toute seule.

Il s'approcha un peu d'elle, s'enivrant de son parfum ambré.

— Je sais bien, Meagan. Mais je suis un soldat dans l'âme. Tenir la porte à une femme est naturel pour moi.

Elle éclata de rire.

— Je vais prendre cela pour un compliment.

— Mais c'est un compliment !

— Sam, je sais que je suis parfois dure, mais je veux que vous sachiez que j'apprécie tout ce que vous avez fait pour moi, en particulier la façon dont vous avez géré l'incident avec Tabitha ce soir. Vous avez respecté mon rôle dans l'équipe, mon autorité, et cela compte beaucoup pour moi.

— Cela sera toujours ainsi, sauf en cas de danger immédiat. J'espère d'ailleurs que si jamais cela arrive, c'est vous qui respecterez mon autorité.

— Oui, absolument.

— Cela veut-il dire que vous ne courrez plus, tête baissée, vers un bâtiment en feu et que vous m'attendrez ?

Elle esquissa un sourire malicieux avant de répondre.

— Je vous attendrai, Sam. Sauf si quelqu'un est en danger immédiat et que je peux l'aider…

— Meagan !

Elle leva les mains avant de répondre.

— D'accord, Sam, j'attendrai. J'essayerai d'attendre. J'admets que retourner dans la maison hier soir n'était pas une de mes meilleures idées, mais il faut me comprendre. J'avais peur que mon émission prenne l'eau… C'est le cas de dire ! Je ne pouvais pas laisser mon rêve s'arrêter là.

Son rêve ?

A ces mots, la surprise le gagna. Décidément, Meagan ne cessait de l'étonner.

S'ils choisissaient d'avoir une aventure sans lendemain, il n'était plus sûr de parvenir à évacuer son désir. Une nuit risquait de ne pas apaiser sa curiosité tant elle l'intriguait et l'attirait. L'autre problème était que les aventures sur le lieu de travail ne se terminaient jamais bien, il le savait pertinemment.

Il revint soudain au présent en entendant des voix au loin.

— Allons-y. Il est déjà tard.

Elle grimpa dans le 4x4, il ferma la portière derrière elle puis s'installa derrière le volant, se forçant à ne pas la toucher, à se maîtriser avant qu'il ne soit trop tard.

Trop tard ? Mais il était déjà trop tard !

Il ne devait pas se faire d'illusions. Il était tellement sous le charme qu'il n'allait plus pouvoir résister très longtemps.

Meagan écouta le moteur rugir et s'aperçut tout à coup qu'elle n'avait pas pris son téléphone portable, ni son sac à main. Elle les avait laissés dans sa chambre avant d'aller dîner, pensant qu'ils mangeraient à l'hôtel.

En d'autres circonstances, elle ne serait pas partie sans. Mais elle ne dit rien. Elle se contenta de fixer les bras puissants de Sam tandis qu'il sortait du parking. Il était fort, harmonieusement musclé. Tout en lui était beau, son visage, ses yeux, et cette lumière qui s'allumait dans son regard quand il la dévisageait. Et sa silhouette…

Elle le désirait plus que tout, mais elle savait bien qu'une aventure avec lui était une mauvaise idée. Elle devait rester maître de ses émotions. Elle devait garder le contrôle.

L'éviter n'était pas non plus la solution, pour toutes sortes de raisons. Alors que faire ? Coucher avec lui ? Après tout, elle pouvait bien y penser puisqu'il lui avait proposé une nuit, mais… Peut-être avait-il raison.

Sam allumait quelque chose en elle, il la motivait, il l'excitait. Sa voix, son regard, sa présence. Tout en Sam lui plaisait et l'attirait. Et cet attrait ne diminuait pas. Au contraire, même. Mais en serait-il toujours de même si elle couchait avec lui ? Une nuit suffirait-elle à éteindre le feu qui brûlait en elle ? C'est ce que les heures à venir lui révéleraient.

7

Meagan se força à regarder droit devant elle pendant que la voiture sortait du parking de l'hôtel. C'était tout ce qu'il lui restait à faire pour ne pas succomber à son incroyable magnétisme.

— Vous pouvez vous reposer, si vous le souhaitez, dit-il d'une voix douce et chaude. Je vous réveillerai lorsque nous approcherons.

— Merci, murmura-t-elle avant de fermer les yeux.

Elle avait besoin de réfléchir, de…

De quoi ? Elle l'ignorait. Pour la première fois depuis bien longtemps, elle était incapable de dire ce dont elle avait besoin. Tout ce qu'elle savait, c'était que son esprit bouillonnait tant qu'elle éprouvait le besoin de bouger, de courir, n'importe quoi pour se changer les idées.

Mais elle allait devoir prendre son mal en patience le temps du trajet. Elle fit semblant de dormir et se concentra sur les images qui envahissaient son esprit. Sam ruisselant dans la cave, Sam la tenant entre ses bras forts, Sam lui adressant un clin d'œil…

Mais son esprit la rappela vite à la raison et lui intima l'ordre de se reprendre.

S'ils couchaient ensemble ce soir, comment pourraient-ils encore travailler ensemble après ?

Elle repensa à l'expression de Sam, lorsqu'il était intervenu après la chute de Tabitha. D'un seul regard, il lui avait demandé ce qu'il pouvait faire pour elle et s'était remis entièrement à son jugement. Il avait appuyé son autorité.

— Je sais que vous ne dormez pas, Meagan, dit-il soudain, au bout d'une bonne demi-heure de trajet. Et je devine même vos pensées.

Elle ne tenta pas de lui faire croire le contraire. Etre naturelle était beaucoup plus reposant. Elle se tourna vers lui.

— Mes pensées avaient-elles un sens pour vous ? car, à vrai dire, elles n'en avaient aucun pour moi.

— Vous voulez qu'on en parle ?

— Là, tous les deux ?

Il éclata de rire, d'un rire sexy, séduisant, qui lui donna des frissons.

— C'est-à-dire qu'il n'y a personne d'autre, lui rappela-t-il.

— Oui, mais je ne peux pas vous parler. Pas de... Vous.

— Pourtant, je peux vous garantir que j'en sais plus sur moi que n'importe qui au monde !

Elle eut un petit rire. Après tout, s'il insistait... Elle allait lui poser des questions, mais pas celles qui l'assaillaient. Rien sur une relation... plus intime entre eux.

— A quel âge vous êtes-vous engagé dans l'armée ?

— Le jour de mes dix-huit ans, répondit-il comme s'il devinait que ce n'était pas là la question qui lui brûlait les lèvres.

— Pourquoi ?

— Parce que c'était mon destin. Parce que c'était ce que je voulais faire, ce que mon père, mon frère et mes oncles faisaient.

— Vous n'étiez qu'un enfant. Vous n'aviez pas peur ?

— Moi, non, mais ma mère oui. Mon frère était en Irak à ce moment-là et mon père en mission. Comme la plupart des femmes de soldats, elle avait fini par se faire à l'idée de perdre son mari au combat. Mais son fils, ses fils… C'était une autre histoire. Elle refusait d'envisager cette possibilité.

— Cela a dû être très dur pour elle.

— Mon père a perçu sa détresse. Il a alors essayé de me convaincre d'attendre quelques années avant de m'engager. Il pensait que de cette façon, ma mère aurait au moins le temps de se faire à l'idée d'avoir son premier fils en Irak. Mais pour moi, ce n'était pas la solution. J'étais persuadé que ma mère devait dépasser ses peurs car, de toute façon, je finirais par entrer dans l'armée. Nous avons donc beaucoup discuté et elle a fini par accepter ma décision et m'a donné sa bénédiction.

— Et vous vous êtes engagé.

Il approuva d'un signe de tête.

— Oui, mais contrairement à ce que j'imaginais, je me suis retrouvé dans un bureau. A mon avis, mon père n'était pas étranger à cela, même s'il l'a toujours nié. Il est rare que les jeunes gens en pleine possession de leurs moyens soient cantonnés aux bureaux de l'armée.

— C'est étonnant. Votre père étant militaire, il aurait dû vous soutenir.

— Je crois qu'il voulait d'abord protéger ma mère. Il aurait aimé aussi que je termine l'université de façon à pouvoir intégrer l'école des officiers, ce que n'avait pas réussi mon frère.

Elle essaya de l'imaginer dans un bureau, à tamponner des papiers… En vain. Elle n'y arrivait pas.

— Vous n'avez pas dû être très heureux dans cet emploi de bureau.

— En effet. J'ai cru devenir fou. Je m'en voulais d'être au chaud pendant que mon père et mon frère se battaient pour le pays. Si j'avais pu m'échapper de ma caserne, je l'aurais fait sans la moindre hésitation. Heureusement, mes prières ont fini par être exhaussées. A vingt et un ans, j'ai obtenu mon diplôme et j'ai pu intégrer l'école des officiers, puis les forces spéciales.

— Pourquoi les forces spéciales ?

— Je voulais prendre des risques. Faire la différence, autant que possible.

Elle l'écoutait, comme hypnotisée par ces mots, et fut surprise de sa propre réaction.

Sam était beaucoup plus profond qu'elle ne l'avait pensé au premier abord. Il avait fait la guerre, il s'était battu. Il était courageux.

— Mais vous n'avez pas consacré votre vie à l'armée, lança-t-elle soudain, espérant qu'il lui expliquerait pourquoi il avait quitté les forces spéciales.

— Non, marmonna-t-il en lâchant un soupir. J'ai reçu plusieurs balles dans la jambe, et… Et voilà.

— Mon Dieu, Sam. Je suis désolée.

Sitôt ces mots prononcés, elle les regretta, se souvenant combien elle avait détesté les entendre après sa propre blessure. Mais elle n'avait pas pu les retenir car elle était sincèrement navrée pour lui.

— Oui, moi aussi, répondit-il cependant comme s'il ne lui en voulait pas. J'aurais peut-être pu obtenir l'accord des médecins pour reprendre mon poste, mais je n'aurais pas été à 100% de mes capacités et je refusais de mettre d'autres vies en danger simplement parce que j'étais trop orgueilleux pour admettre que je devais renoncer.

Comme honteuse, elle baissa les yeux. A entendre ces paroles, sa propre blessure lui semblait brusquement toute petite, insignifiante.

— Vous avez fait preuve d'un grand courage, Sam.

Il se tourna soudain vers elle. Il semblait étonné par sa remarque.

— Non, je n'ai fait preuve d'aucun courage. Les hommes et les femmes qui sont au front, ce sont eux qui font preuve de courage. Pas moi. Et je refusais de leur faire prendre des risques, simplement pour satisfaire mon ego.

— Je comprends.

Elle sentait bien sa déception. Elle savait combien il était douloureux de devoir renoncer à son rêve.

— Où vivent vos parents ? Sont-ils ici ? Est-ce pour cette raison que vous êtes aujourd'hui à Los Angeles ?

— Non. Je suis bien originaire de Californie, mais je suis d'abord un enfant de militaire. J'ai donc beaucoup voyagé. Récemment, mes parents étaient au Japon. Ils y étaient d'ailleurs au moment du tsunami. Cette période a été difficile pour ma mère car elle n'a pas réussi à joindre mon père pendant plusieurs jours, alors que mon frère était en même temps en mission à l'étranger.

— Mais ils sont sains et saufs ?

— Oui, ils vont bien. Ma mère est infirmière et travaillait pour la Croix-Rouge japonaise, à ce moment-là. Comme mon père, elle a refusé de partir lorsque les familles de militaires ont été évacuées.

Sam était un héros et, apparemment, ses parents aussi.

— Je crois vous avoir dit que mon père était pasteur dans un petit village du Texas. Ma mère ne travaille pas, elle se contente de l'aider. Nous ne sommes pas vraiment proches, mais je suis leur fille unique et ils m'aiment. Et moi aussi, je les aime.

Mon Dieu, mais pourquoi avait-elle dit cela ? Elle n'avait pas l'habitude de faire des confessions.

Alors pourquoi s'être livrée ainsi ?

— Je pense que j'aurais perdu la tête s'ils s'étaient trouvés au Japon pendant le tsunami, continua-t-elle néanmoins.

Il se tourna vers elle, et hocha la tête, comme s'il la comprenait, comme s'ils se comprenaient.

Elle s'attendait à ce qu'il lui pose d'autres questions, qu'il insiste, mais à sa grande surprise, il n'en fit rien.

— Vous m'en direz peut-être plus un jour, se contenta-t-il de répondre, comme s'il devinait son malaise.

Cette gentillesse la touchait énormément.

— Oui, peut-être... Parlez-moi plutôt du Japon et de vos parents.

— Il n'y a pas grand-chose à dire. Ils vont bien et travaillent à la remise en état des villages détruits. Je suis allé leur rendre visite, après avoir quitté l'armée, et j'ai passé quelques mois là-bas pour donner un coup de main.

Elle perçut dans sa voix une pointe d'émotion qui la déstabilisa. Sam n'était décidément pas comme elle l'imaginait. Il était bien plus complexe qu'il voulait le laisser croire.

— Comment avez-vous fini par atterrir à la télévision ?

— Mon oncle, un militaire à la retraite, travaille pour les studios. Il a longtemps insisté pour que je le rejoigne, mais je refusais. Je n'avais pas encore fait le deuil de ma carrière.

Elle remarqua qu'il promenait inconsciemment une main sur sa cuisse et elle se demanda si sa blessure était toujours douloureuse.

Elle avait envie de lui dire qu'elle le comprenait, mais elle se retint. Elle ne voulait pas parler du passé. Elle préférait regarder devant elle, vers l'avenir. Comme lui, apparemment.

Sans compter que sa blessure à elle semblerait ridicule par rapport à la sienne.

— Nous sommes arrivés, dit-il soudain en tournant dans une allée.

Déjà ?

Elle regrettait que le voyage se termine. Elle avait aimé écouter Sam lui parler de sa vie. Voilà qui n'était pas fait pour la rassurer : une aventure d'une nuit avec lui ne lui permettrait jamais de l'oublier. Au contraire.

Alors que faire ?

Elle se sentait perdue. Elle savait qu'elle n'avait pas besoin d'une distraction telle que Sam, qu'elle n'avait pas besoin d'un homme comme lui, qui prendrait le contrôle de sa vie. Et pourtant, en même temps, elle avait l'impression qu'il était exactement le genre d'homme qu'elle recherchait et cela lui faisait peur.

Mais elle ne pouvait pas s'abandonner à lui, lui martelait sa raison. Impossible.

La seule fois où elle avait cédé entièrement à un homme avait été si pénible qu'elle s'était juré de ne jamais reproduire la même erreur.

Ils arrivèrent devant une grande maison à deux étages. Dès que Sam coupa le moteur, elle posa la main sur la poignée, déterminée à sortir le plus rapidement possible du véhicule. Elle avait besoin de mettre un peu de distance entre Sam et elle pour réfléchir, pour reprendre ses esprits.

Mais il toucha son bras et, instantanément, elle sentit sa détermination faiblir.

— Doucement, Meagan. Que se passe-t-il ?

Décidément, elle ne pouvait rien lui cacher.

— Rien, rien. C'est juste que…

— Que vous avez eu peur.

Elle hésita puis décida de lui avouer la vérité. Après tout, cela ne servait à rien de mentir.

— Oui, c'est vrai, j'ai peur.

Elle referma la bouche et se tourna vers lui.

Sans qu'elle s'en rende compte, il s'était encore rapproché. Il la regardait désormais avec des yeux si séduisants, si chauds qu'ils l'envoûtaient.

Elle pouvait sentir son parfum musqué et puissant l'enivrer, allumant de nouveaux feux en elle.

Heureusement, la nuit était tombée, et il ne pouvait apercevoir le désir qu'elle sentait briller dans ses yeux.

Ainsi, elle pouvait encore garder la main et lui faire croire qu'elle restait professionnelle jusqu'au bout.

Elle prit une profonde respiration pour se calmer et éviter de commettre une bêtise, de l'embrasser par exemple, mais elle ne bougea pas. Elle ne retira pas son bras. Impossible, elle était comme clouée sur place. Sa raison semblait avoir abdiqué.

— Sam, je ne sais pas…

— Moi non plus, dit-il avant de l'embrasser.

Elle ferma les yeux, envahie par un tourbillon de sensations qui lui fit battre le cœur. C'était un baiser magique, puissant.

Elle n'avait même pas vu Sam s'approcher de sa bouche. Tout ce qu'elle savait, c'était que leurs doigts étaient désormais noués, que sa cuisse était plaquée contre la sienne, et que leurs lèvres dansaient avec sensualité, l'une contre l'autre.

— Meg…

— Ne dis rien, répondit-elle en posant sa main sur sa nuque pour l'attirer un peu plus à elle. Embrasse-moi encore.

Il lui obéit, se mit à goûter ses lèvres de sa langue. Contrairement à ce qu'elle imaginait, il ne prit pas le pouvoir. Non, il l'embrassa avec douceur, tendresse, se laissant guider par elle.

Sous le charme, elle se cambra contre lui, perçut contre sa poitrine son corps musclé si masculin. Dieu que ce baiser était bon !

Et pourtant, elle aurait juré qu'il n'était pas l'homme qu'il lui fallait, qu'il était dangereux.

Mais plus maintenant, plus à cet instant. Tout ce qu'elle avait cru ou décrété s'évanouissait avec ce baiser.

A cet instant, elle avait besoin de lui. Besoin de sentir ses mains puissantes sur son corps palpitant et vibrant de désir.

Il laissa échapper un soupir de plaisir et l'attira encore plus près contre son torse sculpté avant de glisser une main sous sa jupe ; c'était si bon qu'elle s'abandonna. Elle refoula toutes ses questions dans un coin de sa tête.

Au même moment, il approfondit encore le baiser, jouant doucement de sa langue, éveillant tous ses sens, réchauffant chaque parcelle de son corps, même celles qu'ils ne touchaient pas, mais qu'elle avait envie, soudain, qu'il caresse et parcourt.

— Ton parfum…, murmura-t-il alors, avant de déposer une nuée de baisers dans le creux de son cou. Tu sens les fleurs et la vanille, ça me rend fou. Je sais que nous devons aller visiter la maison, et que ce n'est pas l'endroit pour faire l'amour, mais j'avoue que j'ai du mal à te laisser partir.

Sa voix grave, si sensuelle, la charma, l'hypnotisa, et la cloua sur place. Elle non plus ne parvenait pas à le lâcher. Elle ne voulait même plus penser aux différentes raisons pour lesquelles elle s'interdisait une aventure avec lui. A cet instant, elle avait juste envie de se laisser aller.

— Alors retiens-moi, Sam, lui susurra-t-elle.

Obéissant avec un sourire, il reprit possession de sa bouche avec une gourmandise plus intense. Quelques secondes plus tard, ses mains puissantes étaient partout sur elle, dans son dos, sur sa poitrine, sur son cou. Puis, sans qu'elle se rende compte qu'il avait bougé, il se retrouva soudain sur elle.

C'est alors que le téléphone de Sam sonna et il recula, lâchant un juron.

— Il faut que je décroche, Meagan, je suis désolé.

— Je comprends, répondit-elle d'une voix essoufflée. Surtout que j'ai oublié mon téléphone à l'hôtel.

— Raison de plus.

Le problème était qu'elle n'avait aucune envie qu'il

s'éloigne d'elle. Elle ne voulait pas que tout ce qu'ils venaient de commencer s'arrête là subitement.

Il lui adressa un sourire désolé puis recula.

Elle eut un petit hochement de tête et se redressa sur le siège. L'atmosphère lui paraissait plus lourde, dans la voiture, comme si un lien inextricable venait de se tisser entre eux. Chaque parcelle de son corps semblait désormais liée au sien.

C'était la première fois que cela lui arrivait et elle ne savait comme réagir. Elle se sentait complètement démunie.

La sonnerie retentit de nouveau et il soupira. Puis il déposa un petit baiser tendre sur son nez avant de se réinstaller à sa place et d'écouter le message.

— C'était Josh, lui expliqua-t-il.

Elle se contenta d'un signe de tête. Elle ne pouvait pas prononcer le moindre mot. Elle pensait toujours au baiser sur le nez. Un geste tout à fait innocent. Et pourtant, il faisait battre son cœur plus fort dans sa poitrine.

Soudain, des lumières dans l'allée, derrière eux, la ramenèrent à la réalité.

Elle se retourna et aperçut une voiture au loin.

— Quelqu'un vient ici.

Sam reposa son téléphone.

— Cela doit être Josh, répondit-il. Dans son message, il me dit que Kiki a insisté pour qu'il l'accompagne ici…

Elle n'écouta pas la suite. Elle ouvrit brusquement la portière, soudain pressée de s'éloigner le plus possible de Sam avant l'arrivée de Kiki.

En sortant, elle trébucha et aussitôt, Sam la rejoignit.

— Ça va ?

— Non, ça ne va pas. Je ne veux pas qu'ils se fassent des idées sur nous, qu'ils devinent…

— Ils n'en sauront rien, du moins, pas si tu reboutonnes ton chemisier.

A ces mots, elle blêmit puis, nerveuse, tenta de reboutonner son chemisier. Mais elle avait du mal, ses doigts tremblaient.

— Je ne me conduis pas ainsi, d'habitude. Je sais que ce genre d'aventure se termine toujours mal.

— Doucement, ma chérie, fit-il en tentant de la prendre dans ses bras. Respire un grand coup et tout se passera bien. Je te promets que personne n'en saura rien.

Chérie ?

Pourquoi tout à coup, cela ne la dérangeait-il pas qu'il l'appelle chérie ? Et pourquoi le croyait-elle lorsqu'il disait que tout irait bien ?

Ni ses parents ni ses anciens petits amis, qui avaient tous tenté de contrôler sa vie, n'avaient jamais réussi. Elle avait toujours gardé la maîtrise de ses actes.

Mais ce soir, sans qu'elle s'en rende compte, Sam avait réussi à prendre le dessus.

— Arrête de m'appeler chérie, Sam.

Il ne rompit pas l'étreinte. Au contraire, il la serra un peu plus fort et l'embrassa.

— Comme tu veux, Meg.

Malgré la nervosité qu'elle ressentait à l'idée de l'arrivée de Josh et Kiki, elle ne put s'empêcher de rire.

Ce qui signifiait qu'elle reprenait le pouvoir.

Ou alors qu'elle avait complètement perdu la tête.

8

— Pourquoi diable ne réponds-tu pas au téléphone ? lui cria Kiki d'un ton accusateur à peine sortie de la voiture de Josh. Ça fait une heure que nous essayons de te joindre. Du coup, on s'est décidé à venir directement ici !

Elle jeta un œil à la grande demeure.

— Et puis, ajouta-t-elle, je tenais à voir cette maison et être présente au moment de ta décision.

— Meagan a fait tomber son téléphone sur le parking de l'hôtel, intervint Sam avant qu'elle ait eu le temps de prononcer le moindre mot. Et comme un malheur n'arrive jamais seul, une voiture a roulé dessus avant que nous puissions le récupérer, frôlant d'ailleurs Meagan au passage.

— Mon Dieu, rétorqua Kiki d'un ton faussement horrifié. Comment cela a-t-il pu arriver ?

Il ne répondit pas. Il se tourna vers Josh et lui lança un regard insistant.

— Josh, je t'ai laissé un message pour que tu dises à tout le monde de m'appeler moi et non Meagan, en cas de besoin.

— Désolé patron.

Son adjoint semblait sincèrement navré. De deux choses l'une : soit il n'avait pas écouté ses messages, soit il était un très bon acteur.

— Excusez-moi, Meagan, fit Josh.

— Pas de problème, répondit-elle en reprenant la main. Je suis sûre que vous avez été très occupé.

A dire vrai, elle était très heureuse que Sam et Josh l'aient couverte devant Kiki, mais elle s'en voulait un peu d'avoir besoin de leur aide alors que d'habitude, elle gérait tout toute seule.

— Pourquoi n'êtes-vous pas à l'hôpital auprès de Tabitha ? demanda-t-elle d'une voix autoritaire à Kiki et Josh, déterminée à leur montrer qui était le patron.

— J'ai laissé un des assistants de production s'occuper de Tabitha, répondit Kiki.

— Quel assistant ?

— Je ne sais pas, moi, rétorqua la jeune femme d'un ton sec. Elle s'appelle Debbie, je crois.

— Darla ?

— Oui, c'est ça. Darla. Je n'arrivais pas à te joindre, mais je suis venue te dire qu'elle m'a appelée : Tabitha va bien. Donc, tout est pour le mieux dans le meilleur des mondes.

Meagan étouffa un grognement agacé. Plusieurs fois déjà, elle avait demandé à Kiki de faire un effort pour se rappeler les prénoms des membres de l'équipe. En vain. La jeune femme continuait à mépriser tout le monde, ce qui contribuait à une mauvaise ambiance. D'ailleurs, si Kiki n'avait pas été la nièce d'un gros bonnet des studios, sans doute aurait-elle déjà demandé à Sabrina de la renvoyer.

— Que voulez-vous dire exactement, Kiki ? intervint Sam.

— Vous n'avez qu'à demander à l'assistante, rétorqua cette dernière en levant les yeux au ciel, comme si cette conversation avait assez duré. Bon, et cette maison ?

— Je vais appeler Darla pour avoir des nouvelles fraîches, proposa Josh. Tabitha a vu un dentiste de l'hôpital qui lui a posé une prothèse provisoire. Nous l'avons laissée dans sa chambre, pour qu'elle se repose.

Josh s'interrompit et regarda Meagan avant de reprendre.

— Sam aime avoir des réponses précises à ses questions.

— Merci, Josh, fit Meagan d'un ton sec.

Elle n'obtenait pas de réponses à ses questions, mais Sam oui ? Il y avait de quoi être vexée.

— Pourquoi ne pas aller visiter la maison ? proposa Sam. Ainsi, nous pourrons tous rentrer tôt à l'hôtel nous reposer.

— Bonne idée.

Sam l'invita à passer la première et régla son allure sur la sienne, tandis que Josh et Kiki les suivaient.

— Je me demande quel dieu tu as froissé pour être obligée de supporter Kiki, lui dit-il à voix basse, un peu moqueur.

Elle lui sourit, heureuse de voir qu'elle n'était pas la seule à trouver la jeune femme insupportable.

— Je ne me suis fâchée avec personne, à part toi. Du moins à ma connaissance.

Si le dieu de la danse avait existé, sans doute aurait-elle répondu que c'était lui qu'elle avait froissé, que c'était à cause de lui qu'elle s'était blessée et avait dû renoncer à une carrière d'étoile. Mais comme il n'existait pas...

— Je dois donc en déduire que j'ai un don : celui de te mettre en colère, répondit-il.

— Hum... Oui, ma foi, tu es très doué dans ce domaine.

Il éclata de rire et elle sentit tous ses sens réagir à cette musique sensuelle et son rythme cardiaque accélérer.

Tout dans cet homme la fascinait et la touchait. Elle était consciente, pourtant, qu'elle aurait dû faire fi cette attirance. Elle avait toutes les raisons de l'ignorer, d'ailleurs, mais elle n'y arrivait pas. Pour tout dire, elle avait même plutôt envie de le remercier d'avoir été présent pour elle ce soir.

Ils arrivèrent au bout de l'allée et elle s'arrêta pour contempler la maison et goûter l'air vivifiant de l'océan.

— Déjà, la situation me plaît, déclara-t-elle. J'aime être près de l'océan.

— J'espère que la lumière fonctionne, lança Kiki en parvenant à son niveau.

— Elle fonctionne, répondit Sam.

Kiki avait beau être une belle femme, Sam ne semblait pas impressionné par elle et, pourquoi mentir, cette nouvelle la réjouissait.

Quant à analyser pourquoi cela la réjouissait, elle préférait ne pas y penser. Pas maintenant en tout cas. Elle allait plutôt tâcher de se concentrer sur le travail.

— Cette maison offre une superficie de quatre cent cinquante mètres carrés, lui précisa Sam en avançant. Le pavillon, lui, mesure cent quatre-vingts mètres carrés.

— Cela me semble parfait.

Les détecteurs de mouvements se mirent en action et la lumière s'alluma, dévoilant une belle maison de style hispanique, avec un balcon circulaire en fer forgé.

— Mais la mer est toute proche ! s'exclama Kiki en se mettant à courir vers elle. C'est incroyable !

— Je ferais mieux de la rejoindre avant qu'elle ne se blesse et contribue à la malédiction, lui murmura Sam dans le creux de l'oreille avant de s'éloigner.

Tandis que Sam courait après Kiki, Josh la rejoignit.

— On dirait qu'elle aime la maison, lui dit-il. C'est une bonne nouvelle.

Puis il lui adressa un clin d'œil, comme pour lui faire comprendre qu'il partageait son opinion à propos de son assistante.

— L'autre bonne nouvelle, c'est qu'elle a cru à cette histoire de téléphone écrasé, confia à son tour Meagan. J'ai commis une erreur en ne retournant pas dans ma chambre chercher mon portable, mais si je l'avais fait, sans doute aurais-je croisé du monde et nous serions partis encore plus tard. Néanmoins, je m'en veux, et je tenais à vous remercier de m'avoir couverte.

— Si vous saviez comme cela m'a fait plaisir ! J'ai passé tout le trajet à écouter Kiki vous dénigrer, je n'en peux plus.

Pour toute réponse, elle lui fit un large sourire. Au loin, elle apercevait Sam sous le porche de la maison. Kiki venait d'y entrer.

— Kiki a passé son temps à se vanter d'avoir permis aux studios d'économiser plusieurs millions de dollars, et à dire que vous êtes une bonne à rien, poursuivit Josh. Le pire est que je suis persuadé qu'elle sait que je vais vous le répéter. J'ai l'impression qu'elle veut que vous soyez nerveuse à ses côtés. Je suis désolé de vous le dire parce que cela me fait entrer dans son jeu, mais cette femme est un vrai serpent.

A ces mots, Meagan sentit un vent froid lui parcourir l'échine. Elle croisa les bras devant sa poitrine, comme pour se protéger. Ses soupçons étaient désormais confirmés. Non seulement Kiki était son ennemie, mais elle ne cherchait même pas à le dissimuler.

Ils rejoignirent Sam à la porte.

— Ne vous en faites pas, patron, lança Josh à Sam. Je vais entrer en premier et neutraliser l'ennemie…

— Bonne chance, répondit Sam avant de s'écarter pour le laisser passer.

Mais quand Meagan avança, il lui bloqua le passage.

Elle le dévisagea. Sous la lumière faible du porche, sa bouche lui semblait encore plus gourmande que tout à l'heure dans la voiture.

— Tout va bien ? lui demanda-t-il.

Il suffisait qu'il se tienne à côté d'elle, si beau et fort avec ses épaules larges et puissantes, pour qu'elle se sente à l'abri.

A l'abri de la malveillance de Kiki. Après réflexion, Sam était un homme protecteur, et non arrogant, comme elle l'avait cru au départ.

— Oui, tout va pour le mieux, répondit-elle. En fait, cette soirée est parfaite.

— Vous venez ? leur cria Kiki depuis l'intérieur, rompant la magie du moment.

— Tu vois, fit-elle, tout va bien.

Mon Dieu, elle l'avait tutoyé ! Cela lui avait paru naturel, évident. Il ne bougea pas, se contenta de la fixer avec une intensité nouvelle, comme s'il parvenait à lire en elle.

— Que se passe-t-il, Meagan ?

— Tu avais raison de me dire de faire attention à Kiki, reprit-elle à voix basse. Josh m'a raconté qu'elle s'est vantée de pouvoir faire gagner des millions aux studios en se débarrassant d'incompétents comme moi.

— Ce n'est pas le lieu pour en parler, mais ne t'inquiète pas, je suis là pour te protéger. Fais ce que tu dois faire pour réussir ton émission, ne la laisse pas te miner le moral.

A ces mots, elle sentit sa gorge se nouer. Sam la protégeait. Sans qu'elle s'en rende compte, il avait brisé les défenses qu'elle avait élevées autour d'elle. Pour la première fois, cela lui faisait du bien de sentir qu'elle n'était pas seule et qu'elle pouvait baisser la garde.

— Je sais, Sam.

— Je ne crois pas.

Il ne l'accusait pas. Il disait simplement ce qu'il pensait.

— Si. Je le sais, insista-t-elle pour tenter de le convaincre. Et ça me fait du bien que tu me le rappelles, alors merci, Sam.

Il l'étudia pendant quelques instants puis hocha la tête et s'écarta pour la laisser entrer. Au passage, elle frôla son torse et, instantanément, son corps se réveilla, comme électrisé par le contact. Sous le choc, elle s'arrêta et plongea dans son beau regard bleu. Elle ne voulait pas détourner les yeux. Elle ne voulait pas se cacher. Pas ce soir.

Cette nuit, elle désirait Sam et avait envie qu'il le sache. Elle en avait assez de réprimer son désir.

Malheureusement, elle ne pouvait être seule avec lui. S'ils s'enfuyaient, Kiki le remarquerait à coup sûr, et Dieu sait ce que cela pourrait avoir comme conséquences.

Kiki n'avait peut-être pas réussi à faire déprogrammer son émission, cependant, elle l'avait déjà privée de sa nuit avec Sam.

Mais c'était sans doute pour son bien, lui rappela la voix de la raison. Et pourtant, en cet instant, comme elle le regrettait…

9

Sam suivit Meagan dans la maison, un peu inquiet de la présence de Kiki. Et pour cause, cette dernière n'avait pas hésité à utiliser Josh pour tenter d'en savoir plus sur Meagan.

A l'évidence, Kiki se sentait invincible sur le plateau. Elle était dangereuse et il devait la surveiller de près.

Une fois dans la cuisine, incapable de résister à la tentation, il laissa son regard s'attarder sur la jupe de Meagan, sur la courbe de ses fesses rondes, parfaitement dessinées, sur ses hanches ultraféminines et son port de reine. Il aimait tout en elle.

Sans qu'il y prenne garde, cette femme s'était insinuée en lui, profondément. Elle l'avait envoûté, corps et âme.

Il lui avait suffi de la voir se battre contre ses soupçons concernant Kiki, d'observer la détermination dans son beau regard, pour être séduit. Elle était à la fois belle, sexy, passionnée. Il ressentait une fascination telle pour elle, que jamais il ne laisserait personne lui faire du mal. Jamais.

— Cette maison est parfaite, fit Meagan en descendant les quelques marches menant à un immense salon.

Elle se tourna ensuite vers lui et, d'un geste de la tête, lui indiqua Kiki, adossée contre le plan de travail, avec Josh.

— Le fait que la cuisine surplombe le salon est une très bonne chose, commentait la jeune femme, comme si elle était vraiment intéressée par l'émission. Cela facilitera le tournage.

— Je suis sous le charme, continua Meagan. J'espère que l'étage me séduira autant que le rez-de-chaussée.

C'est alors qu'il le vit. Oh non !

En sortant de la voiture, Meagan avait mal boutonné son chemisier. Il fallait à tout prix qu'il fasse quelque chose, qu'il la prévienne discrètement.

Comme si de rien n'était, il s'approcha d'elle, se positionnant de façon à la cacher des regards de Josh et Kiki.

— Je suis d'accord, la maison est belle, dit-il ensuite en lui désignant l'escalier d'un geste de la main.

Puis il lui en montra un autre.

— L'étage est divisé en deux parties distinctes, chacune desservie par un escalier. Puisque la répartition des chambres est importante, veux-tu qu'on y jette un coup d'œil ?

— Avant de lancer l'émission, j'ai longtemps cherché une maison offrant un double escalier. Malheureusement, je n'en ai trouvé aucune. Dans la précédente, j'avais dû transformer une pièce du sous-sol en chambre.

— C'est ce que Sabrina m'a raconté. On monte ?

Elle le fixa, perplexe, comme si elle hésitait.

— Si tu veux, répondit-elle néanmoins.

Elle monta les premières marches puis, une fois à l'abri des regards de Kiki, se retourna vers lui.

— Qu'y a-t-il, Sam ? Pourquoi tant d'insistance ?

Elle avait saisi son malaise ? Il n'en revenait pas. Lui, un ancien des forces spéciales, qui était censé pouvoir masquer toutes ses émotions.

— Je suis juste impatient de découvrir le reste de la maison, répondit-il comme si de rien n'était. Si le nombre de chambres ne convient pas, la maison ne fera pas l'affaire, même si les conditions de sécurité sont réunies.

Elle ne répondit pas. Elle continua à le fixer, comme si elle voulait lui poser une autre question, puis elle sembla se raviser.

— Oui, tu as raison, murmura-t-elle simplement avant de reprendre son ascension.

Il demeura immobile quelques instants, étonné de l'effet que lui faisait cette femme, et encore plus de constater qu'il ne pouvait pas lutter.

Ce n'était pas qu'il désirait lui résister, non, mais il se sentait avancer sur un terrain mouvant et n'était pas habitué à tant d'incertitudes. Ordinairement, il vivait sa vie sans se poser de questions, sans réfléchir, sûr de lui. Mais avec Meagan, il avait l'impression de marcher en permanence sur des œufs, ignorant sa réaction.

Enfin… Se rappelant les raisons pour lesquelles il l'avait invitée à monter, il la suivit.

Avant de monter, il avait heureusement fait signe à Josh de garder Kiki occupée quelques secondes ; il disposait donc de quelques instants de liberté.

Meagan se promenait dans les vastes chambres, regardait les détails, admirait l'agencement et le style. Mais en réalité, elle ne cessait de penser à Sam.

Sam qui venait de se conduire comme tous les hommes de son genre en prenant la direction des événements. Mais elle ne devait pas être de mauvaise foi. Elle ne devait pas lui donner tous les torts, il ne le méritait pas. En plus, elle aussi avait sa part de responsabilité. En fait, elle n'était pas fâchée contre Sam, mais contre elle-même. Lui n'avait pas essayé de la contrôler. Au contraire. Il l'avait même étonnée toute la journée. Quant au contrôle dont il disposait, elle le lui avait accordé en toute connaissance de cause. Le véritable problème était que cet homme lui faisait perdre tous ses moyens et que l'ambivalence des sentiments qu'elle ressentait pour lui la rendait folle, lui donnait envie de hurler.

Une partie d'elle était émerveillée par l'effet qu'il lui

faisait, une autre regrettait de succomber aussi facilement. Elle voulait à la fois garder ses distances et sentir son corps tout contre elle, et cela, malgré sa bonne volonté et sa détermination.

Se forçant à revenir à la réalité, elle pénétra dans une chambre si grande que celle-ci pourrait accueillir deux concurrents.

A ce propos, il faudrait qu'elle fasse avec Kiki la liste du mobilier à acheter. En raison des caméras et de l'espace nécessaire à leur circulation, meubler la maison n'était pas une tâche sans importance.

— Meagan ?

Elle se retourna en entendant la voix de Sam.

— Je suis dans la grande chambre, répondit-elle avant d'entrer dans la salle de bains attenante.

Une superbe salle de bains, luxueuse et parfaitement équipée. Si elle en avait eu le pouvoir, elle l'aurait bien gardée pour elle car elle comprenait une douche à l'italienne et une immense baignoire à pattes de lion comme elle en rêvait. Mais pour éviter toute jalousie, sans doute devrait-elle tirer au sort les noms des danseuses qui en profiteraient.

Elle entendit les pas se rapprocher et, comme chaque fois que Sam la rejoignait, elle sentit l'émotion l'assaillir et la chair de poule la gagner. Un homme lui avait-il déjà fait un tel effet ? Non, jamais, aucun.

De peur de révéler ses sentiments, elle ne se retourna pas. Elle se contenta de fermer les yeux et de frissonner en l'entendant fermer la porte de la salle de bains.

Sa relation avec Sam était une mauvaise idée, tenta-t-elle de se raisonner. Si elle voulait rester concentrée sur le travail, elle devait le fuir tant qu'elle en était capable, avant d'être totalement envoûtée. Mais elle ne bougea pas.

— Que fais-tu ? lui demanda-t-elle en se retournant sur sa silhouette puissante.

— Tu as mal boutonné ton chemisier. Il faut que tu le remettes correctement avant que Kiki ne s'en aperçoive.

Elle avait mal boutonné…

— Mon Dieu. Kiki s'en est-elle rendu compte ?

— Non, pas encore. Mais tu comprends maintenant pourquoi j'ai insisté pour que tu montes rapidement pendant que je les envoyais dans l'autre partie de la maison. Allez, dépêche-toi, ils peuvent arriver d'une minute à l'autre.

— Merci, Sam. Merci beaucoup.

Elle reboutonna son chemisier puis vérifia sa coiffure.

— Pitié, dis-moi que je ne porte aucune autre trace de notre aventure dans la voiture.

— Tu es parfaite, répondit-il d'une voix douce, chaude et sensuelle qui la fit fondre instantanément.

Puis il rouvrit la porte de la salle de bains, sans doute pour éviter qu'ils ne soient pris en flagrant délit. Bonne réaction. Mais soudain, sans prévenir, sans même lui laisser le temps de réagir, il l'attira vers la douche et plaqua son corps masculin contre le sien.

— Nous avons été interrompus tout à l'heure, alors je me rattrape, lui murmura-t-il avant de prendre possession de sa bouche.

Elle ne répondit pas. Incapable de résister à la sensualité, elle s'offrit à lui. Fondant au contact de ses lèvres épaisses et viriles, elle laissa tous ses muscles se détendre et savoura le moment. La petite voix de la raison lui ordonna bien de se reprendre, de le repousser, mais… Impossible. Elle ne pouvait pas. Ses baisers étaient si bons, si envoûtants qu'elle avait succombé. Toute force l'avait désertée. Son corps ne lui obéissait plus.

— Nous ne devrions pas, marmonna-t-elle d'une voix tremblante lorsqu'elle parvint enfin à rompre le baiser.

— Mais tu ne regrettes pas ?

— Non, pas du tout, avoua-t-elle en nouant ses mains autour de sa nuque pour rapprocher sa bouche de la sienne.

Elle ne pouvait plus résister. Cet homme annihilait toute sa raison. Il lui faisait perdre la tête. Tel un magicien, il l'ensorcelait. Entre ses bras, elle oubliait l'émission, elle oubliait Kiki, elle oubliait… Tout. Entre ses bras, elle avait l'impression qu'ils étaient seuls au monde. Entre ses bras, elle était heureuse. Enfin heureuse.

Mais soudain, elle entendit des pas dans l'escalier et elle se ressaisit. Nerveuse, elle tenta de s'écarter mais Sam l'en empêcha.

— J'ai hâte de t'avoir à moi tout seul, lui susurra-t-il dans le creux de l'oreille avant d'en mordiller le lobe.

Comment espérait-il l'avoir pour lui tout seul ? Elle l'ignorait. Ou plus exactement, sa raison l'ignorait. Mais son corps, encore sous le charme de ses baisers, espérait qu'il ait un plan.

— Il y a quelqu'un ?

Reconnaissant la voix de Kiki, elle jeta un coup d'œil rapide vers le miroir pour vérifier qu'elle était présentable.

— Je suis ici, cria Sam.

Abasourdie, elle se tourna vers lui.

— Tu es fou ?

Voulait-il vraiment que Kiki les rejoigne ?

Il ne répondit pas. Il écarquilla simplement les yeux, comme s'il ne comprenait pas pourquoi elle posait cette question. Au même instant, Kiki apparut à la porte.

— Que se passe-t-il ? demanda cette dernière.

— Une invasion de fourmis, répondit Sam en lui indiquant le lavabo. Si vous choisissez cette maison, il faudra demander au propriétaire de régler ce problème avant d'emménager.

— Bon Dieu, s'exclama Kiki. Il y en a des milliers !

Elle n'avait pas vu les insectes plus tôt, mais il y en avait en effet beaucoup.

Elle se mordit la lèvre pour ne pas sourire. Il n'y avait rien de drôle en soi. Mais Sam, non content d'être doué pour les baisers, était en plus toujours prêt à tout. Son sens de la repartie l'avait sauvée, une fois de plus.

— Vous devez absolument voir l'annexe, reprit Kiki en changeant de sujet. Comme elle comprend deux chambres, je pourrais y loger avec toi, Meagan.

— Allons voir cela, répondit-elle en réprimant un soupir de déception.

Adieu sa soirée en tête à tête avec Sam.

Mais lorsqu'elle passa devant lui, il lui adressa un clin d'œil malicieux, comme une promesse de nouveaux baisers et de sensualité. Il ne lui restait donc plus qu'à espérer qu'il respecte cette promesse, tôt ou tard.

Elle sortit enfin de la salle de bains, le sentant derrière elle, et elle frissonna de plaisir. Pour la première fois depuis longtemps, elle devait avouer qu'elle appréciait d'avoir quelqu'un à ses côtés.

Mais elle était surprise. Dans le passé, elle avait bien tenté de trouver l'amour dans les bras d'hommes rencontrés au hasard de sa vie, dans des relations d'un soir. Hélas, les premiers hommes venus n'étaient pas forcément les plus intéressants. Ils avaient même plutôt tendance à la faire fuir.

Sam, lui, l'attirait comme un aimant. Quel était son pouvoir ?

10

Moins d'une demi-heure après leur dernier baiser, ils avaient fini la visite de la maison et de l'annexe, et se dirigeaient maintenant vers l'autre pavillon, à une centaine de mètres.

Meagan était assise à l'arrière de la voiture de Josh, à côté de Sam dont elle pouvait sentir la cuisse contre la sienne, tandis que Kiki était installée à l'avant.

Kiki, son adjointe à laquelle elle ne parvenait pas à échapper… Pas plus qu'elle ne parvenait à échapper aux souvenirs des minutes passées dans la voiture de Sam et de leurs baisers sensuels… Des souvenirs si pressants qu'ils l'étouffaient et lui faisaient tourner la tête.

— Je n'en reviens pas que cette annexe soit si parfaite, fit Kiki, en jetant un coup d'œil à l'arrière. Nous allons être colocataires, Meagan !

— Youpi ! marmonna-t-elle en levant les yeux au ciel.

Il ne manquait plus que ça. A moins que…

— Nous n'avons pas encore vu le pavillon de la plage.

— Il abritera l'équipe de sécurité et la régie, répliqua Kiki avec autorité avant de s'adresser à Sam. Vous vous installerez là où on vous le dira, n'est-ce pas ?

— Nous verrons, se contenta de répondre Sam.

Encore une fois, Sam la laissait décider.

Elle était tellement touchée par sa gentillesse, par sa prévenance et son respect, qu'elle avait envie de lui sauter dessus et de l'embrasser.

A vrai dire, elle le désirait tout court. Sa présence l'attisait tant qu'elle avait l'impression d'être en feu.

Meagan s'appuya contre la rambarde du porche, à l'arrière du pavillon surplombant la plage et, pensive, fixa les vagues qui s'écrasaient sur le sable. Elle entendit des pas derrière elle et reconnut la démarche de Sam.

A son grand soulagement, Kiki était loin, en train de parler au téléphone. Ils étaient seuls.

— Cette maison te convient-elle ?

— En si peu de temps, nous ne pouvions espérer mieux. D'ailleurs…

Elle s'interrompit lorsqu'elle entendit un bruit. Un bruit qui ressemblait à un miaulement.

— Tu as entendu ? On dirait un chat !

Elle fit quelques pas sous le porche.

— Peut-être est-il coincé quelque part ? Minou, minou. Viens ici.

Comme s'il l'entendait, le chat se mit à miauler de plus en plus fort.

Sam descendit les quelques marches menant à la plage, l'encourageant d'un signe de la main à poursuivre ses appels.

Elle obéit et, quelques instants plus tard, il se baissa et attrapa un chaton caché sous la dernière marche de l'escalier.

Sans attendre, elle se précipita vers l'animal, une adorable boule de poils qui tenait tout entière dans la main de Sam.

— Il va bien ?

— Remontons pour l'examiner à la lumière.

Dans l'escalier, elle ne quitta pas des yeux le chaton, roulé dans la main de Sam.

— Comme il est mignon. Oh non. Regarde, Sam ! Il est blessé. La coupure a l'air profonde.

— Nous devrions l'emmener chez un vétérinaire avant qu'une infection ne s'installe.

Elle releva la tête, surprise.

— Cela ne te dérange pas ? Tu veux bien qu'on s'arrête chez un vétérinaire sur la route du retour ?

— Mon Dieu, cria à cet instant Kiki en sortant sous le porche. Qu'est-ce que c'est que ça, un rat ?

— Non, Kiki, ce n'est pas un rat. C'est un chaton.

— Eh bien qu'il reste loin de moi, répondit la jeune femme. Je suis allergique à ces bestioles.

Pendant que Kiki faisait son cinéma, elle vit Sam lever les yeux au ciel. Apparemment, il en avait par-dessus la tête lui aussi !

— Nous devrions y aller, suggéra-t-il ensuite. Nous devons tous nous lever tôt demain matin et avant, faire un détour par le cabinet d'un vétérinaire.

A ces mots, le chaton laissa échapper un petit miaulement, comme s'il était d'accord.

— Il est hors de question que cet animal monte dans la voiture, protesta Kiki. Je vous rappelle que je suis allergique.

Ignorant la jeune femme, Sam se tourna vers elle.

— Cela ne te dérange pas de marcher jusqu'à ma voiture, Meagan ?

— Non, pas du tout.

Il glissa le chaton dans un T-shirt que Josh gardait dans le coffre de sa voiture et ils prirent le chemin de la maison principale.

— J'ai l'impression de le répéter tout le temps ce soir, Sam, mais merci. Merci pour tout.

— Tu n'as pas besoin de me remercier. Avec ou sans toi, j'aurais emmené le chat chez le vétérinaire.

A ces mots, elle sentit l'émotion l'assaillir et sa gorge se nouer. Sam était d'une gentillesse sincère, profonde.

— Tu n'arrêtes pas de me surprendre, Sam.

Il s'arrêta net et se planta face à elle.

— Qu'est-ce que cela signifie, Meagan ? Tu pensais que j'étais un homme méchant, cruel avec les animaux et les personnes âgées ?

— Non, non, bien sûr que non. Non. C'est juste que…

Il ne répondit rien, reprenant sa route avant même qu'elle ait fini sa phrase.

— Sam !

— Nous savons tous les deux que tu as beaucoup de préjugés à mon égard, mais tu as oublié que les membres des forces spéciales travaillent aussi dans des missions humanitaires. Nous passons beaucoup de temps sur le terrain, à aider les populations. Et les animaux.

Ces paroles la transpercèrent et elle sentit la honte l'envahir.

— C'est vrai, je l'admets, j'ai quelques préjugés. Je pensais que les soldats… Que les soldats étaient des soldats, rien que des soldats, qu'ils ne faisaient que se battre.

— Parfois, pour aider, nous devons utiliser nos armes, mais ce n'est qu'une partie de notre travail. Je peux te certifier qu'il n'y a rien de plus gratifiant que d'apercevoir l'espoir dans le regard de quelqu'un, peu importe son sexe, son âge, sa religion ou sa nationalité.

Meagan sentit son cœur se serrer. Pauvre Sam ! Hélas, une blessure l'avait privé de cette vie dont il rêvait.

— Je dois l'admettre, je ne sais pas grand-chose de ta vie, balbutia-t-elle.

— Résultat, tu te fais des idées.

— Oui, je me fais des idées.

— Et ? insista-t-il.

— Et quoi ?

— Tu sais très bien.

Oui, elle savait très bien ce qu'il attendait. Il attendait des excuses.

— D'accord, je suis désolée. Je te demande pardon. Mais ne me dis pas que toi, tu n'as pas non plus quelques préjugés.

— Tu as raison, admit-il en baissant les yeux.

— Et ? insista-t-elle à son tour.

Il s'arrêta avant de répondre.

— Et je refuse de m'excuser, Meagan, car j'avais raison sur tout. Tu es têtue, autoritaire…

— Je ne suis pas autoritaire.

— Si, mais tu es aussi déterminée, travailleuse, et tu embrasses divinement bien. Tu…

Arrivé à la voiture, il s'interrompit et lui confia le chat.

— Tiens-la pendant que j'ouvre la voiture.

— *La* ? C'est une chatte ?

— Oui.

— Alors je crois que je vais l'appeler Sam… Samantha, parce qu'elle est douce et câline. Exactement comme toi.

Pour toute réponse, il leva les yeux au ciel comme si elle venait de dire une bêtise. Puis il déverrouilla la voiture et lui ouvrit la porte.

Tout en veillant à protéger le chaton, elle se glissa à l'intérieur.

Une fois assise, Sam se pencha vers elle et, sans plus attendre, déposa un baiser gourmand sur sa bouche qui l'étourdit.

— Evidemment que je suis doux et câlin, Meagan. C'est d'ailleurs ce qui te plaît en moi.

Puis, sans un mot de plus, il se recula, ferma la portière et fit le tour de la voiture.

Il avait raison. Il était doux, câlin, tendre. Mais il était aussi fort, musclé et puissant comme un lion. Un lion qu'elle mourait d'envie de sentir ronronner de plaisir entre ses bras.

Jamais un homme ne lui avait fait un tel effet. Pour la première fois, un homme l'attirait, l'excitait et lui donnait envie de se battre pour lui.

Il était minuit passé lorsque Sam sortit de l'ascenseur de l'hôtel, toujours accompagné de Meagan.

La blessure de Samantha n'était finalement pas aussi grave qu'il l'avait craint et le vétérinaire l'avait rapidement soignée.

Ensuite, ils s'étaient arrêtés dans un supermarché ouvert vingt-quatre heures sur vingt-quatre et avaient dévalisé le rayon animaux.

Voilà pourquoi il tenait entre les mains plusieurs grands sacs en plastique comprenant tout le matériel pour s'occuper d'un petit chat, dont un panier assorti au cabas dans lequel Meagan transportait Samantha.

Dans la salle d'attente du vétérinaire, ils avaient longuement discuté, et avaient décidé de faire une offre sur la maison. Il lui avait aussi promis de faire des recherches pour retrouver le propriétaire du chat. Il espérait néanmoins qu'il échouerait dans cette mission, devinant que Meagan aurait le cœur brisé si elle devait s'en séparer.

Ils s'arrêtèrent devant la porte de la chambre de Meagan et il riva son regard au sien. Aussitôt, comme chaque fois qu'il la regardait, il sentit un éclair d'électricité passer entre eux.

Samantha laissa échapper un petit miaulement et Meagan en profita pour détacher son regard du sien et ouvrir la porte. Elle entra puis lui tint la porte ouverte, mais il ne bougea pas.

— Sam, dépêche-toi avant que quelqu'un te voie, insista-t-elle en l'attrapant par le bras.

Il entra enfin et elle ferma la porte derrière lui puis la verrouilla, comme si elle pensait qu'il allait rester.

Mais, à vrai dire, il n'avait toujours pas pris sa décision. Il hésitait encore.

— J'ignorais que j'étais invité.

Ignorant sa remarque, elle s'assit sur le sol avant d'ouvrir le sac et de laisser sortir Samantha.

Il sourit en regardant la chatte s'installer dans le panier rose que Meagan lui avait acheté.

— Elle est si mignonne, Sam, que j'espère vraiment que tu ne trouveras pas son propriétaire. J'ai très envie de la garder, lui avoua-t-elle.

Puis elle se tut et planta ses yeux dans les siens. Instantanément, il sentit l'air ambiant se charger d'une puissance électrique.

— Je sais que tu as envie de la garder.

Il le savait, car elle lui avait parlé des animaux qu'elle avait possédés dans sa jeunesse.

En apparence, Meagan semblait forte, mais ce soir, il avait perçu sa vulnérabilité. Une fragilité qui ne faisait que renforcer son désir pour elle. En fait, plus il passait du temps avec elle, plus il avait envie d'en apprendre sur sa vie, plus il avait envie de la découvrir, de la comprendre.

— Lorsque je travaillais au Texas, pour le magazine de reportages, mes journées étaient si longues que je ne pouvais pas m'occuper d'un animal domestique, lui expliqua-t-elle en caressant Samantha.

— Quel est le rapport entre la danse et l'information ? Je n'ai toujours pas compris comment tu étais passée de l'un à l'autre.

Elle baissa les yeux. Tout à coup, elle semblait nerveuse.

— Une de mes professeurs au lycée avait autrefois enseigné à Julliard, avant d'avoir un accident de voiture qui l'avait obligée à rentrer au Texas. En discutant avec moi, elle a découvert que j'aimais beaucoup la danse et a proposé de m'apprendre à danser, en secret.

— En secret ?

Il ignorait pourquoi, mais il avait l'impression que cette histoire était bien plus compliquée qu'il n'y paraissait.

— Mes parents n'acceptaient pas que je fasse de la danse. Lorsque je t'ai dit que j'avais grandi dans un village semblable à celui du film *Footloose*, je n'exagérais pas. Lorsque j'ai voulu étudier la danse à l'université, mes parents ont cru que le diable avait pris possession de mon esprit. Cela a été… un moment difficile.

Elle fit un geste de la main, comme pour repousser ce souvenir.

— En deux mots, des journalistes d'une chaîne locale sont venus participer à une journée d'orientation à l'université. J'ai sympathisé avec l'un des recruteurs et il m'a proposé un travail après mon diplôme. Cela n'avait rien à voir avec la danse, mais la production m'intéressait, le montage…

— Le travail de journaliste est très stressant.

— C'est vrai, mais c'est aussi extrêmement gratifiant.

Elle baissa de nouveau les yeux vers la chatte.

— Elle est tellement adorable. Je crois que je suis tombée amoureuse.

Amoureuse ?

Il frissonna en entendant ce mot. Meagan était amoureuse ?

Lui ne l'avait jamais été. Il n'avait même jamais dit ces mots à une femme.

Pouvait-il tomber amoureux de Meagan ? Il l'ignorait. Ce qu'il savait, en revanche, c'était que Meagan était différente de toutes les autres femmes qu'il avait rencontrées. D'un regard, elle allumait des étincelles de désir en lui, elle le faisait vibrer. Devant elle, il se sentait vivant.

Une seule nuit, se rappela-t-il soudain.

Lorsqu'il lui avait fait cette proposition, c'était sur le ton de la plaisanterie. Mais plus il réfléchissait, plus il était persuadé que jamais une nuit ne lui suffirait.

Il l'observa jouer avec le chaton, repensant à ce qu'elle lui avait dit, et impatient d'en savoir plus. Car il y avait plus, il en était sûr. Plus il l'écoutait, plus il comprenait pourquoi cette émission était aussi importante pour elle. La danse était sa passion, et elle n'avait hélas pas pu en faire son métier. Mais grâce à cette émission, elle pouvait s'en rapprocher.

— Je crois que ton petit chat a besoin d'un copain chien.

— Un labrador. Il nous faut un chat et un labrador, comme les animaux que tu possédais lorsque tu vivais sur la base militaire.

Le fait qu'elle fasse référence à un souvenir qu'il lui avait raconté le toucha.

— Bonne idée !

— Voilà ma proposition : on adopte un labrador si l'émission est reconduite l'année prochaine.

Sitôt ces mots prononcés, elle détourna le regard, comme si elle les regrettait. « On adopte… », mais oui, cela sous-entendait qu'ils seraient ensemble dans un an ! Il posa alors un doigt sous son menton pour l'obliger à relever la tête.

— C'est une très bonne idée, Meagan.

Puis, poussé par une force mystérieuse, il l'enlaça, la serra dans ses bras et l'embrassa, comme si ce baiser était vital.

— Si tu veux que je parte, Meagan, demande-le-moi tout de suite. Sinon, je ne pourrai plus me retenir…

Il sentit ses doigts fins lui caresser la nuque et, troublé par cette caresse, il ferma les yeux.

— Je sais que je devrais te demander de partir, Sam.

Mon esprit me répète qu'il faut dissocier travail et sexe, mais…

— Je reste ou je pars, ma chérie ?

— Tu restes, Sam. Je veux que tu restes.

11

Sam la troublait au-delà de ce qu'elle aurait pu dire. Avec son corps puissant pressé contre le sien, son bassin collé à sa jupe remontée sur ses hanches, sa bouche gourmande qui la dévorait, il l'enflammait.

Comme une allumette, il déclenchait en elle des explosions de plaisir d'une violence délicieuse. Pourtant, elle n'avait pas envie de lui céder. Sa raison lui intimait de rester calme. Mais elle ne pouvait pas lutter. Elle le désirait. Elle le désirait plus que tout au monde.

Elle en avait même tellement envie que ses vêtements lui faisaient l'effet du papier de verre. Elle souhaitait s'en débarrasser, et sentir sa peau nue contre la sienne.

— Une nuit, murmura-t-elle à bout de souffle. Juste une nuit. Pour évacuer ce désir qui nous ronge.

Mais y parviendraient-ils ? Une nuit suffirait-elle ? A vrai dire, elle avait des doutes.

Malgré elle, cet homme l'attirait, la touchait au plus profond de son être. Il l'aimantait comme une force à laquelle elle ne pouvait échapper.

— On essaye, répondit-il enfin.

Puis, avant même qu'elle ait pu réagir, il plaqua sa bouche contre la sienne et le peu de raison qui lui restait abdiqua.

Elle avait combattu son attirance pour Sam pendant trop longtemps, elle n'avait plus aucune force. Impossible de lutter, de résister.

La langue sensuelle de Sam effleura sa bouche, la lécha,

la titilla, et elle ferma les yeux, envoûtée par les arômes puissants du café qu'ils avaient partagé en sortant du cabinet du vétérinaire. Cela lui rappela tout ce qu'il avait fait pour elle, comment il l'avait défendue quand Kiki l'avait accusée de ne pas être professionnelle, sa réaction quand elle avait annoncé qu'elle voulait secourir le chaton.

Tout son corps tremblait, frissonnait. Il l'obligea alors à se lever puis la prit dans ses bras. Comme ensorcelée, elle se laissa faire. Contre lui, elle oubliait tout. Elle se détendait complètement.

Il l'allongea sur le lit, plaqua son corps contre le sien et elle sentit sa température atteindre des sommets. Jamais elle n'avait connu un moment aussi doux et puissant à la fois.

Elle repensa à la journée, à la présence réconfortante et apaisante de Sam. C'était un souvenir aussi merveilleux qu'inquiétant, car jamais elle n'avait été autant inspirée par un homme ; cela lui faisait peur.

— Je te désire depuis la première fois où j'ai croisé ton regard, murmura-t-il dans le creux de son oreille tout en caressant ses cheveux. Te souviens-tu de quand c'était ?

— Oui, marmonna-t-elle d'une voix à peine audible.

Elle effleura sa virilité, puissante et dure, contre ses hanches. Malgré le tissu, ce contact la fit trembler de convoitise, enflamma son sang comme un volcan en éruption.

— Tu m'avais volé la canette de soda que j'avais payée, mais qui était coincée dans la machine, répondit-elle entre deux baisers.

— J'avais juste mis une pièce. En fait, je crois que tu voulais simplement te disputer avec moi.

— Ça se pourrait.

— Pourquoi ?

— Et toi ? Pourquoi aimes-tu te disputer avec moi, Sam ?

— Tu vas peut-être me traiter de sadique, mais je dois t'avouer que tu m'excites lorsque tu me foudroies du regard.

Elle éclata de rire puis prononça son nom, émue d'entendre ces trois lettres résonner dans l'air simplement parce qu'elle en avait envie.

— Sam.

Il suffit de ce mot pour que son humeur change, que l'atmosphère devienne soudain plus sérieuse entre eux.

Sans la quitter des yeux, il se pencha et plaça un baiser doux et tendre sur ses lèvres. Un baiser aussi léger qu'un bruissement d'ailes de papillon, mais qui la bouleversa. Un frisson lui donna la chair de poule.

Lorsqu'il se redressa pour la regarder droit dans les yeux, elle plongea dans son regard azur et s'y noya.

Elle y vit de la tendresse, tant de tendresse même, que l'émotion l'envahit soudain. Elle ne s'attendait pas à lire de tels sentiments en lui. Mais il ne lui laissa pas le temps d'y réfléchir.

De ses doigts experts, il effleura ses seins et, comme par magie, une nouvelle vague de plaisir l'emporta, l'électrisant encore plus et lui faisant perdre la tête.

Sans prononcer le moindre mot, il se débarrassa de son T-shirt, le jeta par terre et, incapable de résister plus longtemps à la tentation, elle plaqua ses mains sur son torse brûlant et musclé.

Sam était magnifique, sexy, mais c'était surtout un homme courageux, qui avait le sens de l'honneur et se battait pour son pays, pour la liberté.

Il tenta de déboutonner son chemisier, mais pas suffisamment vite à son goût. Impatiente, elle l'aida sans trembler. Elle se sentait sûre d'elle. Elle voulait qu'il sache qu'elle était prête à profiter de ce moment, librement, sans la moindre retenue, sans la moindre hésitation.

Elle avait pris sa décision. Ce soir, elle allait lui faire l'amour.

Comme s'ils avaient tous les deux peur qu'un simple

mot suffise à rompre la magie, à briser l'instant, ils ne dirent rien.

Il posa ses lèvres sur son cou, laissa ses doigts se promener sur son soutien-gorge de dentelle noire, repoussant le tissu pour pincer ses tétons durcis par le désir. Elle laissa échapper un soupir de plaisir et se cambra.

Elle n'en pouvait plus d'attendre. Elle avait besoin de lui, tout de suite, en elle.

Comme s'il devinait son impatience, il la débarrassa de son chemisier, de son soutien-gorge puis s'attaqua à sa jupe, la faisant glisser le long de ses jambes. Il lui enleva ensuite ses chaussures délicatement puis l'allongea sur le matelas. Tremblante à l'idée de ce qui allait se passer, elle le fixa du regard.

— Il faut que tu saches, Meagan, que je vais tout faire pour qu'une seule nuit ne te suffise pas, dit-il avant de poser sa bouche sur sa peau en feu.

Non, une nuit ne suffirait pas. C'était là le problème.

Sam voulait prendre son temps avec Meagan. Savourer chaque seconde de ce corps à corps exquis avec elle.

Comment avait-il pu être naïf au point de croire qu'une seule nuit avec elle lui suffirait ?

Il posa ses lèvres sur la peau soyeuse de son ventre, puis laissa sa langue aller et venir jusqu'aux courbes sensuelles de ses hanches tout en s'enivrant de son parfum.

Son cœur battant à toute allure, il traça ensuite un chemin de baisers en direction de son intimité moite, brûlante. Puis, de sa langue, il en dessina les replis les plus secrets. Il glissa deux doigts dans son sexe humide et, instantanément, la sentit se contracter contre ses mains, se cambrer au maximum, comme pour l'inviter à aller plus loin.

A cette idée, il sentit son sexe se tendre encore plus et son désir grimper d'un cran. Il n'en pouvait plus d'attendre. Il mourait d'envie de la pénétrer, de plonger dans sa féminité et de la faire crier son nom.

Avec les autres femmes, il agissait toujours de façon égoïste, un peu mécanique, mais ici, ce soir, il voulait avant tout lui procurer du plaisir à elle. Il voulait d'autant plus la combler qu'il devinait qu'elle n'était pas le genre de femme à s'abandonner facilement.

Il alterna alors les coups de langue doux et plus fermes sur son clitoris, et se délecta des petits cris sensuels qu'elle laissait échapper. Décidément, elle le rendait fou.

Il lui souleva une de ses jambes fines et fuselées et la posa sur son épaule pour mieux l'explorer, puis poursuivit ses caresses jusqu'à la sentir se raidir de tous ses muscles en lâchant un long cri animal lorsqu'elle atteignit la jouissance.

A sa grande surprise, elle se cacha aussitôt le visage entre les mains, comme si elle était gênée.

Encore une surprise.

Cette femme semblait invincible, conquérante et confiante l'espace d'un instant puis, tout à coup, elle redevenait sensible et vulnérable. Il déposa un baiser tendre sur son nombril puis remonta à son niveau.

— Tu es si belle, Meagan.

— Sam, murmura-t-elle d'une petite voix en rougissant.

Emu par sa timidité, il esquissa un sourire.

— Ne bouge pas, lui ordonna-t-il ensuite avant de s'asseoir pour finir de se déshabiller.

Elle se redressa sur les coudes pour le contempler, sa timidité apparemment oubliée et son regard de nouveau conquérant. Il la vit se mordre la lèvre avec gourmandise et, instantanément, son sexe se tendit encore plus.

Impatient, il attrapa un préservatif dans la poche de son pantalon et s'allongea de nouveau.

Même s'il la désirait plus que tout, il avait pu remarquer les lueurs d'inquiétude dans son regard.

— Je ne me promène pas avec des préservatifs plein les poches, d'ordinaire, chérie, dit-il pour la rassurer. Mais ce soir, je ne voulais pas rater l'occasion, alors j'en ai acheté quelques-uns, lorsque nous nous sommes arrêtés au supermarché.

— Je peux ? lui demanda-t-elle, le regard coquin, en attrapant le préservatif.

— Est-ce la peine de demander ?

Il n'en pouvait plus d'attendre. Il était en feu. Il n'était plus qu'un nœud d'émotions prêt à exploser.

Elle attrapa la protection puis referma sa main sur son sexe tendu à l'extrême. Mais elle ne déroula pas le préservatif. Non. Pas tout de suite. Au lieu de cela, elle le prit dans sa bouche.

La sensation l'électrisa. Sous le choc, il retint son souffle et bascula la tête en arrière. Elle était en train de le rendre fou.

— Oh Meagan… C'est si bon… Mon Dieu, je ne vais pas pouvoir résister longtemps.

— J'aime te sentir excité comme ça… Savoir que tu ressens la même chose que moi.

Ces mots lui firent l'effet d'un bidon d'essence sur le feu. Son désir n'en devint que plus intense. Désormais, plus rien ne pouvait éteindre cet incendie qui brûlait en lui. Rien du tout, hormis lui faire l'amour.

Incapable d'attendre une seule seconde de plus, il lui prit le préservatif des mains et le déroula sur son sexe. Puis il écarta ses longues jambes de ballerine.

Il l'embrassa avant qu'elle ait eu le temps de dire quoi que ce soit puis, d'un geste ferme et précis, il la pénétra, profondément. Il l'entendit murmurer son nom, comme une douce et envoûtante musique et il ferma les yeux.

Dieu comme c'était bon. Jamais il ne se lasserait de cette sensation.

Pas plus qu'il ne se lasserait de la regarder d'ailleurs, songea-t-il en rouvrant les yeux pour admirer son visage de déesse.

Il plongea dans ses yeux et soudain, sentit son cœur se serrer, comme si un lien unique venait de se tisser entre eux, mais il ne voulut pas s'attarder sur cette idée. Ce n'était pas le moment d'y penser. Pour l'instant, il préférait aller et venir en elle, avec passion, toujours plus fort.

La tension augmentait, et il se mit à accélérer, tentant à chaque coup de reins d'être un peu plus proche d'elle. Quelques minutes plus tard, il explosa enfin et s'effondra, la serrant fort entre ses bras.

Ils demeurèrent ainsi un long moment, la tête sur son épaule, la main sur son torse, à tenter de reprendre leur souffle. Puis, après quelques longues minutes, il se tourna vers elle.

— Parle-moi de la petite ville dans laquelle tu as grandi, lui demanda-t-il, impatient d'en savoir plus sur elle.

Elle éclata de rire, comme étonnée par sa question.

— Nous sommes nus et tu veux que je te parle de la ville dans laquelle j'ai grandi ? Tu as de drôles d'idées. Tout ce que je peux te dire, c'est que là-bas, tout le monde serait choqué de savoir que nous bavardons dans cette position, je peux te le garantir.

— Ah, ta famille est un peu… stricte, peut-être ? Que pensent tes parents de ton émission ?

— Je ne leur en parle pas. Nous avons décidé, il y a de nombreuses années, que c'était la meilleure solution.

— Tu veux dire qu'ils n'approuveraient pas, s'ils savaient ?

A ces mots, il la sentit se raidir à côté de lui. Sans attendre, il lui caressa les cheveux pour tenter de la détendre.

— Je suis désolé, ma chérie, je ne voulais pas te rendre nerveuse.

— Je sais. Chaque fois que je me dis que leur opinion m'importe peu, ne me touche pas, ne me blesse pas, je me sens faiblir et l'émotion m'envahit.

— Considèrent-ils vraiment que ce que tu fais est mal ?

— Oui.

— Pourtant, quand je te regarde, je vois d'abord une belle femme qui a réussi sa carrière, une femme pleine d'assurance et de volonté qui fait tout pour vivre son rêve jusqu'au bout. Bon, cette femme est peut-être un peu autoritaire, mais personnellement, ça ne me dérange pas.

— Vraiment ?

— Oui, vraiment.

— Dans ce cas, répliqua-t-elle en le poussant sur le dos et en se hissant au-dessus de lui, il est temps de te montrer qui commande, ici.

Oh oui ! qu'elle lui montre ça, qu'elle le chevauche et le rende fou, encore et encore. Il ne demandait que ça.

12

Meagan se réveilla brusquement et balaya du regard sa chambre d'hôtel.

Quelle heure était-il ? Et Sam… Où était Sam ?

A l'évidence, il était parti et, pour des raisons qu'elle ne comprenait pas, ou plutôt qu'elle ne voulait pas comprendre, elle se sentait déçue. Et triste.

Une sonnerie stridente retentit alors, interrompant ses pensées. Le téléphone de l'hôtel ! Mais que lui voulait-on ?

Elle s'étira sous les draps et sourit en reconnaissant l'odeur de Sam.

Sam qui lui avait fait l'amour cette nuit… Sam qui était parti.

Bon sang, elle n'osait même pas regarder son réveil tant elle craignait d'être en retard.

Elle tenta d'attraper le téléphone sur la table de chevet mais le fit tomber. Elle jura puis tira sur le fil jusqu'à attraper le combiné.

— Allô !

— Il est l'heure de se lever, ma chérie.

— Sam !

Il lui avait suffi d'entendre sa voix pour sentir tous ses sens s'éveiller et son rythme cardiaque accélérer.

— Quelle heure est-il ?

— 5 h 15. Ce qui veut dire qu'il te reste quarante-cinq minutes pour te préparer et venir sur le plateau.

Elle sourit en entendant Samantha miauler.

— Tiens ! remarqua Sam, ta petite adoptée est réveillée elle aussi. Et j'ai l'impression qu'elle a autant envie de manger, que toi tu as envie de te recoucher.

— S'il te plaît, dis-moi que personne ne t'a vu sortir de ma chambre.

— Personne, rassure-toi.

— Tu…

— Oui, j'en suis sûr et certain, Meagan. C'est pour cette raison que je suis parti très tôt. Dieu sait pourtant que je n'avais qu'une envie, rester avec toi.

A ces mots, les images des heures passées ensemble remontèrent à sa mémoire. La manière qu'il avait de la serrer entre ses bras, de l'embrasser dans le cou, sur le ventre, sur les jambes, son corps puissant et surtout, tout le plaisir qu'il lui avait donné…

Après l'amour, elle s'était dit qu'elle allait profiter quelques minutes de lui, de la douceur du moment, avant de le renvoyer dans sa chambre. Mais elle n'en avait pas eu le cœur. A dire vrai, elle ne voulait pas qu'il parte.

— Bon, je dois quand même te dire quelque chose, reprit-il soudain. Tu ronfles !

— Non, je ne ronfle pas, rétorqua-t-elle en attrapant le chaton d'une main pour le poser sur le lit.

— Il ne te reste plus que quarante et une minutes pour te préparer et nourrir ce pauvre chaton affamé, lui rappela-t-il avant de se radoucir. Enfin, que tu me croies ou non, tu ronfles, Meagan. La prochaine fois, il faudra que je t'enregistre pour te le prouver.

La prochaine fois ? Il avait bien parlé d'une prochaine fois ?

— Sam…, commença-t-elle.

Trop tard. Il avait raccroché avant qu'elle ait eu le temps de répondre.

Dix heures plus tard, elle n'avait toujours pas vu Sam et s'en voulait de penser autant à lui et de constater qu'il lui manquait terriblement. Et ce n'était pas le travail qui manquait, pourtant ! Enfin, la bonne nouvelle était qu'elle disposait maintenant de suffisamment d'images des participants, discutant de la prétendue malédiction, pour commencer le montage.

En attendant, elle les avait tous envoyés se reposer. Ils reprendraient les répétitions le lendemain.

Elle entra dans un des bureaux mis à leur disposition par l'hôtel et se dirigea vers le distributeur automatique de boissons et d'aliments. Elle glissa les pièces dans la fente et sélectionna un paquet de cacahuètes, qui se bloqua dans la machine. Elle commençait à s'énerver lorsqu'elle sentit soudain ses poils se hérisser, exactement comme la veille aux studios.

Elle connaissait le sens de ce frisson.

— Sam…

Elle se retourna puis se figea, sous le choc. Sam était d'une beauté à couper le souffle. Elle le trouvait déjà beau avant de coucher avec lui mais là, elle n'avait même plus de mots pour le décrire. Adossé contre la porte, elle le trouvait puissant, magnétique, envoûtant.

— Un problème ? lui demanda-t-il en la dévorant du regard avec autant d'intensité que si elle avait été nue.

Mon Dieu, oui, être nue devant lui, contre lui, voilà ce qu'elle voulait !

— On dirait que la malédiction a frappé le distributeur automatique, lui expliqua-t-elle en se forçant à maîtriser ses émotions.

— Voyons voir si je peux faire quelque chose.

Il fit quelques pas dans sa direction et elle se retint

pour ne pas rester là, juste devant la machine, pile sur son chemin. Elle en mourait d'envie.

Décidément, Sam la rendait folle. Il la déconcentrait, envahissait ses pensées au point de lui faire reléguer son travail et sa carrière au second plan.

Il lui faisait perdre la tête, elle le savait, elle le déplorait, et pourtant, elle ne pouvait pas lui résister. Quand elle le voyait, elle voulait le toucher, le caresser, sentir sa peau contre la sienne.

Depuis qu'elle avait compris qu'il n'était pas un homme comme les autres, mais un homme qui l'émouvait et la comprenait, elle ne pouvait plus ignorer ce qu'elle ressentait pour lui.

De toute façon, c'était plus fort qu'elle.

Elle oublia ce que lui soufflait sa raison et resta immobile devant la machine. Sam s'approcha, s'arrêta devant elle. Elle le dévisagea sans prononcer le moindre mot.

De toute façon, elle n'avait pas besoin de lui parler. Ils se comprenaient sans rien dire.

— Tu as l'air fatigué, Meg, murmura-t-il en promenant une main douce sur sa joue.

— Meagan, corrigea-t-elle, refoulant le frisson de désir qu'il avait fait naître en elle.

— Comme tu veux, ma chérie.

Elle entendit soudain des voix, dans le couloir, et son rythme cardiaque accéléra, gagnée qu'elle était par la nervosité. La dernière chose dont elle avait besoin était que son équipe commente son aventure avec Sam. Kiki encore moins que les autres.

De toute façon, elle n'avait pas d'aventure avec Sam.

Mais dans ce cas-là, que faisait-elle ici, avec lui ? Que diable faisait-elle ?

Comment aurait-elle pu le dire ? Elle se sentait complètement perdue.

Les bruits de pas s'éloignèrent.

— Ne m'appelle pas chérie non plus, demanda-t-elle alors à Sam. Nous nous étions mis d'accord sur une seule nuit, ne l'oublie pas.

Elle s'en voulait de dire ces mots. D'ailleurs, elle ne savait même pas pourquoi elle les avait prononcés, mais...

— C'est vrai, finit-il par répondre.

Son ton sec la fit aussitôt frissonner.

Mais elle ne pouvait pas lui en vouloir. Même si elle n'en avait pas eu l'intention, elle venait bel et bien de le repousser.

— Je... Nous ne pouvons pas, Sam... Je ne veux pas que les autres découvrent... C'est pour cette raison que je ne veux ni mots doux ni caresses...

— Ni baisers. C'est bon, j'ai compris. Un paquet de cacahuètes et ça ira.

Il n'avait pas l'air heureux. Au contraire même, il semblait soudain en colère.

D'un geste un peu brusque, il glissa quelques pièces dans la machine et appuya sur un bouton. Aussitôt, deux paquets de cacahuètes tombèrent, ainsi que deux sodas. Il lui tendit d'autorité un paquet et une canette.

— Je crois que je te dois des informations, dit-il ensuite d'un ton plus doux.

Il attrapa une chaise et l'invita à s'asseoir.

— J'ai des nouvelles concernant la maison. Installe-toi, Meagan, et je te dirai tout.

— C'est du chantage ?

— Disons une stratégie...

— Qui fonctionne très bien, tu vois, répondit-elle en s'asseyant.

Elle prit place face à lui, soulagée de pouvoir passer quelques minutes en tête à tête et déterminée à réparer ce qu'elle venait de casser.

— Alors, la maison…

— Le propriétaire a accepté toutes nos demandes, y compris la désinsectisation. Si tu es sûre que c'est cette maison que tu veux, je peux faire en sorte qu'elle soit prête ce week-end pour accueillir notre déménagement. Cela te laisserait ensuite du temps pour tout organiser avant les émissions en direct. Honnêtement, je préférerais que les danseurs s'y installent et n'en sortent plus. J'aurais beaucoup moins de mal à les surveiller qu'ici…

Il s'interrompit pour ouvrir sa canette.

Mais il y avait autre chose. Quelque chose dans le ton qu'il avait employé la dérangeait.

— Que me caches-tu, Sam ?

— Un journaliste d'un magazine à scandale a essayé de se glisser dans l'étage réservé à l'émission, en se faisant passer pour un serveur.

Il ne manquait plus que ça.

Lasse, elle ferma les yeux et prit une profonde respiration.

— Comme si je n'avais pas déjà assez de soucis…

— Rassure-toi, ce n'est plus un problème, je m'en suis occupé. Mais c'est aussi pour ça que je suis pressé que tout le monde s'installe là-bas.

— Oui, le plus tôt sera le mieux.

— C'est toi qui me dis. Je suis ici à tes ordres, Meagan.

Meagan… Il l'avait appelée Meagan, pas Meg, pas chérie. Cela aurait dû lui faire plaisir, car elle avait beaucoup insisté là-dessus, et pourtant, elle ne parvenait pas à se réjouir. Elle regrettait cette distance qu'elle sentait soudain grandir entre eux.

— Bon, reprit-il en se levant. Je m'occupe de la maison, alors. En cas de problème, je t'appelle.

— Très bien.

Elle se leva à son tour et le dévisagea. Mais son beau visage demeurait impénétrable, froid.

Elle avait envie de s'excuser, mais ignorait quoi dire. De toute façon, il était déjà à la porte.

Peut-être ne voulait-il pas qu'elle s'excuse. Peut-être…

Devant la porte, elle le vit hésiter un instant et retint son souffle. Peut-être que… Mais non, sans un mot de plus, il sortit et, tremblante, elle ferma les yeux.

Qu'avait-elle fait ?

Elle mourait d'envie de lui courir après, de se jeter à son cou et de le ramener à elle. Elle poussa un long soupir. Il fallait qu'elle se calme, qu'elle se remobilise : elle avait de nombreuses images à monter et devait en plus rendre une petite visite aux danseurs.

Alors non, elle ne suivrait pas Sam.

Elle se laissa retomber sur la chaise et enfouit son visage entre ses mains.

Pas de doute, Sam était en train de la rendre folle.

Sam était en colère et ne savait même pas pourquoi.

Il avait quitté la chambre de Meagan tôt ce matin, pressé de la revoir et de savoir comment tournerait leur relation.

C'était avec ces mêmes questions, cette même impatience, qu'il l'avait rejointe dans le bureau, tout à l'heure.

Hélas, rien ne s'était déroulé comme il l'aurait voulu. Meagan lui avait fait comprendre qu'ils avaient passé une nuit ensemble et que cela ne se reproduirait plus. Fin du rêve.

Sans doute avait-elle des raisons pour agir ainsi. Ses parents l'avaient étouffée et, d'après ce qu'il avait compris, essayaient toujours de le faire. Elle avait sans doute peur qu'il se conduise de la même façon et la seule manière qu'elle avait trouvée pour garder son indépendance était de le maintenir à distance.

De son côté, il savait bien que mélanger travail et sexe n'était pas une bonne idée. Son rôle était pourtant clair :

se concentrer sur la sécurité, sur l'émission et sur Kiki. Sabrina ne s'était pas trompée : Kiki ne souhaitait pas le succès de Meagan et était même prête à tout pour que l'émission échoue. Il fallait juste qu'il le prouve avant qu'elle parvienne à ses fins.

Il savait tout cela et pourtant, il ne pouvait s'empêcher de penser à Meagan, la Meagan d'hier, nue entre ses bras, si belle et si parfaite, et celle, si froide et si distante, de tout à l'heure.

Il se conduisait comme un imbécile, à poursuivre une femme qui ne le désirait pas. Cela ne servait à rien.

Il devait à tout prix se changer les idées et pour cela, il avait besoin d'air frais, d'un bon verre… Et peut-être d'une femme.

Non, pas de femme. Aucune femme ne l'intéressait, à part Meagan.

Les nerfs à vif, il déverrouilla sa voiture et se glissa derrière le volant.

Au même moment, son téléphone sonna et il jeta un coup d'œil sur l'écran.

Josh.

— Que se passe-t-il ? Où es-tu ?

Il entendait de la musique, très forte, derrière lui.

— Kiki a emmené un groupe de danseurs dans un club, non loin de l'hôtel. Ils sont sur scène.

— Sans l'autorisation des studios ou de la sécurité ?

— Je lui ai rappelé que les studios pourraient être poursuivis en cas de problème, mais elle m'a assuré que Meagan avait donné son accord.

Il réprima un juron. Evidemment que Meagan n'avait pas donné son accord. Kiki mentait.

— Où sont-ils ?

— Au club Z. Des caméras sont là et…

Il ne laissa pas Josh terminer sa phrase. Il raccrocha

et, sans attendre, composa le numéro de Meagan. Hélas, elle ne répondit pas.

Bien entendu.

Il sortit de sa voiture en bondissant et courut en direction de l'hôtel, impatient et en colère.

Il s'arrêta net en apercevant Meagan qui venait dans sa direction, au pas de course elle aussi.

— Sam ! cria-t-elle.

Sans doute était-elle au courant.

— Sam, répéta-t-elle en s'arrêtant enfin devant lui, à bout de souffle. Sam, je… Nous…

— Je sais. Josh m'a averti. Allons-y.

— Josh ? De quoi parles-tu ? Que se passe-t-il ?

Sam s'arrêta une seconde. Elle n'était pas au courant ?

Cela voulait-il dire qu'elle l'avait rejoint à sa voiture pour des raisons personnelles ? Qu'elle était ici… pour lui ?

Enfin… A cet instant, cela n'avait pas d'importance. Il n'avait pas le temps d'y penser. Il fallait faire face à l'urgence de la situation.

En quelques mots, il l'informa donc des derniers événements.

— C'est une très mauvaise nouvelle, réagit-elle en montant dans sa voiture. La responsabilité des studios sera mise en jeu si quelqu'un se blesse. Sans parler de nos sponsors qui imaginent que cette émission va s'adresser aux familles, aux enfants… Et dire que tous les danseurs se trouvent dans cette boîte ! Si les sponsors jugent certaines images trop sensuelles ou sexy, ils peuvent se retirer du projet, et là, ce serait la mort définitive de *Pas de deux*.

— Tu ne sais pas tout, Meagan. Le pire est que Kiki a affirmé à Josh que tu avais donné ton accord pour cette virée.

— Quoi ? Dis-moi que c'est une blague, Sam.

— Hélas non, c'est la vérité. Mais ne t'inquiète pas, je suis là et je te protège.

Il ne laisserait personne, non, personne, toucher à un cheveu de Meagan.

- 13 -

Cette fois-ci, elle demanda à Sam de l'attendre le temps qu'elle retourne à l'hôtel chercher son sac et son téléphone. Elle avait retenu la leçon. Mais contrairement à l'autre soir, le trajet jusqu'au club, de dix minutes à peine, lui sembla durer une éternité.

Dès qu'il fut garé, elle bondit hors du véhicule.

— Où est l'entrée du club Z ? demanda-t-il à un passant.

— C'est juste un peu plus haut dans la rue.

Elle n'attendit pas la fin des indications pour courir dans la direction du club.

— Bon sang, Sam, je n'arrive pas à croire que Kiki ait fait venir des caméras, s'indigna-t-elle. Comment a-t-elle réussi ce coup ? Il y a des autorisations légales à demander avant de pouvoir filmer dans un lieu public.

— Tu connais déjà la réponse, répondit-il. Elle avait tout prévu.

— Sans doute… Il n'y a pas d'autre hypothèse, mais cela ne veut pas dire que je doive la laisser faire. Il faudrait que j'en parle à Sabrina, mais Kiki risque de répondre que j'étais au courant, que j'avais donné mon accord… Mon Dieu. Je n'arrive pas à y croire.

En approchant du club, elle découvrit une longue queue formée devant la porte. Elle regarda alors Sam se diriger vers le videur et lui parler. Apparemment, il était très convaincant car celui-ci les laissa immédiatement entrer.

Il lui prit la main et l'entraîna dans le couloir étroit. A

son contact, elle frissonna instantanément et repensa au moment qu'ils avaient partagé dans le bureau, au baiser, à leur dernière entrevue, durant laquelle elle s'était montrée si maladroite…

Elle s'en voulait tellement qu'elle était partie à sa recherche. C'était lui qu'elle avait poursuivi, lui et lui seul, puisqu'elle ignorait encore tout du scandale de Kiki. Elle voulait retirer ses mots, apaiser sa colère contre elle parce que, qu'elle le veuille ou non, elle appréciait vraiment Sam.

Ils firent encore quelques pas dans l'ambiance tamisée et elle retrouva ses esprits. Le club comprenait deux étages et un balcon surplombant la piste de danse.

Il l'attira plus près de lui et, sentant sa chaleur masculine irradier son corps, elle repensa à la nuit brûlante qu'ils avaient partagée.

— Restons ensemble, lui murmura-t-il à l'oreille. Je ne veux pas te perdre dans ce chaos.

Elle se tourna vers lui et sa bouche se retrouva à quelques centimètres de la sienne.

— D'accord.

Elle riva ensuite son regard au sien et, aussitôt, elle se sentit revivre. Son lien avec lui n'était pas rompu… A cette pensée, son corps se détendit enfin.

Il se pencha un peu plus pour lui parler et, sa raison abdiquant, elle s'enivra de son parfum masculin. Comme elle adorait cette fragrance…

— On commence par l'étage ou le sous-sol ? lui demanda-t-il.

— Hé, cria soudain quelqu'un derrière eux. Regardez, il y a des caméras qui filment en bas.

Très bien. Ils disposaient maintenant de l'information qui leur manquait. Sans perdre une seule minute, Sam l'entraîna vers le sous-sol, bousculant au passage quelques clients.

Quatre des participants à l'émission étaient sur scène, sous l'œil des caméras. Aucun réalisateur n'était présent, uniquement Kiki et les membres de l'équipe technique qui, à cette heure, auraient dû être en train de travailler au montage.

La colère la gagna brutalement et, incapable de se maîtriser plus longtemps, elle s'écarta de Sam. Jusqu'à présent, elle avait pris ses précautions avec Kiki, mais cela avait assez duré.

Elle allait voir qui dirigeait l'émission.

Sam devait beaucoup à Josh. Son adjoint avait tant bien que mal sécurisé la scène, compte tenu des circonstances. Malheureusement, jamais il ne pourrait faire descendre de scène les danseurs, au milieu d'une chorégraphie, sans ajouter au désordre. Alors il ne bougea pas. Il se contenta de regarder de loin Meagan discuter avec Kiki en gesticulant nerveusement.

Tout à coup, il la vit s'interrompre pour interpeller Derek, l'animateur, puis l'un des caméramans. Il la vit ensuite faire quelques pas en arrière et rester seule, les bras croisés devant la poitrine. Elle semblait bouillir de rage.

Quelques instants plus tard, les danseurs sur scène terminèrent leur chorégraphie, mais elle ne bougea guère plus. Il décida alors de la rejoindre.

— Que fait-on, patronne ?

Elle semblait si tendue qu'il devinait que la conversation avec Kiki s'était mal passée. Il n'avait jamais pensé que celle-ci s'excuserait de son comportement, mais elle avait vraiment dû se conduire de façon odieuse pour que Meagan soit dans cet état.

Cette dernière ne lui répondit même pas. L'ignorant, elle prit la direction des coulisses. D'un geste, il demanda alors à Josh de faire en sorte qu'aucun des danseurs ne s'éloigne.

Josh lui répondit d'un simple hochement de tête et il se précipita dans les coulisses pour retrouver Meagan.

Il la retrouva quelques secondes plus tard, au bout d'un couloir, dans un recoin à l'abri des regards. Manifestement, elle ne l'avait pas entendu arriver. Il s'arrêta pour la contempler à son aise.

Avec ses cheveux bouclés, descendant jusqu'aux épaules, et ses formes sensuelles, comme elle était sexy ! Un lien très particulier l'unissait à elle, différent de tout ce qu'il avait connu.

Il prit une grande inspiration et s'obligea à redevenir professionnel. Il avança. Elle avait besoin de lui, ce n'était pas le moment de la laisser tomber.

Lorsqu'il se retrouva suffisamment près d'elle, il prit son beau visage en coupe. Lentement, elle riva son regard au sien et posa ses mains fines sur son torse.

— Sam.

Sa voix était si faible qu'elle se perdit dans un souffle.

— Dis-moi ma chérie. Que s'est-il passé ?

— J'ai mal géré la situation. Je me suis disputée avec Kiki, je l'ai menacée, elle a répliqué. Et elle a gagné. Elle jure que j'ai signé une autorisation pour cette sortie en même temps que d'autres documents. Elle a dû le glisser au milieu des contrats et je l'ai signé sans m'en rendre compte.

— Est-ce possible ?

— Je ne sais pas. Je lui ai dit que je voulais voir le formulaire, et elle m'a répondu que si j'en parlais à Sabrina, elle dirait qu'elle m'avait prévenue du danger que représentait cette soirée… J'ai commis une erreur, Sam. Et maintenant, je suis coincée. Je ne peux même pas demander aux danseurs de quitter le club parce que

Kiki me l'interdit. Parce qu'elle me l'interdit, elle ! Tu te rends compte.

— Mais moi, je peux prendre la décision de les faire évacuer. Je…

Elle se pencha et le coupa pour l'embrasser, le rendant instantanément fou de désir. Elle se détacha finalement de ses lèvres et lui dit :

— Non. Ne prends pas de risques pour me protéger, Sam. Je ne veux pas te mettre en danger. Mais embrasse-moi encore.

Obéissant volontiers, il la serra fort entre ses bras.

— Tu sais, Meagan, chuchota-t-il, je peux faire les deux à la fois.

Puis il se tut et plaqua sa bouche contre la sienne. Ses lèvres le cherchaient, le taquinaient, et il la sentit s'abandonner. Alors, tout à coup, la musique sembla s'éloigner : seul comptait leur désir.

Et avec lui, la révélation qu'ils s'étaient menti lorsqu'ils avaient affirmé qu'une seule nuit leur suffirait.

Refoulant ses pensées dans un coin de sa tête, il approfondit le baiser, se noyant dans la volupté. Mais bon sang, ce baiser était bien la preuve que, comme lui, Meagan voulait plus qu'une aventure d'une seule nuit.

Charmé, envoûté, il laissa ses mains glisser sur ses courbes de déesse tandis qu'elle faisait de même. Ses mains fines explorèrent son torse sous sa chemise, caressant sa peau, la griffant, l'électrisant. Bon Dieu, il voulait la posséder, ici, tout de suite. Il ne pouvait pas attendre. Elle le rendait fou !

Il aurait voulu se raisonner, se concentrer sur son travail, mais il n'arrivait pas à se reprendre. Il n'avait plus qu'une seule idée en tête, lui faire l'amour, là, dans ce couloir désert. Heureusement qu'il pouvait compter sur Josh pour surveiller les danseurs.

Il rompit soudain l'étreinte et se recula pour la regarder.

— Tu m'as accusé de vouloir tout contrôler, Meagan. Et pourtant, chaque fois que je suis avec toi, c'est toi qui me prives de toute volonté.

— Je te laisse le pouvoir, Sam, répondit-elle à bout de souffle.

Elle posa une main sur sa joue et il l'embrassa une nouvelle fois, avec une tendresse qui l'étonna lui-même.

— Ne baisse pas les bras, Meagan, ne laisse pas Kiki gagner.

— Chut, rétorqua-t-elle en passant une main tentatrice sur le renflement de sa braguette. Pourquoi faut-il toujours que tu parles ?

Elle avait raison. Pourquoi diable faisait-il tous ces discours ? Pourquoi ne profitait-il pas simplement du moment ?

Déterminé à ne plus penser qu'au plaisir, il la plaqua contre le mur et reprit possession de sa bouche, avec toute la passion qu'il ressentait pour elle.

— Meagan…

— Oui, Sam…, répondit une voix féminine derrière lui.

Une voix qui n'était pas celle de Meagan.

Blêmissant, il se figea sur place, imité aussitôt par Meagan.

— Mon Dieu, murmura cette dernière en reconnaissant Kiki. Non !

— Eh oui, répliqua la jeune femme en éclatant de rire. Quel spectacle vous venez de m'offrir !

Il réprima un juron. Il venait de commettre une erreur, une grosse erreur. Jamais il n'aurait dû profiter ainsi de la faiblesse de Meagan. Car c'était cela dont il s'agissait, d'un simple moment de faiblesse. Et il allait devoir assumer les conséquences de ses actes. Heureusement, elle semblait avoir repris des forces. Elle défiait désormais Kiki, les yeux dans les yeux. Mais avant qu'elle ait eu le temps de dire quoi que ce soit, des cris provinrent de la salle et ils se retournèrent tous les trois.

— Une bagarre !

Sans attendre, il courut vers la salle, suivi par Meagan et Kiki. Sur la scène, occupée quelques minutes plus tôt par les danseurs, c'était maintenant un pugilat au féminin.

L'émission familiale imaginée par Meagan était en train de se transformer en un combat de catcheuses.

Non. Ce n'était pas possible. Il devait à tout prix agir s'il voulait tenter de sauver *Pas de deux*. Il devait le faire pour Meagan.

14

Grâce à Sam, Meagan se retrouva sur la scène en quelques secondes. Et grâce aux hommes de Sam, la bagarre fut rapidement sous contrôle. Josh maîtrisa Tabitha tandis qu'un autre membre de l'équipe de sécurité s'occupait d'une petite blonde prénommée Carrie White, une danseuse qu'elle avait toujours considérée comme timide. Mais, à voir la marque rouge sur le visage de Tabitha, elle n'en était plus aussi sûre.

— Tu ferais bien de faire attention, cria Tabitha à Carrie en tentant d'échapper à Josh. Tu vas payer pour ce que tu m'as fait !

— Assez, intervint-elle avec autorité. Un geste de plus et je vous exclus toutes les deux. Compris ?

Le regard noir et sévère, elle les fixa l'une après l'autre pour vérifier que le message était bien passé.

— J'essayais juste de me défendre, marmonna Carrie d'une petite voix. Elle m'est tombée dessus, Meagan. Je… Je n'essayais que de me défendre.

Tout en écoutant la jeune fille, elle vit s'avancer Jensen, le grand danseur blond originaire de New York qui faisait palpiter le cœur de toutes les filles.

— Carrie dit la vérité, confirma-t-il. C'est Tabitha qui a commencé.

La situation était désormais claire. Il s'agissait d'une rivalité amoureuse qui avait mal tourné. Carrie et Jensen avaient dû flirter sur scène, déclenchant la colère de Tabitha.

Kiki monta à son tour sur la scène. Sans surprise, elle avait attendu que la bagarre soit terminée et que tout danger soit écarté avant d'intervenir.

— Que s'est-il passé ? demanda-t-elle.

— Ces danseurs n'avaient rien à faire ici, voilà ce qui s'est passé, répondit Sam à sa place, avant de se tourner vers Josh. Il y a une sortie de secours à côté des toilettes. Fais en sorte que toute l'équipe de l'émission l'utilise pour quitter les lieux. Rapidement.

Quinze minutes plus tard, les danseurs reprenaient la direction de l'hôtel tandis qu'elle repartait avec Sam, encore tremblante et nerveuse.

— Tu vas bien ? lui demanda-t-il soudain en lui saisissant le bras pour l'obliger à s'arrêter.

— Aussi bien que possible, compte tenu des circonstances.

— Il faut que je te dise, j'ai appelé Sabrina.

Il avait appelé la directrice des programmes ?

— Pourquoi ? Quand ?

— Il y a quelques minutes. Et avant que tu te mettes en colère…

— Je ne suis pas en colère, Sam. Je sais que tu essayes simplement de m'aider et je t'en remercie. Mais je ne veux pas t'attirer des ennuis, ni jeter de l'ombre sur ta carrière.

— C'est mon travail de protéger les studios, Meagan. C'est pour cette raison que j'enquête sur les antécédents de Kiki. Mais en attendant, tu dois faire ton possible pour l'empêcher de saboter l'émission.

— J'essaye. Bon, que t'a dit Sabrina ?

— Sabrina a confiance en toi et attend beaucoup de cette émission. Le problème, ce n'est pas elle, ce sont ses supérieurs qui pensent d'abord à leurs investissements. Elle m'a donné carte blanche pour enquêter sur Kiki tout en me mettant en garde, car cette dernière est connue pour avoir

travaillé sur plusieurs projets qui se sont arrêtés soudaine-
ment. Elle serait à l'origine des pseudos désastres qui ont
entraîné la déprogrammation de plusieurs émissions. Elle
n'a qu'un but dans la vie, se faire valoir, et aucune limite,
aucun scrupule. Nous devons donc agir avec précaution.

Elle voulait bien faire attention, mais… Avait-elle une
chance de gagner contre Kiki ?

— Si elle a autant de pouvoir que tu le sous-entends,
les événements de ce soir signeront sans doute la fin de
l'émission. Si la bagarre fait la une des journaux à scandale,
les sponsors nous lâcheront à coup sûr.

— Il te suffira d'en trouver d'autres.

En trouver d'autres ?

— Plus facile à dire qu'à faire, surtout pour une nouvelle
émission.

— Dans ce cas-là, réfléchissons. Ton objectif est de
filmer les danseurs dans leur quotidien, n'est-ce pas ?

— Oui, mais je pensais surtout montrer des jeunes gens
timides, anxieux à l'idée de monter sur scène, et pourtant
passionnés. Jamais je n'avais imaginé les bagarres, la
prétendue malédiction ou tous ces incidents en cascade.

— Meagan, tu es beaucoup trop impliquée émotionnellement. Tu devrais prendre du recul et réfléchir calmement,
comme lorsque tu travaillais sur une nouvelle émission
d'informations. J'imagine qu'au Texas, tu devais faire face
à la pression du scoop, à la rivalité avec les autres chaînes.

— En effet.

— Alors agis de la même façon. Arrête de penser à
Pas de deux comme s'il s'agissait de ton rêve. Considère
l'émission comme un projet de plus, c'est tout.

Elle réfléchit quelques instants à ce que Sam venait de
dire, puis approuva d'un signe de tête.

— Tu as raison. Tu as absolument raison, Sam.

— Et puis, je reste confiant. Les événements de ce

soir, même provoqués par les manipulations de Kiki, ont montré une certaine facette des danseurs.

— Une facette pas très glorieuse.

— La réalité n'est pas toujours belle, Meagan. Selon moi, la bagarre a d'abord été causée par le stress de la compétition et je suis persuadé que tu peux la mettre en scène de façon à attirer les téléspectateurs.

A ces mots, elle sentit son cœur s'alléger et les idées l'envahir. Finalement, Sam était de très bon conseil.

— Tu sais, Sam, maintenant que j'y pense, je crois que tu as raison. Je pourrais publier un communiqué de presse présentant cet incident comme je souhaite qu'il soit perçu, c'est-à-dire comme le résultat du stress de la compétition. Je pourrais l'envoyer aux sponsors et leur promettre de leur montrer des rushs avant la diffusion.

— Excellent ! Ainsi, tu anéantirais les efforts de Kiki pour t'affaiblir et tu en sortirais gagnante.

Soudain soulagée, elle esquissa un petit sourire.

— Mon Dieu, Sam. Mais c'est toi qui es plein d'excellentes idées. Comme je t'aime !

Sitôt ces mots sortis de sa bouche, elle se raidit et blêmit. Elle n'arrivait même plus à respirer.

Avait-elle vraiment dit que... Etait-elle en train de tomber amoureuse de Sam ?

— Et moi qui me disais que, déjà, j'aurais de la chance si tu ne me détestais pas, répliqua-t-il d'une voix douce.

Ignorant quoi répondre, elle se contenta de le fixer puis, retrouvant ses esprits, se lança dans ce qui lui réussissait le mieux avec lui, la joute verbale.

— Je risque pourtant de te détester si tu te comportes comme tout à l'heure, lui lança-t-elle d'une voix aussi assurée que possible. Tu m'as déconcentrée, tu m'as embrassée et, à cause de toi, Kiki est maintenant au courant.

— Non, ce n'est pas vrai, trancha-t-il.

Pas vrai ? Elle fronça les sourcils.

— Comment ça, ce n'est pas vrai ?

— Quand je t'ai trouvée dans le couloir, tu étais en train de pleurer et tu avais le moral dans les chaussettes. Tu m'as utilisé pour parvenir à tes fins et je n'ai pas su résister. J'aurais dû dire non, j'aurais dû rester concentré sur mon travail, mais... Tu m'as fait perdre la tête.

— En somme, tu me fais porter le chapeau ?

— Exactement.

— Il en est hors de question. C'est toi qui m'as fait perdre la tête, Sam !

— Disons alors que c'était réciproque.

Oui, sans doute était-ce réciproque.

— De toute façon, cela ne change rien, nous ne pouvons pas... Nous devons arrêter.

— Mais j'adore t'embrasser.

— Non.

— Si, et là, j'en ai très envie.

— Tu en as peut-être envie, mais tu ne peux pas m'embrasser. Ce n'est pas possible, Sam.

Tout en prononçant ces mots, elle sentit sa gorge se nouer. Elle n'attendait pourtant que cela, un autre baiser de Sam, mais elle n'avait pas le choix.

— Tu dois comprendre que si nous continuons, Kiki va...

— Je n'en ai rien à faire de Kiki, la coupa-t-il vigoureusement.

— Moi si, alors nous devons...

— Marchons, la coupa-t-il une nouvelle fois, à l'évidence fâché.

La frustration la gagna et elle secoua la tête pour tenter de se reprendre. Comme tout à l'heure à l'hôtel, elle s'en voulait de le repousser, mais il devait comprendre son point de vue. Elle voulait qu'il arrête de la tenter mais, en même temps, désirait de toutes ses forces qu'il continue.

Elle ne voulait pas qu'il obéisse. Elle voulait qu'il insiste. Elle voulait… Elle voulait tout et son contraire.

Décidément, elle était vraiment en train de devenir folle.

— Marchons ? C'est tout ce que tu as à répondre ?

— Que veux-tu que je fasse d'autre ? Que je te plaque contre le mur et que je t'embrasse ?

Oui. Voilà exactement ce dont elle avait envie. Mais elle ne pouvait l'avouer. Perdue, elle lui agrippa alors le bras.

— Tu me rends folle, Sam. Je me sens complètement perdue. Je ne sais pas quoi dire, je ne sais pas quoi faire.

— Si ça peut te rassurer, je suis dans le même état que toi, ma chérie.

— Tu te rends compte ? Même Sabrina pense que Kiki est dangereuse. Sabrina ! Alors qu'elle est responsable des programmes et qu'elle a énormément de pouvoir. Si malgré tous nos efforts l'émission est déprogrammée, j'ai peur que tu tombes avec moi.

— Ce n'est pas le problème. Le vrai problème, c'est que tu me repousses, que tu refuses de compter sur moi. C'est très différent.

Sitôt son accusation lancée, il recommença à marcher et elle demeura immobile, abasourdie. Sous le choc, elle se contenta de le regarder s'éloigner, submergée par l'émotion. Elle aurait voulu le suivre, lui expliquer. Le problème était qu'il ne pouvait pas comprendre. Non, il ne pouvait pas.

Et ce n'est pas qu'il était un salaud arrogant, un homme autoritaire, non. Il était un véritable héros.

A dire vrai, elle avait peur pour lui. Il affirmait qu'il ne risquait rien en la défendant, mais elle n'était pas d'accord. Au contraire, il mettait son poste en jeu et elle refusait de le laisser prendre ce risque. Elle ne méritait pas qu'il en fasse autant pour elle.

Il ne lui restait donc qu'une seule solution : le laisser partir.

Il avait néanmoins raison sur un point. Professionnellement, elle devait reprendre le contrôle et ne pas laisser ses émotions la gouverner.

Oui, voilà ce qu'elle allait faire. Désormais, elle ne commettrait plus les mêmes erreurs. Elle ne faiblirait pas.

Lorsqu'il se leva à l'aube, le lendemain, Sam se réjouit d'apercevoir une cafetière dans sa chambre. Il avait peut-être une âme de militaire habitué à vivre à la dure, mais il avait toujours apprécié son bon café noir du matin.

Sans cesser de penser à Meagan, il vida sa tasse d'un trait.

Meagan… qui l'avait laissé partir hier soir, qui l'avait repoussé. C'était la première fois qu'une telle aventure lui arrivait et il ignorait comment réagir.

Il avait besoin d'air pour se reprendre. Il posa sa tasse, enfila son jean et un T-shirt, impatient d'aller conclure les discussions concernant la maison.

A l'hôtel, il sentait trop la présence de Meagan. Savoir qu'elle se trouvait à quelques mètres de lui le rendait fou et l'empêchait de se concentrer comme il le voulait.

Il sortit dans le couloir désert et sursauta en entendant une porte s'ouvrir et se fermer doucement derrière lui. Il se retourna et aperçut Carrie.

— Je… Je ne pensais pas croiser quelqu'un, marmonna-t-elle, gênée d'avoir été découverte.

— Je vois cela, répondit-il, soudain perplexe en remarquant la valise qu'elle tenait à la main. Où vas-tu comme ça ?

Au moment même où il prononça sa question, il vit des larmes couler sur les joues de la jeune femme.

Dans ces cas-là, il savait ce qu'il avait à faire.

— Viens avec moi.

Quelques secondes plus tard, il frappait à la porte de la chambre de Meagan. Lorsqu'elle lui ouvrit, elle portait un pyjama orné de petites souris et était toute décoiffée. Curieusement, il la trouva encore plus sexy que d'habitude. Si sexy qu'il mourait d'envie de l'embrasser, de la câliner, de la posséder.

Il ne pouvait échapper à son attirance pour cette femme, c'était impossible. Elle l'avait ensorcelé.

Dès que Meagan vit Carrie, elle écarquilla les yeux et sembla se réveiller instantanément. Sans attendre, elle invita la jeune femme à entrer. Il la suivit et entra lui aussi dans la chambre. Avant qu'elle lui demande quoi que ce soit, il décida de lui préparer du café. Meagan avait l'air fatiguée. Un bon café lui ferait du bien.

Pendant ce temps, Meagan invita Carrie à s'asseoir et à lui raconter ce qui lui arrivait.

— Elle me déteste, commença la jeune femme.

— La compétition peut être rude, répondit Meagan. Mais parfois, l'enjeu en vaut le coup. Je vais te poser une question, Carrie. Es-tu prête à tout pour la danse ? Parce que, quand je vois ta valise, j'en doute.

— Je veux danser, répondit Carrie. Il n'y a que la danse qui m'intéresse.

— Mais tu n'es pas prête à te battre.

— Si.

— Mais pas contre Tabitha.

— C'est la fille la plus méchante que j'ai jamais rencontrée, répliqua Carrie.

— Hélas, le monde est peuplé de créatures comme Tabitha, lui rappela Meagan.

Elle l'observa quelques instants avant de poursuivre.

— Ecoute, Carrie, la vie n'est pas toujours rose. Tout le monde ne sera pas toujours gentil avec toi, tout ne tombera pas du ciel. Mais tu ne peux pas laisser des gens comme Tabitha te faire renoncer.

Sam l'écouta prononcer ces mots. Il eut l'impression

que, indirectement, elle lui parlait. Elle avait un rêve, son émission, et avait peur d'être forcée d'y renoncer.

Ce qu'il comprenait également à travers ses mots, c'était qu'il n'y avait pas de place pour lui dans sa vie tant qu'elle ne lui accorderait pas de l'importance, tant qu'elle ne pourrait penser à autre chose que son émission.

— Je me suis tordu la cheville hier soir, continua Carrie. J'ai mal. J'ai prétendu que ce n'était rien, mais je crois que ma blessure est sérieuse. Encore une marque de la malédiction !

— Il n'y a aucune malédiction, Carrie ! Une cheville tordue, ça se soigne. Il te reste dix jours avant ta première performance en public. Si tu veux utiliser cette blessure ou Tabitha comme excuse pour renoncer, à toi de voir.

— Je ne veux pas renoncer, mais…

— Il n'y a pas de mais, la prévint Meagan. Je vais être dure avec toi, Carrie, mais c'est nécessaire. Tu restes ou tu pars, tu te bats ou tu renonces, c'est à toi de décider. Maintenant.

— Mais…, balbutia Carrie, est-ce que tu crois que je suis capable d'aller loin dans cette émission ?

— Ce que je crois n'a pas d'importance. Ce qui compte, c'est ce que toi tu penses. Sache simplement que tu ne serais pas là si je ne croyais pas en toi.

Carrie se précipita dans les bras de Meagan et, instantanément, l'émotion le gagna.

— Je vais me battre, annonça la jeune fille, quelques secondes plus tard, en essuyant ses larmes. Je vais battre Tabitha et gagner cette compétition.

— Très bien, lui répondit Meagan. J'ai hâte de voir ça.

La discussion se poursuivit encore un peu avant que Carrie ne retourne dans sa chambre pour se reposer en prévision des prochaines répétitions.

Il se leva alors pour partir lui aussi.

— Attends, Sam…, fit Meagan en lui prenant le bras.

A ce simple contact, il sentit son désir se réveiller et son sexe se tendre. Il déglutit et feignit d'ignorer la réaction de son corps, puis, obéissant à sa raison, il ouvrit la porte, refusant de susciter de nouvelles rumeurs. Il ne voulait pas non plus risquer de l'embrasser.

Il croisa son regard et y plongea intensément. Il lut alors dans ses beaux yeux bleus qu'elle comprenait. Tant mieux.

— J'ai vu mon équipe hier soir, lui annonça-t-elle ensuite, comme s'ils venaient implicitement de choisir de rester professionnels. Nous avons préparé un communiqué de presse et l'avons envoyé aux sponsors. L'un d'eux m'a aussitôt appelée pour me dire combien il était satisfait du buzz que l'émission commençait à créer. Après cela, Kiki a expliqué qu'elle était à l'origine de tout et je l'ai laissée se vanter.

— Très bien. Je suis content que tout se soit arrangé.

— Moi aussi, répondit-elle, hésitante.

Voulait-elle ajouter quelque chose, lui dire que…

— J'ai laissé mon téléphone et mon sac dans ta voiture, finit-elle par murmurer.

— Oui, répondit-il d'une voix neutre, son cœur ralentissant peu à peu. Ton téléphone et ton sac… Je demanderai à quelqu'un de te les rapporter.

Il attendit une réponse de sa part, mais rien ne vint. Par son silence, elle venait de lui donner l'ordre de s'éloigner.

Apparemment, elle ne pouvait se résoudre à faire autrement.

15

Une semaine plus tard, Meagan arpentait nerveusement la scène sur laquelle, dans deux jours, la première émission en direct se déroulerait.

Deux tout petits jours. Deux jours qui l'éloigneraient encore de Sam. Evidemment, il n'était jamais bien loin, mais elle se forçait à garder ses distances. C'était la seule solution pour qu'il conserve son travail et ne soit pas inquiété.

Malgré tout, elle devait s'avouer qu'il lui manquait énormément. Il lui manquait le jour, il lui manquait la nuit.

Elle passa une main dans ses cheveux pour tenter de se calmer. En vain. Sa nervosité atteignait des sommets. Rien ne se déroulait comme elle l'avait imaginé. L'éclairage de la scène était défaillant, les balances imparfaites et le groupe à la mode, censé chanter en direct, avait annulé à la dernière minute car le chanteur était malade. Bref, son émission virait au désastre.

Oui, les premiers numéros, consacrés à la malédiction et à la bagarre dans le club, avaient obtenu un grand succès, mais le véritable test pour *Pas de deux* serait le prime en direct. L'accent mis sur la danse plairait-il aux spectateurs ? Nombreux étaient les chefs des studios qui en doutaient.

— Nous avons obtenu l'accord de Mason Montgomery, lui annonça soudain Kiki en la rejoignant.

Mason Montgomery était un jeune chanteur qui vendait beaucoup de disques en ce moment.

— Il est impatient de participer à l'émission, poursuivit son assistante.

Elle laissa échapper un soupir de soulagement.

— Enfin une bonne nouvelle.

Suivant le conseil de Sam, elle avait félicité Kiki pour l'épisode au club Z et depuis, cette dernière semblait enfin s'intéresser à l'émission et travailler à son succès.

— Est-ce qu'on va pouvoir emménager dans la maison demain, comme prévu ? lui demanda Kiki en s'installant derrière la table destinée au jury.

— Les négociations sont toujours en cours, mais je devrais avoir des nouvelles d'une minute à l'autre.

Kiki grimaça.

— Ecoute, Meagan, je sais que tu n'aimes pas le côté téléréalité de l'émission, mais les scènes tournées dans le club ont vraiment dopé l'audience. Je désire autant que toi le succès de l'émission et je pense que pour captiver les téléspectateurs, nous devons leur offrir quelque chose de plus croustillant que la danse pure. Malheureusement, tant que nous ne sommes pas dans la maison, nous n'avons pas grand-chose à leur proposer.

Son téléphone sonna et, ignorant Kiki, elle y jeta un coup d'œil.

— C'est Josh.

Depuis quelque temps, c'était toujours Josh qui l'appelait, et non Sam. Depuis qu'il avait amené Carrie dans sa chambre, l'autre matin, elle l'avait à peine vu et il lui manquait beaucoup. Leurs conversations lui manquaient. Son rire, ses sourires, son regard brûlant…

— Josh, fit-elle en décrochant enfin.

— Nous sommes prêts à signer, mais Sam voudrait que tu le rejoignes à la maison. Il a quelques questions techniques.

— D'accord.

Impatiente, elle raccrocha. Elle était pressée de s'installer dans la maison. Pressée de voir Sam.

— Josh, peux-tu m'apporter un tournevis, cria Sam depuis le placard sous l'évier de la cuisine, dans la maison des participants à l'émission.

— Et un tournevis. Un !

Il se figea en entendant la voix. Une voix féminine et suave. Celle de Meagan.

Meagan… Lentement, il sortit la tête du placard et la trouva, accroupie devant lui, ses épaisses boucles auburn flottant autour de son beau visage.

Il adorait ses cheveux. Ils étaient si doux et parfumés.

— Ton adjoint était introuvable alors je l'ai remplacé, lui expliqua-t-elle. J'ignorais que tu t'y connaissais en plomberie.

— Ce n'est malheureusement pas le cas, répondit-il en s'adossant au placard. Je vérifie juste le réseau électrique. Une des caméras ne fonctionne pas et elle bloque le relais des autres. Je suis content que tu sois là, car j'ai besoin de toi pour me préciser quelles zones demeureront privées. Je sais qu'elles seront peu nombreuses, mais les participants ont tout de même droit à un peu d'intimité.

Elle approuva d'un signe de tête puis s'installa contre l'îlot central, face à lui.

— Le système électrique de l'auditorium est défaillant, lui annonça-t-elle ensuite. Un électricien est censé s'en occuper aujourd'hui, mais je commence à me demander si mon émission n'est pas bel et bien maudite.

— Pas pour l'audience, en tout cas. Jusqu'à présent, les résultats sont très bons.

— Dieu merci ! Depuis le début, rien ne se passe comme prévu, mais c'est vrai que les premiers résultats sont encourageants.

— Ce n'est pas parce que l'émission ne se déroule pas comme tu l'espérais qu'elle n'est pas bonne.

Elle l'étudia quelques instants avant de répondre. Elle semblait pensive.

— Toi non plus, Sam. Tu n'es pas comme je le croyais.

— C'est ce que tu m'as dit.

— Sam… Tu m'évites depuis quelques jours.

Au moins, elle n'y allait pas par quatre chemins quand elle avait quelque chose à lui dire.

— J'ai été très occupé.

— Tu m'as évitée.

— Je t'ai évitée. Oui, c'est vrai.

— Pourquoi ?

— N'était-ce pas ce que tu désirais, Meagan ?

— Je ne crois pas.

Il écarquilla les yeux, surpris.

— Comment ça ? Que veux-tu dire ?

— Disons que… Je crois que ça me manque de ne pas me disputer avec toi.

— Tu crois ?

— D'accord, je l'admets, Sam. Ça me manque.

A lui aussi, cela lui manquait. Et même beaucoup plus qu'il ne voulait se l'avouer.

— Ne t'inquiète pas, Meagan. Nous aurons bien l'occasion de nous disputer dans la maison.

— A ce propos, tu me confirmes que l'emménagement se fera demain ?

— Je pense que oui. Il n'y a plus qu'à vérifier l'emplacement des différentes caméras et…

D'ailleurs, il avait quelque chose à lui montrer. Il se leva, mais elle l'arrêta.

— Sam, murmura-t-elle alors d'une petite voix, remplie d'émotion.

— Oui, chérie.

— Tu me manques.

— Tu as pris une décision, je me contente de la respecter.

— J'essaye juste de te protéger.

Le protéger ? Pourquoi ?

— Je n'ai pas besoin d'être protégé, Meagan.

— En es-tu si sûr ? Parce que moi, j'ai des doutes.

— Sûr et certain.

— Mais…

— Il n'y a pas de « mais » qui tienne.

— Dans ce cas-là, ce baiser que j'ai refusé l'autre jour…

Elle ne finit pas sa phrase, s'approcha de lui et lentement, posa sa bouche sur la sienne.

Sam, au fond de lui, ne savait plus qui l'emportait : la voix du désir ou bien celle qui lui recommandait de garder ses distances, et de faire attention.

Sa raison lui ordonnait en effet d'être prudent et de ne pas trop s'attacher à Meagan.

Même si, manifestement, elle l'appréciait plutôt, il ne voulait pas s'imaginer quoi que ce soit. Ce n'était pas l'envie qui lui manquait, pourtant, mais… Il se demandait si cette relation n'était pas simplement pour elle un moyen de s'évader, de se changer les idées pendant une période de stress intense.

En tout cas, elle semblait toujours aussi sensible à lui, comme depuis leur baiser dans les coulisses du club, la semaine dernière. Mais depuis, beaucoup de choses avaient changé pour lui, ou du moins, étaient devenues plus claires.

Il aimait bien Meagan. Il l'aimait beaucoup et même si ce sentiment était nouveau pour lui, il refusait de fuir. Il n'avait jamais fui et n'allait sûrement pas commencer aujourd'hui. Il était bien décidé à voir jusqu'où leur aventure pouvait les mener, et s'il y avait autre chose entre eux que du désir.

Elle rompit le baiser et il esquissa un sourire.

Il se sentait heureux à cet instant, comblé, mais il avait aussi envie de comprendre.

— Pourquoi ce soir, Meagan ? Pourquoi ce soir et pas hier soir ? Ou la nuit précéd… ?

Il entendit une porte claquer et, à regret, il s'interrompit.

Qu'ils aient réussi à profiter de ces quelques minutes tout seuls relevait du miracle. Ils n'allaient pas pouvoir continuer leur discussion maintenant, mais il voulait néanmoins qu'elle sache qu'il ne jouait pas et ne fuyait pas ses responsabilités.

Il effleura une dernière fois sa bouche de ses lèvres, pour lui rappeler qu'il était bien là, à ses côtés, et qu'il y resterait quoi qu'il arrive.

— Sam, murmura-t-elle, l'air soudain très vulnérable.

Il l'avait rarement vue se mettre à nu à ce point.

— Hey ! Tout va bien dans…, lança Josh en entrant dans la pièce avant de s'interrompre. Ah, bonjour Meagan, je ne savais pas que tu étais là. J'imagine que tu es contente de notre futur emménagement.

— Très contente, répondit-elle avant de donner quelques indications à son adjoint pendant qu'il terminait sa réparation.

Quelques minutes plus tard, ils avaient fini de déterminer les emplacements de toutes les caméras et se tenaient sous le porche de la maison.

— Si nous allions jusqu'à la plage, lui proposa-t-il, je pourrais te montrer où placer les caméras extérieures.

— Certaines caméras vont être installées sur la plage ?

— Oui. D'abord pour nous assurer qu'aucune personne extérieure ne pénètre sur la propriété et puis, parce que ça donnera sans doute des images intéressantes.

— Merci, Sam. Je n'aurais pas pu rêver mieux. Je sais

que ce poste n'a pas grand-chose à voir avec l'armée, mais si ça peut te consoler, sache que tu es très compétent.

Oui, c'était en effet un grand changement de carrière.

— Je fais tout pour être efficace, répondit-il en s'adossant contre la rambarde. Je me concentre sur le futur et non pas sur le passé. Je refuse de m'attarder sur ce que j'ai perdu.

— Pourtant, une blessure t'a obligé à renoncer à ton rêve. Cela ne te met pas en colère ?

— Si. Sur le moment, j'étais en colère, j'étais même fou de rage. Mais avec le temps, je me suis raisonné. J'ai compris que je ne pouvais pas changer l'histoire, simplement tourner la page et avancer. Et jusqu'à présent, je suis plutôt satisfait de ma vie et de ce que j'en fais.

— Sam…

Elle semblait émue, tout à coup, comme si c'était elle qui avait renoncé à son rêve. Que lui cachait-elle ? Quelle douleur, quelle souffrance ?

— Meagan, lui dit-il, j'ai l'impression que tu crois que je ne pourrai pas comprendre ce que tu ressens. Mais je veux comprendre, car ce qui compte pour les gens auxquels je tiens compte aussi pour moi. Alors j'aimerais que tu me le dises, Meagan, quel souvenir te pèse ainsi ?

Elle prit une profonde respiration avant de répondre, comme pour rassembler son courage.

— Pourquoi me poses-tu cette question ?

— Parce que j'ai l'impression que tu t'accroches à quelque chose de ton passé, quelque chose de douloureux. Et parce que je veux savoir ce qui te motive, ce qui te fait vibrer.

Il imaginait qu'elle allait botter en touche, éluder la question, mais à sa grande surprise, elle ne bougea pas. Elle demeura immobile et le fixa droit dans les yeux.

— Lancer une nouvelle émission, c'est un peu jouer les funambules. A tout instant, on peut basculer. Si cette émission ne marche pas, il faudra que je repense ma carrière et que je me demande si oui ou non, je suis faite pour ce métier.

Elle marqua une pause puis lui offrit un faible sourire.

— Tu me parlais d'une petite promenade, si je me souviens bien ? lui rappela-t-elle.

Pour toute réponse, il lui prit la main et l'entraîna vers la plage, savourant l'instant, le lieu, l'ambiance paisible.

— Tu voulais savoir pourquoi je t'ai embrassé ce soir, reprit-elle brusquement en se tournant vers lui.

— Dis-moi.

Le ton direct qu'elle venait d'employer le surprenait.

— Parce que, en fait, je t'aime bien, Sam Kellar.

« Je t'aime bien, Sam Kellar » ! Rien n'aurait pu lui faire plus plaisir que ces mots. C'était exactement ce qu'il ressentait pour elle.

— Je t'aime bien aussi, Meagan Tippan, dit-il alors, avant de l'enlacer. Alors, que veux-tu qu'on fasse, maintenant ?

Les lumières autour d'eux faiblirent et, tout à coup, il entendit des pas sur le sable.

— Apparemment, notre cachette va encore être découverte, lui murmura-t-elle.

Tant mieux, car il ne voulait pas se cacher. Et il n'avait pas davantage l'intention qu'elle se cache.

Elle venait enfin d'ouvrir la porte sur sa vie et il refusait qu'elle la referme. Il voulait en savoir plus. Il mourait d'envie d'en connaître tous les détails.

— Laisse-moi finir ici, lui proposa-t-il, et ensuite, nous discuterons tous les deux.

Elle hocha la tête et lui adressa un sourire malicieux.

— Très bien. Je suis prête à me disputer avec toi.

— Moi aussi. Du moment que nous nous embrassons et que nous nous réconcilions, je suis pour les disputes !

16

Alors que Sam la suivait dans un autre véhicule, Meagan se sentait nerveuse au volant de sa voiture. Tout le monde rentrait à l'hôtel. Elle se sentait nerveuse, mais pas pour des raisons personnelles. Sa relation avec Sam avait pourtant pris un nouveau tour ce soir. Elle n'avait pas prémédité son baiser, dans la cuisine, mais ne le regrettait pas. Bien sûr, elle avait toujours par moments l'impression de perdre la tête, mais elle en avait assez de tenter de tout contrôler autour d'elle et, après avoir avoué son désir à voix haute, elle se sentait mieux. Soulagée, libérée.

Son téléphone sonna et, tenant le volant d'une seule main, elle glissa rapidement l'écouteur dans son oreille avant de décrocher.

Si elle était fébrile, c'était essentiellement pour des raisons professionnelles. Elle avait tenté de joindre Kiki et Shayla toute la soirée, sans résultat, et cela commençait à l'inquiéter.

— Allô, fit-elle d'une voix froide.

— Quel accueil ! Tu ne vas pas me manger tout cru, quand même ?

Elle éclata de rire en reconnaissant la voix de Sam. Il lui suffisait de l'entendre pour se sentir mieux. Il avait un don pour lui changer les idées.

Mais elle n'avait pas le temps pour les distractions en ce moment, lui martela la voix de la raison. Elle serait bien bête de relâcher son attention pile au moment où elle lançait une nouvelle émission et devait s'y consacrer tout entière.

— Désolée, mais je n'arrive pas à joindre Kiki ni Shayla et ce silence ne me dit rien qui vaille.

— Veux-tu vraiment que Kiki s'installe avec toi dans l'annexe ? lui demanda-t-il, revenant sur la conversation qu'ils avaient eue un peu plus tôt.

— Mieux vaut qu'elle ne soit pas trop loin si je veux pouvoir la surveiller.

— Si elle s'installe dans le pavillon de la plage, c'est moi qui la surveillerai. Hum… Non, après réflexion, c'est mieux qu'elle soit avec toi.

— Tu m'étonnes ! De toute façon, je ne suis pas sûre que Josh aurait été d'accord. Je le vois bouillir dès qu'elle s'approche.

— Josh n'est pas idiot, sinon, il ne travaillerait pas avec moi. Il sait de quoi Kiki est capable.

Elle soupira. Sam avait raison, Kiki était capable de tout.

— Je ne comprends pas pourquoi elle ne répond pas, répéta-t-elle.

— N'imagine pas toujours le pire, Meagan. Allons, parlons d'autre chose. Dis-moi quelle est ta couleur préférée.

— Tu es sérieux ?

— Très sérieux. Alors, ta couleur préférée ?

Amusée, elle éclata de rire. Il n'y avait qu'avec Sam qu'elle parvenait à se changer les idées aussi rapidement. Sa voix douce et sensuelle lui réchauffait le cœur. Avec lui, elle se détendait, comme s'il avait un pouvoir magique.

— Bon, eh bien soit. Le rouge !

— Pourquoi ?

— Parce que c'est une couleur forte et douce à la fois. Et toi ?

— C'est l'orange.

— Comme la couleur de l'équipe des Longhorn du Texas ?

— Non, comme le comté d'Orange, en Californie. Je suis né là-bas et j'ai la nostalgie des couchers de soleil sur l'océan. Tu as de la chance, je n'ai pas l'habitude d'avouer que j'aime les couchers de soleil. Cela va l'encontre de l'image virile des soldats.

— Les soldats ne sont pas tous sans cœur, c'est toi-même qui me l'as dit. Ils font la guerre pour des objectifs louables, pour la paix, la liberté… *Pas de deux* est une espèce de guerre pour mes danseurs. Ils sont prêts à tout pour que leurs rêves deviennent réalité. Malheureusement, Kiki risque de transformer leur rêve en cauchemar.

— Ne t'inquiète pas et arrête de penser à Kiki. Bon, ceci n'a rien à voir avec cela, mais j'ai très envie de manger une bonne tarte aux pommes. Tu sais les faire ?

Elle laissa échapper un petit rire. En voilà une drôle de question !

— Je sais les acheter à la pâtisserie, mais mes talents s'arrêtent là. Par contre, je suis championne quand il s'agit de glisser une pizza surgelée dans le four.

— Bonne nouvelle. J'adore la pizza.

Grâce à la conversation avec Sam, le trajet lui parut très court.

Mais lorsqu'elle se gara dans le parking de l'hôtel, et que Sam la rejoignit, la réalité la rattrapa. Et la réalité, c'était qu'elle était toujours sans nouvelles de son équipe et que personne n'avait essayé de la joindre sur le chemin retour.

Elle aurait voulu ne pas s'inquiéter mais, tout à coup, elle se sentait nerveuse. Nerveuse pour son travail et nerveuse à l'idée de se retrouver seule avec Sam. C'était pourtant ridicule, elle avait déjà couché avec lui, elle l'avait déjà embrassé. Elle commençait à bien le connaître.

Et puis, entre eux, il ne s'agissait que d'une aventure.

C'était du moins ce qu'elle pensait jusque-là, car ce soir, elle avait l'impression que cette histoire s'était métamorphosée en quelque chose d'autre, en quelque chose de plus fort.

Elle eut à peine le temps d'ouvrir la portière que Sam la rejoignit et l'enlaça. Avant même qu'elle ait pu réfléchir, penser à sa nervosité ou aux questions qui la tenaillaient, il l'attira à lui et l'embrassa, comme pour lui faire oublier la réalité.

— Je n'avais pas le choix, lui expliqua-t-il en desserrant enfin son étreinte. J'étais obligé de t'embrasser maintenant parce que dès que tu rentreras dans l'hôtel, tu redeviendras professionnelle et froide.

— Tu parles trop, Sam… Embrasse-moi, plutôt, lui ordonna-t-elle.

Puis, refoulant toutes ses angoisses, tous ses doutes, elle s'abandonna dans ses bras. A cet instant, elle voulait seulement vivre et savourer le plaisir que lui offrait son ancien soldat.

Ils n'avaient pas besoin de se mettre d'accord sur le fait qu'ils devaient être discrets, cela coulait de source.

Mais leur trajet dans l'ascenseur, alors qu'il était à côté d'elle et qu'elle ne pouvait le toucher, ne fit qu'accroître son désir. Son impatience était désormais à son comble.

Lorsque la porte de l'ascenseur s'ouvrit enfin, il lui adressa un regard brûlant qui lui donna instantanément la chair de poule. Un regard qui voulait dire *je te veux*. Un regard qui rencontrait son propre désir.

Les yeux brillant d'impatience, le cœur battant désormais à toute allure dans sa poitrine, elle avança, toujours suivie de Sam. Mais soudain, son sourire s'évanouit. L'équipe technique et une grande partie des danseurs étaient installées dans la salle de réunion, en train de manger sous l'œil des caméras… Des caméras qui se tournèrent instantanément vers elle.

— Eteins cette caméra, ordonna-t-elle sans attendre à l'un des caméramen. Tu sais que je n'aime pas être filmée.

— Tu n'es vraiment pas drôle, Meagan, rétorqua le jeune homme en soupirant.

— Je ne suis pas là pour être drôle. Je suis la productrice de cette émission.

— C'est pourquoi je suis ici, intervint Kiki en levant son verre.

Puis la jeune femme s'approcha d'elle.

— Avant que tu dises quoi que ce soit, Meagan, nous n'avions pas d'idée de séquence pour ce soir, alors nous avons décidé simplement de nous reposer et de discuter en espérant que quelque chose se passe.

Elle ne répondit pas. Elle se contenta de balayer la pièce du regard.

Carrie et Tabitha encadraient Jensen qui souriait jusqu'aux oreilles.

Elle tourna un visage inquiet vers Sam puis chercha des yeux la réalisatrice. Shayla semblait, elle aussi, avoir quelques doutes sur les trois danseurs.

— Après la bagarre, voici le ménage à trois, lui murmura-t-elle. Si ce n'est pas de la bonne télévision, je ne sais pas ce que c'est.

— Malheureusement, je crains que cela se termine soit par une nouvelle bagarre, soit par des poursuites judiciaires, marmonna Sam en tournant le dos aux danseurs.

— J'en ai bien peur moi aussi.

Il était hors de question qu'elle laisse Carrie et Tabitha en venir aux mains une nouvelle fois. Mais elle devait bien choisir ses mots pour ne pas provoquer Kiki.

— Je te remercie de penser à l'audimat, Kiki, mais je pense que nous devrions être plus prudents.

— Je suis persuadée que nous obtiendrons des images choc, insista Kiki. Il n'y a rien de tel qu'une rivalité amoureuse pour attirer les téléspectateurs.

A petite dose, pourquoi pas, mais cette rivalité avait déjà conduit à un pugilat et elle refusait de prendre le moindre risque.

Mais cela, elle décida de ne pas le dire à Kiki.

— Je suis d'accord avec toi, mais nous ne voulons pas qu'elles quittent l'émission prématurément à cause d'un comportement inadapté. Il serait plus judicieux de leur demander à tous de regagner leurs chambres pour qu'ils se reposent. Demain matin, ils devront être en pleine forme pour l'emménagement dans la nouvelle maison.

— Voilà une bonne nouvelle ! répondit Kiki. Je suis persuadée que là-bas, nous arriverons à monter une belle émission. Parce que franchement, tout ce qui concerne la danse ne me plaît pas vraiment.

— Dans ce cas-là, c'est toute l'émission que tu n'aimes pas !

La danse était le cœur même de son émission.

Mais Kiki ne lui répondit pas, elle se tourna vers les danseurs.

— Ecoutez-moi tous, lança-t-elle. Nous emménagerons dans la nouvelle maison demain matin. Soyez prêts à partir dès l'aube. Maintenant, au lit tout le monde.

Certains soupirèrent, d'autres grognèrent, mais tous s'exécutèrent.

Meagan donna de son côté quelques directives à DJ et Ginger afin que chacun connaisse son rôle dans les heures à venir.

Au loin, elle aperçut Sam et son équipe escorter les danseurs vers l'ascenseur. Elle le vit ensuite demander à quelques-uns de ses hommes de surveiller les étages et de faire en sorte que personne ne sorte. Puis il disparut, avec Josh, et elle rejoignit sa chambre.

Elle s'assit alors sur son lit et, aussitôt, sentit l'angoisse l'envahir.

Elle était seule, sans Sam, et il lui manquait.

Mais en admettant qu'il lui manquait, elle admettait aussi qu'elle avait envie de passer la nuit avec lui.

Pour la première fois depuis trois ans, elle avait accepté qu'un homme s'immisce dans sa vie.

Cela aurait dû l'effrayer. Ses expériences passées auraient dû remonter à la surface, lui rappeler qu'elle s'était toujours trompée dans ses choix d'homme, mais... Sam ne lui semblait pas une erreur.

Sam était fort, puissant, sexy mais aussi doux et compréhensif. Maintenant qu'il était entré dans sa vie, elle ne voulait plus qu'il en sorte.

Mais lui ? Quel était son point de vue sur leur relation ? Voulait-il être avec elle ? Elle en avait l'impression mais, dans ce cas-là, pourquoi ne la rejoignait-il pas ?

Elle se reprit et leva les yeux au ciel. Elle savait très bien pourquoi il n'était pas là. Il n'était pas là car il ne pouvait pas se libérer comme cela.

C'était sans doute pour le mieux. Elle-même ne voulait pas empirer sa relation avec Kiki.

Hier, elle avait fait quelques recherches sur les émissions sur lesquelles son adjointe avait travaillé et avait remarqué que la sienne était la première à avoir de tels chiffres d'audimat. Si elle voulait que tout se passe bien, elle devait donc tout faire pour que ces bons résultats se maintiennent.

Repoussant la perspective d'un échec, elle se dirigea vers la salle de bains, impatiente de se plonger dans un bon bain chaud.

Quelques minutes plus tard, alors qu'elle allait se glisser dans la baignoire, son téléphone sonna.

Elle se précipita pour répondre et sourit en reconnaissant le numéro de Sam.

— Maintenant, tu sais pourquoi je t'ai embrassée sur le parking, lui lança-t-il avant même qu'elle ait eu le temps de dire allô.

— Heu, oui…, répondit-elle, encore prise de court.

— Où es-tu ?

— Dans ma chambre. Et toi ?

— Sur la route. J'ai dû retourner à la maison pour résoudre certains problèmes de dernière minute. Des photographes… Mais ne t'inquiète pas, tout est en ordre maintenant.

— Je ne sais pas si je dois être excitée ou inquiète à l'idée que mon émission intéresse autant les journalistes.

— Laisse-moi l'inquiétude et toi, prends l'excitation.

A ces mots, elle sentit sa température grimper de quelques degrés. Décidément, Sam savait toujours quels mots elle avait envie d'entendre. Il semblait la comprendre mieux que personne.

— Merci, Sam, chuchota-t-elle, avant d'ajouter avec malice : J'ai peur que tu finisses par attraper la grosse tête, je passe mon temps à te remercier.

— Parfois, il faut savoir vivre dangereusement ! A ce propos, j'ai peur qu'on ait du mal à se retrouver seuls.

Elle en était bien consciente.

— Je sais. C'est dommage.

— Tu voudrais que je sois avec toi, en ce moment, Meagan, continua-t-il d'une voix encore plus douce, encore plus sensuelle. N'est-ce pas ?

— Oui.

— Moi aussi. Veux-tu faire l'amour par téléphone ?

Elle éclata de rire.

— Merci pour la proposition, mais non.

— As-tu déjà essayé ?

— Non.

— Alors comment peux-tu refuser ?

— Je n'ai pas envie d'essayer. Mais cela ne m'empêche pas d'imaginer tout ce que nous pourrions faire si tu étais là.

— Par exemple.

— Sam ! Je ne vais pas…

— Pourquoi pas, Meagan ?

— Très bien. Alors, si tu veux tout savoir, je commencerais par te déshabiller lentement. Ensuite, je me laisserais tomber sur mes genoux et je lécherais…

— Stop ! Je crois que c'est finalement une mauvaise idée. Je suis au volant et je ne veux pas risquer d'avoir un accident.

— C'est ça ou l'idée de me voir dominer qui te dérange ?

— Tu peux jouer les dominatrices et sortir les menottes, ça ne me gêne pas le moins du monde.

— Paroles, paroles…

— Non, sincèrement. Tu peux jouer les dominatrices avec moi, Meagan.

Dans ce cas-là, elle allait lui montrer ce dont elle était capable.

Lorsqu'elle raccrocha, après avoir parlé de tout et de rien, de Kiki et des relations entre Carrie et Tabitha, du frère de Sam et de leur relation, Sam lui manquait toujours autant.

En revanche, elle bouillonnait désormais d'idées sensuelles pour leurs prochaines retrouvailles.

17

Comme elle l'avait prévu, le lendemain, les danseurs se disputèrent les chambres de la maison. Elle décida cependant de les laisser se débrouiller tout seuls, n'intervenant que lorsqu'il lui sembla évident que Tabitha et Carrie allaient devoir partager une chambre. Même si Kiki y était favorable, Meagan y mit son veto. Elle refusait que Tabitha manipule Carrie et la pousse à l'échec.

Une fois le problème des chambres réglé, elle leur fit l'exposé des quelques règles de vie commune, déclenchant instantanément les protestations des danseurs. Mais elle ne leur en voulait pas, elle comprenait leur réaction, leur nervosité. La première émission en direct approchait et ils savaient que, dès ce moment-là, l'un d'eux serait éliminé.

Dans la journée, elle avait réussi à apercevoir Sam et à lui lancer quelques regards brûlants et appuyés. Mais cela ne lui suffisait pas. Elle avait besoin de lui, de son corps, et l'idée de ne pas pouvoir l'embrasser lui faisait perdre la tête. Son désir était si intense qu'il la consumait et ravageait tout en elle.

A 22 heures, elle regarda tous les danseurs monter vers les chambres et poussa un soupir de soulagement. Sa journée était enfin terminée.

— J'y vais moi aussi, lui lança Kiki. Je suis morte !

Excellente nouvelle.

Quelques instants plus tard, Sam la rejoignit dans le salon et, instantanément, elle oublia sa fatigue.

— J'ai cru que jamais nous ne réussirions à être seuls ce soir, murmura-t-il en s'approchant d'elle.

Pour toute réponse, elle lui sourit et sentit ses joues s'empourprer et son cœur se mettre à battre la chamade. Elle se sentait prête à exploser de désir. Tout de suite.

— Malheureusement, j'ai peur que cette douce parenthèse ne soit qu'un rêve dont on se réveillera trop vite.

Comme un écho aux mots qu'elle venait de prononcer, elle entendit soudain un cri aigu retentir à l'étage.

— Tu nous as porté malheur. Tu ne pouvais vraiment pas t'empêcher de dire ça, n'est-ce pas ? lui lança Sam tandis qu'ils grimpaient les marches quatre à quatre.

Ils poussèrent la porte d'une chambre et trouvèrent Tabitha et sa colocataire, une rousse nommée Jenny Michaels, debout sur le lit, l'air totalement effrayé.

— Une souris ! Il y a une souris, criait Tabitha.

Rapidement, d'autres cris provinrent des chambres avoisinantes et Sam prit alors sa voix de commandant pour renvoyer tout le monde dans ses quartiers. Le calme revint.

Meagan regarda Sam intensément. Encore une fois, elle allait devoir le remercier car, à vrai dire, elle n'aurait peut-être pas eu l'autorité nécessaire pour ramener l'ordre elle-même.

Hélas, après cet incident, elle comprenait aussi que rien ne pourrait se passer ce soir, avec Sam. Ce n'était pas leur soirée. Elle voulait pouvoir s'abandonner corps et âme avec lui, et en serait empêchée ce soir. Elle n'avait pas l'esprit suffisamment libre.

Après avoir calmé tout le monde, à l'exception de Tabitha et Jenny qui insistaient pour changer de chambre, Sam l'arrêta dans le couloir.

— Connais-tu le meilleur moyen pour attraper des souris ?

— Si tu penses à un chat, dis-toi bien que Samantha

n'est pas assez grosse pour ça. Elle est à peine plus grosse que les souris elles-mêmes.

— Mais ce n'est pas à Samantha que je pensais, répondit-il. J'ai trouvé un matou aujourd'hui.

— Vraiment ? Peut-être le père de Samantha.

— Peut-être.

— Amène ce monstre pour que je voie ce dont il est capable.

Il répondit d'un signe de tête puis se tourna vers les jeunes filles.

— Tabitha, Jenny, je vous laisse vous amuser pendant que je vais chercher Mel.

— Mel ?

Il avait appelé le chat Mel ?

— Je pensais l'appeler Meg, car il est aussi têtu que toi, mais j'ai renoncé. J'ai eu peur de le vexer et me suis dit qu'il avait besoin de se sentir viril pour assurer sa mission…

Amusée, elle éclata de rire et l'envoya, d'un geste de la main, chercher le chat.

La mission de Mel s'avéra un succès. En quelques minutes, tout le monde dans la maison tomba sous son charme, à commencer par elle.

Sam lui promit alors d'adopter une amie pour Mel. Une chatte qu'il prénommerait cette fois-ci vraiment Meg. Ensuite, il la raccompagna jusqu'à l'annexe. Là, ils demeurèrent quelques minutes sous le porche, laissant un silence suggestif s'installer entre eux.

— Alors, finit-il par dire en posant une main sur le mur, au-dessus de son visage. Je crois que c'est ici que je te souhaite bonne nuit.

— Oui, je crois.

— Si j'ai bien compris, je n'aurai pas le droit à un dernier baiser.

Elle serra les poings pour se forcer à se maîtriser et

ne pas se hisser sur la pointe des pieds pour lui offrir ce dernier baiser.

— Oui, mieux vaut sans doute s'abstenir.

— J'espère que tu es consciente que tu es en train de me faire perdre la tête, Meagan. J'ai passé toute ma journée à repenser à notre petite séance de sexe au téléphone.

A ces mots, les souvenirs de leur conversation osée revinrent à sa mémoire et elle sentit ses joues s'enflammer. Elle aussi y avait repensé. Beaucoup.

— Vraiment ?

— Vraiment.

Son beau regard devint soudain plus sombre, plus sérieux, et elle frissonna, partagée entre le désir et l'inquiétude.

— Je ferais mieux d'y aller avant de perdre tout courage, ou pire, de céder à la tentation et de nous laisser surprendre, ce que tu me reprocherais, reprit-il en se redressant. Je te préviens d'ailleurs que je ne t'appellerai pas une fois dans ma chambre. Sinon, je risque de foncer te retrouver.

Sans attendre sa réponse, il fit un pas en arrière, mais ne se retourna pas. Manifestement, il avait du mal à partir.

— Bonne nuit, Meg.

— Meagan.

— Comme tu veux, ma chérie, répliqua-t-il d'une voix à la sensualité folle et aux accents langoureux. Meagan.

Puis il s'éloigna, sa grande silhouette disparaissant petit à petit dans la nuit. Elle lâcha alors un soupir puis entra dans la maison. A sa plus grande surprise, elle trouva Kiki dans la cuisine, en train de siroter une tasse de thé.

— Kiki... Tu n'es pas couchée ? Que fais-tu ici ?

— Rien, rien du tout.

C'était ce qu'elle affirmait, mais il lui suffisait de la regarder pour deviner qu'elle complotait quelque chose.

A cette idée, l'angoisse la saisit. Kiki s'intéressait-elle à Sam ?

Refoulant cette question dans un coin de sa tête, elle souhaita une bonne nuit à son adjointe et se dirigea vers sa chambre. Elle ne pouvait pas travailler sérieusement si elle passait son temps à s'inquiéter des projets de son assistante. Mais une chose était sûre, si son émission était reconduite l'année prochaine, elle ferait en sorte que Kiki ne travaille pas avec elle. Ce point ne serait pas négociable.

En attendant, elle devait faire son possible pour protéger Sam, sa réputation et son travail.

Elle passa sa nuit à se tourner et se retourner dans son lit, réfléchissant point par point à la situation. Elle en était persuadée, jamais Sam ne reculerait devant le danger que pouvait représenter Kiki. Ce qui voulait dire que, pour les préserver lui et son émission, elle n'avait d'autre solution que de s'éloigner de lui, encore une fois.

Elle n'était pas sûre qu'il le lui pardonnerait, cette fois-ci, malheureusement, elle n'avait pas le choix. Elle ne pouvait agir autrement. Première étape pour elle, reprendre le pouvoir, reprendre le contrôle de façon à parvenir à garder ses distances avec lui.

Le lendemain, elle travailla toute la journée en veillant à ne pas côtoyer de trop près Sam. Le soir, après s'être changée et avoir enfilé un jean et un T-shirt, elle se rendit dans la maison principale où tout le monde était réuni pour le dîner.

Elle sortait un soda du réfrigérateur lorsque Sam arriva, un beau chat blanc dans les bras.

Elle croisa son regard et, instantanément, comme par magie, elle sentit sa gorge se nouer et son cœur se mettre à battre de plus en plus vite dans sa poitrine.

— Salut chérie, lui lança-t-il, as-tu passé une bonne journée ?

— Disons que ma journée a été… productive.

Elle ne lui avoua pas que cette journée avait surtout été une torture pour elle, tellement il lui était pénible de garder ses distances avec lui.

— Moi aussi j'ai été productif, répondit-il. Regarde ce que j'apporte.

— Elle est magnifique, répondit-elle en caressant la chatte qui se mit aussitôt à ronronner. C'est l'amie parfaite pour Mel.

— J'ai eu beaucoup de chance. Si je ne l'avais pas adoptée aujourd'hui, elle aurait été…

— Chut, je ne veux pas entendre ces mots. Je suis juste heureuse qu'on puisse l'accueillir ici.

— Son nom est Meg, ajouta-t-il, le regard malicieux.

Elle éclata de rire.

— J'imagine que je l'ai bien cherché.

— Quel beau chat ! s'exclama soudain Ginger en entrant dans la pièce. DJ, viens voir.

Quelques minutes plus tard, Meg faisait l'objet de toutes les attentions dans le salon, où les danseurs excités l'avaient emmenée. Et Meagan se retrouva de nouveau seule avec Sam.

— On dirait que Meg est une véritable séductrice, murmura Sam en la dévorant des yeux.

Elle aurait voulu détourner le regard, s'éloigner mais… Impossible. Elle ne pouvait pas. Malgré ses bonnes résolutions, malgré ses décisions de la nuit, ses beaux yeux azur l'hypnotisaient et lui faisaient perdre toute force.

Etait-elle en train de tomber amoureuse de lui ? Stop, lui ordonna aussitôt la voix de la raison. Elle devait à tout prix se reprendre et se concentrer sur le travail.

A propos de travail… Elle aurait voulu lui parler de ses

inquiétudes concernant Kiki, mais elle y renonça. Il était bien trop têtu. Si elle évoquait le sujet, il lui répondrait à coup sûr qu'il n'avait pas besoin de protection.

— Sam…

— Venez voir Meg, cria au même instant Ginger.

Puis, avant de s'en rendre compte, elle se retrouva dans le salon où les danseurs, inquiets à l'idée du premier direct du lendemain, avaient décidé que Meg et Mel seraient leurs porte-bonheur.

Elle discuta avec les jeunes gens pendant quelques minutes, tenta tant bien que mal de les rassurer, puis Sam l'entraîna dehors et, de nouveau, elle se sentit perdre tout contrôle ; sa raison abdiquait.

Elle devait à tout prix se reprendre et changer la dynamique de leur relation. Oui, mais comment ? Tout ce qu'elle savait, c'était qu'elle ne désirait que son succès, que son bonheur. Il le méritait.

— Arrête de me regarder comme ça, avec tes beaux yeux bleus. J'ai trop de mal à résister, lui murmura-t-elle à l'oreille.

— Tant mieux, répondit-il dans un souffle, effleurant ses lèvres avec les siennes. Moi non plus je ne peux pas résister. Je ne peux pas m'empêcher de te toucher, c'est plus fort que moi. Mais je crois qu'il est l'heure pour toi d'aller te coucher, tu as l'air exténuée.

— Merci de préciser que j'ai l'air fatiguée, autant me dire tout de suite que j'ai des cernes ! Ce n'est pas très gentil.

Pour toute réponse, il éclata de rire puis s'éloigna, laissant sur son passage un envoûtant parfum musqué qui affola tous ses sens et lui donna le vertige.

Bon Dieu. Jamais elle ne parviendrait à s'endormir. Et jamais elle ne pourrait résister à Sam… A moins qu'elle ne se dispute avec lui. C'était sans doute le seul moyen de le garder à distance.

Mais avait-elle le courage de se fâcher avec lui ? Elle l'ignorait.

— Les studios ont appelé, lui lança Kiki, le lendemain matin lorsqu'elle la rejoignit dans la cuisine. L'audience de l'émission d'hier a été très bonne. Le triangle amoureux entre Tabitha, Carrie et Jensen fait le buzz sur internet, ce matin.

— C'est une excellente nouvelle, répondit-elle en se servant une tasse de café. Cela devrait nous garantir de bons résultats pour le prime time de ce soir. June t'a-t-elle dit quelle avait été la réaction de Sabrina ?

— Ce n'est pas l'assistante de Sabrina qui m'a appelée. C'est Sabrina elle-même.

Sabrina avait appelé Kiki ? Elle n'en revenait pas. Elle qui croyait que sa directrice se méfiait de Kiki…

Mais après tout, peut-être les deux femmes étaient-elles plus proches qu'elle ne l'avait pensé… Cela l'étonnait, mais elle n'allait pas s'inquiéter de cette nouvelle puisque Kiki se comportait plutôt bien ces derniers jours. Quant à elle, elle avait rendez-vous aujourd'hui avec un potentiel agent, capable de lui négocier un bon contrat pour l'année prochaine. Elle allait se concentrer sur ses missions et tout irait bien.

Oui, tout irait bien. Elle refusait de penser aux éventuels problèmes.

— Tu as raison, reprit Kiki. Les résultats d'hier devraient garantir le succès de ce soir. C'est exactement ce qu'a dit Sabrina.

A l'évidence, Kiki se réjouissait.

Elle aurait dû se satisfaire de cette belle nouvelle, mais elle n'y arrivait pas. Elle en savait trop sur Kiki pour être totalement détendue…

— Génial, se contenta-t-elle alors de répondre d'une

voix aussi sincère que possible. Il est temps que j'aille à l'auditorium vérifier que tout est en place pour ce soir. Je te verrai à la répétition.

Les danseurs partis depuis longtemps, elle se dirigea vers sa voiture. Elle ouvrit la portière et y découvrit une boîte de chocolats accompagnée d'une petite carte.

« Quelqu'un m'a dit que le chocolat est le meilleur antistress, Sam. »

Touchée par tant de gentillesse, elle sentit l'émotion la gagner. Puis elle s'installa derrière le volant, ouvrit la boîte et dévora un chocolat. Peu lui importait s'il était 7 heures du matin, elle avait besoin de cette petite douceur. Et elle avait besoin de Sam, lui souffla une petite voix dans sa tête.

Encore une fois, il avait trouvé un moyen de lui montrer qu'il était à ses côtés, sans prendre le contrôle de sa vie, sans interférer avec son travail.

Elle croqua dans un deuxième chocolat puis démarra, se forçant à ne pas en manger un troisième. Mais la gourmandise était son point faible. En fait, elle avait deux points faibles. La gourmandise… Et Sam.

Dans vingt minutes, le direct de *Pas de deux* allait débuter.

Sam jeta un coup d'œil en direction de Meagan. Elle avait l'air encore plus stressée que tout à l'heure.

Quelques minutes plus tard, il la rejoignit dans les coulisses où elle était en train de discuter avec un technicien.

— Tu viens de te fâcher contre deux de mes danseurs, juste avant qu'ils montent sur scène, criait-elle. C'est inadmissible ! Je comprends que tu sois sous pression, mais nous le sommes tous et cela ne t'autorise pas à être impoli.

— J'essayais juste de résoudre les problèmes d'éclairage avant le générique de début, répondit le jeune homme

en lui indiquant sa montre. Il me reste dix-huit minutes.
Dix-sept maintenant.

— Meagan, intervint-il à cet instant. Puis-je vérifier
quelques points avec toi avant le départ ?

— Il y a un problème ? C'est la sécurité ?

— Non, tout va bien, la rassura-t-il sans attendre, se
jurant qu'il n'allait pas l'embrasser alors qu'il en mourait
pourtant d'envie.

Cela ne serait pas facile de résister car il était fou de
cette femme. Jamais il n'avait ressenti de tels sentiments.

— Fais quelques pas avec moi, lui proposa-t-il plutôt.

— Sam…

— Viens avec moi, Meagan, répéta-t-il d'un ton un
peu plus insistant qu'il ne le voulait.

Elle le suivit et il l'entraîna derrière un rideau utilisé
pour masquer du matériel. Là, il sortit son téléphone puis
appela l'un de ses hommes.

— Nous avons un problème d'éclairage sur la scène.
Tes doigts magiques seraient les bienvenus, Rick.

Puis il raccrocha.

— Ecoute, Meagan, reprit-il ensuite en promenant une
main ferme sur son bras. Tu dois à tout prix prendre une
profonde respiration et te détendre.

— Sam, s'il te plaît, ne…

— Quoi ? Tu ne veux pas que je m'inquiète pour toi ?
Tu ne veux pas que je te propose de l'aide ? Tu penses que
je ne tiens pas suffisamment à toi pour être ici, avec toi ?

— Excuse-moi, Sam. Je suis à bout. C'est cette émission qui me met dans cet état. Lorsque je travaillais au
Texas, je ne me conduisais pas ainsi. Mais là, tu as raison
depuis le début, je me suis beaucoup trop impliquée
émotionnellement.

— Dans quelques minutes, ce qui doit se passer se

passera. Peu importe le résultat, tu dois le considérer comme un succès, Meg.

Elle hocha la tête, comme si elle réfléchissait à ses mots puis, brusquement, se hissa sur la pointe des pieds et posa sa bouche sur la sienne. Ensuite, elle lui sourit et disparut sur la scène.

Il ferma les yeux et secoua la tête. Meagan le rendait fou.

Il voulait lui faire l'amour, il en mourait d'envie, mais il ne s'agissait pas uniquement d'une histoire de sexe. Il voulait avant tout être avec elle.

C'était pour cette raison qu'il avait tellement hâte que cette soirée se termine. L'émission serait un succès, il en était persuadé et ensuite, elle serait sans doute plus détendue.

Impatient de tenir Meagan entre ses bras, de lui faire l'amour, il sourit durant toute la durée de l'émission. Ce ne fut qu'au cours des quinze dernières minutes, lorsque fut annoncé le nom des trois danseurs sur la sellette qu'il se raidit.

Il resta dans les coulisses, loin de Meagan, mais sans jamais la quitter du regard.

Derek, le présentateur, annonça le premier nom et Rena monta sur scène. Il annonça ensuite le deuxième nom, celui de Tabitha, une jeune femme qu'il serait heureux de voir sortir de la maison. Puis il dévoila le dernier nom, celui de Carrie.

Instantanément, il vit Meagan blêmir. Il savait bien qu'elle ressentait une tendresse particulière pour Carrie, mais elle était aussi intelligente, et devait donc penser comme lui : le fait que Carrie et Tabitha se trouvent toutes les deux en fini de classement sans une manipulation des résultats était des plus suspects.

18

Meagan sentit le vertige la saisir en entendant Derek annoncer le nom de Carrie. Elle avait toujours pensé que la jeune fille serait rapidement éliminée, notamment parce qu'elle doutait beaucoup, mais la coïncidence la dérangeait.

Les juges avaient-ils volontairement choisi d'opposer Carrie à Tabitha ?

Kiki la rejoignit soudain et lui prit le bras.

— Il est hors de question que nous perdions Carrie ou Tabitha, lui murmura-t-elle. Nous avons besoin d'elles pour l'audience.

A ces mots, le soulagement la gagna. Apparemment, Kiki n'était pour rien dans le choix des juges. Elle ne les avait pas manipulés. Tant mieux, car soupçonner Kiki sans cesse commençait à l'épuiser et l'empêchait de se concentrer sur son travail comme elle le souhaitait.

— La première concurrente sauvée par le public est… Tabitha, annonça Derek

Elle regarda Tabitha fondre en larmes, courir vers l'estrade où étaient réunis les neuf autres concurrents toujours en lice et enlacer Jensen.

Elle laissa alors son regard s'attarder sur Carrie. La jeune fille avait l'air triste et déçue. En fait, plus elle la regardait, plus elle avait l'impression de se voir elle. C'était comme si son destin se jouait devant elle, sans qu'elle puisse intervenir.

Cette réaction était irrationnelle, elle le savait bien.

Mais elle aimait bien Carrie. C'était elle qu'elle voulait voir rester.

— Et la seconde et dernière concurrente sauvée est… Carrie !

Tout en écoutant les mots de Derek, elle vit Carrie s'effondrer dans les bras de la danseuse qui venait d'apprendre qu'elle arrêtait l'aventure. Au lieu d'aller vers les autres vainqueurs, Carrie enlaçait Rena, pour la soutenir et la réconforter. Encore une preuve qu'elle ne s'était pas trompée sur Carrie. Cette jeune fille avait bon cœur.

Quelques minutes plus tard, l'émission touchait à sa fin et une atmosphère de fête s'empara des coulisses. Elle discuta avec les juges et leur conseilla de ne pas se laisser influencer par la comédie jouée par certains concurrents. Mais elle ne devait pas s'inquiéter, ils semblaient prendre leur rôle très au sérieux. Ils lui expliquèrent qu'ils s'étaient uniquement fondés sur les performances, or Carrie et Tabitha avaient passé plus de temps à tourner autour de Jensen qu'à s'entraîner, ces derniers jours. Elles n'avaient donc pas assez bien dansé.

Lorsque les participants, l'équipe technique, ainsi que Sam et les hommes de la sécurité arrivèrent à la maison, quelques heures plus tard, des plateaux entiers de cupcakes à la fraise les attendaient, livrés par un chef qui participait à une émission sur la même chaîne de télévision. Sans attendre, tout le monde se rua dessus.

Pendant ce temps-là, elle demeura dans la cuisine et observa le spectacle, regrettant le départ de Rena, mais soulagée de savoir qu'un producteur l'avait d'ores et déjà repérée et lui avait proposé de passer une audition à Broadway.

C'était pour cette raison qu'elle avait créé *Pas de deux*, pour que les rêves des danseurs deviennent réalité.

— Cela aurait pu être moi, ce soir, lui lança Carrie en la rejoignant soudain dans la cuisine.

— Tu as raison, cela aurait pu être toi. Si tu veux un conseil, Carrie, arrête de penser à Tabitha et Jensen, et concentre-toi sur la danse.

La jeune fille s'adossa au comptoir.

— La danse est tout pour moi, Meagan, lui déclara-t-elle. J'ai failli quitter l'émission, à deux reprises, je me suis laissé distraire, j'ai oublié mes priorités.

Carrie n'avait pas été la seule à se laisser distraire, songea Meagan. Sam lui avait fait penser à autre chose qu'à son travail, mais il l'avait également aidée à avancer, à progresser. Il ne l'avait pas tiré en arrière. C'était Kiki qui la tirait en arrière. Elle était à un point de sa vie où elle avait besoin de laisser le destin décider pour elle. Elle avait travaillé dur, s'était trouvé un nouvel agent et il était temps pour elle d'apprendre à lâcher un peu de lest. Du moins dans le domaine professionnel, car elle devait garder le contrôle dans sa relation avec Sam. Elle n'avait pas le choix, il risquait son poste s'il restait à ses côtés.

Elle repoussa ses craintes et se tourna vers Carrie.

— Que vas-tu faire pour ne plus risquer l'élimination ?

— Je vais travailler et me concentrer, lui répondit la jeune fille d'une voix émue. Merci de m'avoir empêchée de partir, l'autre soir. Je te promets que tu ne regretteras pas la confiance que tu m'as accordée.

— Je l'espère, je l'espère.

— Carrie, cria soudain une voix.

— Allez, va donc t'amuser avec les autres. Tu te remettras au travail demain.

La jeune fille lui sourit puis retourna dans le salon.

Une fois seule, Meagan laissa échapper un soupir et leva les yeux au ciel en entendant son estomac grogner. Elle n'avait rien mangé aujourd'hui, à part les chocolats offerts par Sam. Elle attrapa un cupcake sur le plateau et passa son doigt sur le glaçage.

Au même instant, Sam apparut. Aussitôt, elle sentit son regard brûlant s'attarder sur son doigt et son corps vibrer.

— Je vois que j'ai manqué quelque chose, lui lança-t-il.

Elle éclata de rire. Décidément, Sam arrivait toujours au bon moment.

— Tabitha, entendit-elle au même instant crier Carrie. Espèce de sorcière !

Inquiète, elle se précipita vers les jeunes filles, suivie de Sam. Mais trop tard. Rena venait d'attraper un gâteau et de l'écraser sur le visage de Tabitha. Aussitôt, les cupcakes commencèrent à voler dans tous les sens.

— Assez, cria-t-elle tandis qu'un gâteau lui tombait dessus.

— Assez, répéta Sam en prenant lui aussi une pâtisserie sur la tête.

Ce fut plus fort qu'elle, elle éclata de rire. Jamais elle n'aurait imaginé voir Sam coiffé d'un cupcake écrasé.

Sous le charme, elle lui adressa un clin d'œil amusé, puis attrapa un nouveau gâteau et, avec gourmandise, en lécha le glaçage. A cet instant, elle n'avait pas envie de penser à l'état des meubles ou du sol. Elle n'avait pas envie de penser au travail. Elle n'avait pas mangé aujourd'hui, elle avait faim et elle avait envie de s'amuser.

Une fois le cupcake dévoré, elle en commença un deuxième et regarda l'excitation peu à peu retomber parmi les danseurs.

Tout à coup, elle entendit son téléphone sonner. Elle l'attrapa de ses doigts collants et jeta un coup d'œil sur le numéro affiché.

Sabrina… Sa gorge se noua.

Maintenant, il n'était plus question de cupcakes. Il était

question d'audimat et comme l'appel n'était pas destiné à Kiki, mais à elle, elle se sentit soudain très nerveuse.

Peut-être recevait-elle toutes les mauvaises nouvelles et Kiki les bonnes.

Rassemblant son courage, elle décrocha enfin, prête à recevoir le verdict. Peu à peu, elle se détendit. Finalement, il ne s'agissait pas de mauvaises nouvelles. Bien au contraire.

Après avoir raccroché, elle monta sur la table et réclama le silence.

— Chers amis, je vous annonce que l'émission a obtenu ce soir le meilleur score d'audience !

Les résultats étaient encore partiels, mais cela lui suffisait.

Tout le monde applaudit, y compris Kiki qui, à sa grande surprise, l'embrassa spontanément.

— Qui est tenté par un bain de minuit ? demanda ensuite un danseur.

En quelques secondes à peine, tout le monde se précipita dehors et elle demeura dans le salon, tentant de savourer l'instant. Le véritable test aurait lieu la semaine prochaine. En plus, le prochain candidat éliminé ne recevrait pas forcément une proposition d'audition à Broadway.

— Arrête de réfléchir, lui lança Sam, comme s'il pouvait l'entendre. Profite de ton succès, savoure-le.

— Je ne peux pas, je dois m'occuper des danseurs.

— Josh s'en occupera. Ce soir, tu es à moi.

Soudain émue, elle baissa les yeux vers lui. Il la dévorait du regard comme s'il avait envie, avec sa langue agile, de la débarrasser du sucre qu'elle avait encore sur la joue.

Quant à elle, elle avait bien des idées sur ce qu'elle pourrait lui faire en retour. Cela faisait maintenant des jours qu'elle le désirait, des jours qu'elle se demandait s'il s'agissait uniquement de désir ou bien de quelque chose d'autre. Des jours qu'elle était stressée, inquiète, angoissée et qu'elle avait l'impression de ne plus rien contrôler.

Mais ce soir, elle était heureuse. Ce soir, elle avait l'impression d'être au sommet du monde. Ce soir, elle fêtait son succès professionnel et un bel homme était à ses côtés. Elle avait l'impression que tout était possible.

Les yeux brillants, elle glissa alors sa main dans la sienne.

Sam avait des projets pour Meagan, des idées bien précises sur la façon de fêter son succès.

Impatient, il l'entraîna vers la plage, hors de portée des caméras, vers un recoin secret où il avait planté une tente.

— J'ai pensé que je pourrais te montrer comment un soldat se débrouille lorsqu'il est coincé sur une plage, lui expliqua-t-il en l'invitant à pénétrer à l'intérieur. Ici, nous pourrons enfin trouver l'intimité que nous recherchons.

Sous le charme, il la regarda s'installer.

— Du champagne ? lui proposa-t-il en la rejoignant quelques secondes plus tard sur le matelas pneumatique. A moins que tu ne préfères le soda dont les danseurs s'aspergeaient. Derek avait raison lorsqu'il disait que ces jeunes étaient fous.

Elle éclata de rire.

— Ils étaient surtout excités.

— Ils ont raison de l'être, répondit-il en ouvrant la bouteille et en remplissant deux coupes. L'émission a été un grand succès.

Il s'interrompit pour effleurer sa bouche avec la sienne.

— Mmm, tu as un goût de fraises. J'aime les fraises.

J'aime… Oui, il avait bel et bien utilisé le verbe aimer. A quoi bon se voiler la face. Il était en train de tomber amoureux de Meagan. Pendant longtemps, il avait pensé que jamais il ne connaîtrait l'amour, que ce sentiment n'était pas pour lui. Mais aujourd'hui, il comprenait qu'il avait juste attendu de rencontrer la femme parfaite.

Sans doute n'était-ce pas raisonnable de choisir une

femme capable de lui briser le cœur, mais il aimait les défis. Et Meagan était exactement le genre de défi dont il avait envie.

Pour toute réponse, elle se contenta de hocher la tête, comme si elle prenait le temps d'enregistrer ses mots.

— Sam…

Elle posa un doigt fin sur sa joue et demeura immobile, pendant de longues secondes. Puis, lentement, elle s'approcha et posa sa bouche sensuelle sur la sienne.

— Toi aussi tu as un goût de fraises, murmura-telle.

Il sourit, puis recula pour l'admirer, avant de lui tendre une coupe.

— Bois, tu as des raisons de faire la fête.

— Quelle autorité !

— C'est que tu aimes quand je suis autoritaire, n'est-ce pas ?

— Peut-être, mais ce n'est pas une raison pour prendre la grosse tête. Si jamais cela arrive…

— Tu me remettras à ma place, répondit-il en prenant son visage entre ses mains. Je le sais, crois-moi. Mais est-ce que tu sais pourquoi tu aimes tant quand je suis autoritaire ?

Encore une fois, il avait utilisé le verbe aimer, mais elle ne semblait pas y prêter attention.

— Tu vas me le dire, répliqua-t-elle d'une voix d'une sensualité folle.

— Parce que cela prouve que tu me fais confiance.

— Je te fais confiance ?

— Mmm, oui… et je n'ai pas l'impression que tu puisses prétendre le contraire, là…, dit-il en remontant sa chemise sur son ventre et en déposant une nuée de baisers sur la peau libérée.

— Non, je n'ai jamais dit ça.

Il caressa ses hanches à l'arrondi parfait.

— Alors, Meagan, me fais-tu confiance ?

— Oui, répondit-elle d'une petite voix. Je te fais confiance, Sam. Vraiment.

Cette confession le surprit et le toucha au cœur. Instantanément, il sentit sa température grimper et son sang se mettre à rugir dans ses veines.

— Merci, répondit-il en posant une main sur son ventre. Il n'y a pas si longtemps, j'ignorais si un jour quelqu'un me ferait enfin confiance.

— Tu as surgi dans ma vie sans prévenir. A la minute où tu es apparu, j'ai senti ta présence.

— J'ai ressenti la même chose pour toi.

Emu, il mourait d'envie de l'embrasser, mais elle l'en empêcha en enfouissant les doigts dans ses cheveux.

— As-tu parfois l'impression de ne plus rien contrôler, Sam ?

— Oui, lorsque je ne suis pas avec toi.

— Je suis sérieuse.

— Mais moi aussi, ma chérie. Jamais une femme ne m'a fait un tel effet. Jamais une femme ne m'a rendu fou comme toi.

— Je n'ai jamais eu l'intention de te faire un tel effet.

— Alors, arrête de me repousser, Meagan. Laisse-moi être à tes côtés. Fais-moi une place dans ton cœur !

— Je ne veux pas te repousser, mais…

Il la coupa en l'embrassant.

— Reste avec moi, Meagan.

— Je suis avec toi, mais…

Encore une fois, il l'interrompit par un baiser profond, en jouant avec sa langue, encore et encore.

— Détends-toi, Meagan. Tout le monde doit baisser la garde.

— Même toi ?

— Chaque fois que tu me le demandes.

Elle l'étudia, comme si elle cherchait à lire en lui pour vérifier sa sincérité.

— Est-ce aussi simple que cela ?

— Ma chérie, ta définition du contrôle et la mienne sont différentes. Tu penses que je n'ai pas baissé la garde et pourtant, c'est le cas.

— Que veux-tu dire ?

— Je veux dire que, non seulement je ne peux pas m'arrêter de penser à toi, de te désirer, mais que je n'essaye même pas.

— Oh… C'est vrai, je…

Il l'interrompit en dévorant sa bouche, impatient de la posséder.

Elle avait enfin arrêté de le combattre, de le repousser.

Avec elle, il ne jouait pas. Il voulait juste la sentir près de lui, car il se trouvait bien avec elle. S'il n'avait pas eu de longues relations auparavant, c'était simplement parce qu'il n'avait pas trouvé Meagan.

Elle laissa échapper un soupir en s'épanouissant contre son baiser et il roula sur elle, plaquant son corps masculin contre le sien.

Elle murmura son nom et il recula pour plonger son regard dans le sien.

— Je n'ai jamais pensé qu'une nuit serait suffisante. Ni deux ni trois…

— Moi non plus, avoua-t-elle dans un souffle.

Cet aveu le bouleversa. Désormais, il ne voulait plus parler, il voulait la caresser, l'embrasser jusqu'à ce qu'il la voie, nue, à ses côtés, parfaite. Et ensuite, il la posséderait, tentant de se souvenir de chaque centimètre de son corps admirable, de chaque courbe de sa silhouette de rêve.

Elle lui faisait confiance et se donnait à lui ; il ne voulait pas la décevoir. Il désirait lui procurer du plaisir et la conduire là où elle n'était encore jamais allée.

19

Meagan avait fait exactement ce que Sam lui avait suggéré, elle avait baissé les armes. Elle avait décidé de s'écouter, de suivre ses émotions, ses sensations, et elle s'était autorisée à profiter de lui. Même maintenant, alors qu'ils étaient rhabillés, elle dans son Bikini et lui dans ce maillot de bain qu'il venait de cacher sous un short, elle pouvait sentir une intimité nouvelle entre eux, un lien qui n'avait rien à voir avec le sexe, qui allait bien au-delà.

— Dieu merci, j'ai dit à tout le monde de faire la grasse matinée demain matin, lança-t-elle après avoir vidé son verre. J'ai fait quelques excès et j'ai peur de les payer demain matin.

— J'ai aperçu un restaurant ouvert vingt-quatre heures sur vingt-quatre, à environ un kilomètre d'ici. Nous pourrions y aller, si tu penses que cela pourrait t'aider.

— Pour manger des cheeseburgers ?

— Pourquoi pas, si le restaurant en sert.

— Dans ce cas, je suis partante ! répondit-elle en attrapant ses sandales et son T-shirt pendant que Sam faisait de même.

Elle aperçut tout à coup sa cicatrice, juste au-dessus de son genou.

Sans réfléchir, elle posa sa main sur la peau rose et, instantanément, elle le sentit se figer sous sa caresse, lui prouvant que cette blessure était autant physique de psychologique.

— Tu as mal ? lui demanda-t-elle.

Elle se souvenait de l'avoir vu frotter sa cuisse dans la voiture, quelques jours plus tôt ; sans doute sa blessure était-elle toujours douloureuse.

— Je gère, répondit-il simplement, répétant ce qu'il lui avait déjà dit.

Elle ne lui en voulait pas de cette réponse. Elle comprenait très bien son attitude puisqu'elle avait souvent réagi de façon identique, après son propre accident.

— Me parleras-tu un jour de cette blessure ?

— Je peux le faire tout de suite, si tu veux. J'ai été touché par un sniper, alors que j'étais en mission en territoire ennemi. Mais ce ne sont pas les balles qui m'ont été fatales. Ce sont les quelques jours que j'ai passés sans traitement sérieux. Lorsque j'ai pu enfin être évacué jusqu'à un hôpital militaire, ma blessure s'était aggravée, une infection s'était développée et il était trop tard pour la soigner correctement.

En l'écoutant, l'émotion l'envahit. Sam avait dû tellement souffrir, et pas seulement physiquement.

— Tu ne devrais pas faire comme si cette blessure n'avait aucune importance, Sam. Elle n'est pas sans importance.

— J'ai passé quelques mois en rééducation.

Quelques mois ? Mais ce n'était pas suffisant. Il fallait des années pour se remettre d'une telle blessure, d'une telle déception. Des années !

Ce qui voulait dire qu'il n'avait pas encore fait la paix avec sa blessure, qu'il allait forcément se réveiller un jour, frustré, en colère, en rage, et rejeter tout ce qui représentait sa nouvelle vie.

A commencer par elle.

Comme si le contact la brûlait tout à coup, elle retira brusquement la main de sa jambe.

Pourquoi l'attitude de Sam la mettait-elle autant en

colère ? Il n'y avait aucune raison. C'était de sa vie à lui qu'il s'agissait, pas de la sienne. Troublée par les doutes qui venaient de l'assaillir, elle recula.

Il attrapa sa main pour la retenir et, mal à l'aise, elle baissa les yeux. Elle voulait fuir.

Elle devait fuir.

— Je ne sais pas à quoi tu penses, Meagan, mais je devine que ce n'est pas bon. Nous parlons de ma jambe et tout à coup, tu te replies. Je ne comprends pas. Tu me trouves irrécupérable, bon à jeter ? C'est ça le problème ?

Il avait l'impression qu'elle le considérait comme irrécupérable ? Incrédule, elle riva son regard au sien.

— Non. Bien sûr que non, Sam. Ce n'est pas cela. Ta jambe… Ta cicatrice est sexy, et tu représentes tout ce que j'ai jamais désiré chez un homme. Mais je dois te paraître ridicule, à ne penser qu'à la danse, à l'audimat, alors que toi, tu protégeais ton pays, tu sauvais des vies. Me dorloter, ici, doit te sembler…

Il l'interrompit en passant une main dans ses cheveux.

— Je ne te dorlote pas, Meagan. D'ailleurs, personne ne le peut, tu es bien trop forte pour ça. Et je pense qu'il n'y a rien de ridicule dans le fait d'avoir un rêve et de tout faire pour qu'il se réalise.

Il caressa sa joue avec tendresse et, émue, elle ferma les yeux.

— Nous avons déjà eu cette conversation, Meagan. Les rêves sont ce pour quoi se battent les soldats. Ton rêve est aussi le mien aujourd'hui car tu es importante pour moi. J'ai envie de me battre pour toi.

— Je sais que tu es sincère, et cela me touche. Mais je sais également que cette blessure a brisé ton rêve, ta vie.

Incapable de le regarder dans les yeux, elle détourna le regard avant de reprendre.

— Tu m'as avoué toi-même que tu n'étais pas prêt à

quitter l'armée car tu croyais pouvoir y consacrer toute ta vie. Et te voilà, ici, au milieu de cette émission glamour et superficielle.

— Mais avec une femme à laquelle je tiens sincèrement.

— Sam… Je ne peux pas… Et…

Elle s'interrompit. Sa voix venait de la trahir. L'émotion qui la tenaillait était si forte qu'elle ne parvenait même plus à articuler deux mots correctement.

— Tu ne veux pas devoir compter sur moi de peur que je disparaisse de ta vie, murmura-t-il, devinant son inquiétude. Qui t'a laissé tomber, Meagan ? Dis-moi qui a trahi ta confiance ?

Refoulant les larmes qu'elle sentait monter à ses yeux, elle baissa la tête. Elle aurait voulu tout lui avouer, lui parler de son rêve de danse, des réactions de ses parents après sa blessure qu'ils voyaient comme la preuve de son mauvais choix. Elle aurait voulu tout lui dire, mais elle ne pouvait pas.

Hélas.

— Tu n'es pas obligé de me répondre maintenant, reprit-il d'une voix douce. Mais j'espère que tu me le diras plus tard. Et tu as raison sur un point, ce travail n'est que temporaire pour moi.

Temporaire ?

Ce mot lui fit l'effet d'un coup de poignard dans le cœur et, blême, elle releva les yeux.

— J'ai un projet, lui expliqua-t-il sans attendre, comme s'il devinait son malaise. C'est pour cette raison que cela ne me dérange pas d'être ici pour le moment. J'ai l'intention de créer mon agence de sécurité, l'année prochaine, lorsque plusieurs de mes anciens coéquipiers des forces spéciales retourneront à la vie civile. Mon oncle, celui qui travaille pour les studios, sera notre principal investisseur.

Il a l'intention de me recommander à certains de ses clients d'Hollywood et puis, peu à peu, de se retirer.

Instantanément, le soulagement la gagna.

Sam n'allait pas fuir. Sam allait continuer à travailler dans son monde.

Sam était Sam et il était parfait.

— Pourquoi souris-tu tout à coup, Meagan ?

— Je ne sais pas.

Elle était sincère, elle ne savait pas.

Tout ce qu'elle savait, c'était qu'elle était heureuse, grâce à lui.

Incapable d'attendre plus longtemps, elle l'embrassa avec passion, comme pour le remercier de tout ce qu'il faisait pour elle.

Heureusement que le restaurant était ouvert vingt-quatre heures sur vingt-quatre car, quelques minutes plus tard, ils étaient de nouveau nus.

— Tu as été bien docile, ces derniers temps, remarqua-t-il soudain. Nous ne nous sommes pas disputés, tu m'as remercié à moult reprises…

— Tu n'es pas en train de te plaindre au moins ?

— Non, pas du tout. J'aime quand tu me remercies. J'aime tellement ça que j'ai bien envie que tu me remercies maintenant.

Il se tut et, sans attendre sa réponse, traça un chemin de baisers humides dans le creux de son cou, avant de refermer sa bouche sur un téton durci de désir.

— Toujours pas de merci ? s'étonna-t-il avant de lécher la pointe offerte.

— Pas encore. Pour l'instant, tu me fais juste perdre la tête.

— J'aime te faire perdre la tête.

— Pas moi.

Il leva la tête. Il semblait surpris.

— Non ? s'étonna-t-il. Alors je vais voir ce que je peux trouver d'autre.

Il prit ses seins dans ses mains puis continua à embrasser sa peau, descendant vers son intimité qu'elle sentait déjà moite.

Il l'embrassa, la goûta, s'attarda sur son clitoris. Elle sentit le plaisir monter en elle pendant qu'il la savourait. Puis, de manière de plus en plus intense, jusqu'à ce que, à bout, elle pousse un long cri de jouissance.

— Merci, murmura-t-elle lorsqu'elle eut repris son souffle. Mais n'oublie pas qu'un merci en engendre un autre. A ton tour, maintenant.

Pour toute réponse, il laissa échapper un rire d'une sensualité folle et elle se mit à frissonner de tout son long. Jamais le rire d'un homme ne lui avait fait autant de bien.

Jamais la voix d'un homme ne l'avait envoûtée à ce point.

Décidément, Sam était l'homme parfait. Baisser la garde avec lui ne serait pas si difficile que cela.

Une heure plus tard, Sam autorisa Meagan à se rhabiller, mais uniquement parce que, n'ayant pas mangé, elle menaçait de tomber dans les pommes.

Ils sortirent de la tente et, aussitôt, l'angoisse l'envahit ; il craignait tant que Meagan s'éloigne de nouveau de lui.

Il avait beaucoup appris ce soir. En la repoussant dans ses derniers retranchements, il avait compris qu'elle se débattait avec ces murs de protection qu'elle avait érigés autour d'elle. Il avait compris qu'elle avait envie de lâcher prise, mais qu'elle n'y arrivait pas car elle avait besoin de se protéger.

Son téléphone émit un bip, le ramenant à la réalité. Il lut le message et soupira. Meagan n'allait pas être contente.

— Nous allons devoir remettre à plus tard notre dîner,

n'est-ce pas, Sam ? fit-elle, devinant à son visage que les nouvelles n'étaient pas bonnes.

— Tout dépendra de ta réaction lorsque je t'annoncerai que certains des danseurs ont décidé d'apprendre à se connaître… Intimement.

Elle écarquilla les yeux puis, sans un mot, se mit à courir en direction de la maison. Il l'imita et la rattrapa vite.

— Je comprends que cette nouvelle ne te fasse pas plaisir, mais je te rassure, Josh s'est déjà occupé de les séparer. Il a réussi à tout arrêter avant qu'il ne soit trop tard.

— S'agissait-il de Jensen et de Tabitha ?

Il se racla la gorge avant de répondre. Encore une mauvaise nouvelle à lui annoncer.

— Jensen, Tabitha… Et Rena.

— Mon Dieu ! Toute relation intime est pourtant interdite dans leurs contrats. Rena n'a plus rien à perdre, puisqu'elle a été éliminée, mais les deux autres oui. En plus, Kiki le sait très bien. Mais j'imagine qu'elle prévoyait que les caméras allaient saisir ces moments. Comment puis-je la convaincre que de bonnes audiences fondées sur un scandale ne dureront pas, sans qu'elle me tourne le dos ? Des émissions comme *Danse avec les stars* n'ont pas construit leur succès sur des coucheries.

— Meagan, ma chérie…

— Je refuse que nous prenions cette direction, même pour faire de l'audimat. Je n'aurais jamais dû m'éloigner ni laisser les danseurs seuls. Je…

— Stop, Meagan, fit-il en lui attrapant le poignet et en l'obligeant à le regarder. Je vois bien où tu veux en venir, mais ne commence pas à chercher des raisons pour lesquelles notre aventure serait une mauvaise idée. Notre relation n'est pas une mauvaise idée. En plus, tu ne comptais pas sur Kiki, ce soir, tu comptais sur Josh et il a fait son travail. Il s'est occupé du problème tout de suite, et ensuite, m'a appelé.

Elle lâcha un long soupir, s'appuyant contre lui.

— Je sais, Sam, et je te remercie. Vraiment. Sincèrement. Mais maintenant, nous devons nous dépêcher. Je ne veux pas perdre mon émission.

Ils reprirent leur course vers la maison et bientôt, il aperçut Carrie, assise sur les marches du porche, Josh à ses côtés, et Mel le matou sur ses genoux.

— Où sont-ils ? leur demanda Meagan d'une voix trahissant son angoisse.

— Sur la plage, répondit Josh. Ils se sont enfuis, lorsque je leur ai annoncé qu'ils ne pouvaient pas coucher ensemble.

— Je m'en occupe, répondit Meagan avant de s'éloigner rapidement.

Sam la regarda quelques instants puis se tourna vers Carrie.

— Tu as bien fait de passer la soirée avec Mel plutôt qu'avec Jensen.

— C'est exactement ce que je lui ai dit, remarqua Josh. La vie est bien trop courte pour perdre son temps avec des concours de popularité.

— Mais l'émission est un concours de popularité, rétorqua avec insistance la jeune fille.

— Non, l'émission est un concours de danse. Ton futur sera consacré à la danse, ne l'oublie jamais et ne laisse jamais personne te convaincre du contraire.

— Tu as raison, répondit-elle. Je l'ai compris ce soir lorsque j'ai failli être éliminée. Ce concours est ma chance et je refuse de la laisser passer. Jensen et Tabitha sont issus de familles riches. Ils ont les moyens de s'installer à New York pour tenter leur chance. Pas moi. Ma mère m'a élevée seule, elle est secrétaire, et je veux pouvoir prendre soin d'elle plus tard.

A l'écouter, il comprenait pourquoi Meagan éprouvait une telle tendresse pour Carrie. Cette jeune fille était gentille, douce et très attachante.

Pendant quelques minutes, elle lui parla de sa mère, de sa vie à Washington, et du désordre qui régnait dans la maison. Ils ne s'interrompirent qu'en voyant Meagan revenir avec les danseurs.

Le regard baissé, Jensen et Tabitha se précipitèrent à l'intérieur et Meagan le rejoignit sous le porche.

— Je les ai menacés de les renvoyer chez eux. Je pense leur avoir fait peur, annonça-t-elle. Ni l'un ni l'autre ne veut être exclu de l'émission.

La porte s'ouvrit soudain et Kiki sortit.

— Cet incident est de l'or en barre, leur lança-t-elle. Les spectateurs vont adorer l'épisode.

— Carrie, peux-tu rentrer, s'il te plaît, demanda Meagan.

— Bien sûr, répondit la jeune fille avant de se lever, le chat toujours sous le bras.

Sitôt la porte fermée, Meagan se tourna vers Kiki.

— Nous ne pouvons pas diffuser ces images, Kiki, sinon les studios risquent de demander l'exclusion de ces candidats. Je leur avais promis que de tels incidents ne se produiraient pas.

— Tabitha et Jensen ont peut-être choisi d'ignorer leurs contrats, Meagan, mais ils n'ont rien fait de mal, ils ne sont pas allés jusqu'au bout.

— En tout cas, je ne pense pas qu'ils s'imaginaient que nous diffuserions ces images.

— Pourquoi dis-tu cela ? Oh ! je sais, continua Kiki en se tournant vers lui. Vous avez montré le mauvais exemple en vous embrassant en public l'autre jour. Peut-être devrait-on ajouter ces images-là à l'émission. Après tout, tout est bon pour faire de l'audience.

A l'évidence, Kiki était passée à l'étape supérieure. Elle

montrait désormais les griffes. Mais de son côté, Sam avait déjà réuni beaucoup d'éléments pour mettre un terme à sa carrière. Il lui manquait juste quelques preuves.

— Désolé, mesdames, mais nous devons nous arrêter ici. Des contrats ont été signés, ce qui veut dire que des questions de droit sont en jeu. Si ces images sont utilisées et entraînent l'exclusion de ces jeunes, ils pourraient nous poursuivre en justice. Je ne peux donc pas diffuser les images sans l'approbation des studios. Si je l'obtiens, vous pourrez alors prendre votre décision.

Il se tut et jeta un coup d'œil aux deux jeunes femmes, toujours silencieuses. Elles n'avaient rien à répondre ? Parfait.

— Maintenant, cela étant dit, vous êtes toutes les deux les bienvenues si vous voulez partager un cheeseburger avec moi.

— Je vais rester ici, répondit sans attendre Kiki. J'ai quelques coups de fil à passer.

Puis, sans un mot de plus, elle rentra dans la maison.

— Ta promesse d'un cheeseburger tient donc toujours, remarqua Meagan.

— Oui, mais je suis surpris de voir que tu es prête à quitter la maison.

— Un homme très sexy m'a expliqué un jour qu'il fallait parfois savoir se détendre.

20

Des images envahirent son esprit ensommeillé, des images de Sam, assis face à elle, en train de déguster un milk-shake à la fraise. Des images de fêtes. Des images d'elle disant à Kiki ses quatre vérités. Des images de Sam l'embrassant pour lui souhaiter bonne nuit derrière la maison. Et elle finit par s'endormir en se caressant, regrettant qu'il ne s'agisse pas des mains douces et agiles de Sam.

— Debout, ma chérie, entendit-elle soudain.

— Mmm…

Elle se retourna sous la couette. Elle était tellement fatiguée qu'elle ne voulait pas se réveiller. Elle voulait continuer à rêver à Sam et à ses caresses coquines.

— Meg, réveille-toi.

— Il est trop tôt.

— S'il te plaît.

Il se mit à lui chatouiller le cou, mordilla son oreille, et elle se redressa d'un bond, les yeux grands ouverts. Sa couette glissa sur ses hanches, dévoilant sa nuisette aux yeux de Sam qui, instantanément, se mirent à briller, l'éblouissant presque.

— Sam.

Il s'assit à côté d'elle sur le lit.

— Que se passe-t-il ?

— Tu as accordé la grasse matinée à tout le monde

donc, rassure-toi, tu n'es pas en retard. Mais comme tu ne répondais pas au téléphone, je me suis inquiété.

Samantha grimpa sur le lit, se mit à miauler et elle la caressa.

— Oui, mon chaton.

Elle se souvenait maintenant qu'elle avait dit à tout le monde de dormir tard ce matin. Par contre, elle ne se souvenait pas d'avoir entendu son téléphone sonner.

Elle l'attrapa sur la table de chevet et remarqua que Sam l'avait en effet appelée plusieurs fois.

— Je n'arrive pas à croire que je ne l'ai pas entendu. Bon, dis-moi tout, pourquoi es-tu ici ?

— Kiki a invité Jensen, Rena, Tabitha et une autre danseuse, Suzie, à prendre le petit déjeuner en ville. Après les événements de la nuit dernière, j'ai pensé que cette nouvelle ne te ferait pas plaisir.

— C'est le moins qu'on puisse dire, répondit-elle en se levant, soudain nerveuse. Ce n'est pas une bonne nouvelle. Pas une bonne nouvelle du tout.

Il l'attrapa, posa sa main puissante sur son épaule et, aussitôt, elle sentit ses seins se tendre sous sa nuisette.

— Calme-toi, Meagan. J'ai demandé à Josh de les accompagner. Kiki n'était pas ravie, et Josh non plus. Il faudra d'ailleurs que je le remercie, continua-t-il en posant le chat par terre avant de s'allonger sur le lit et de l'entraîner avec lui. Il m'appellera lorsqu'ils prendront le chemin du retour. Ce qui veut dire que nous sommes seuls…

A cette annonce, elle esquissa un sourire ravi puis, oubliant Kiki et les danseurs, noua ses bras autour de sa nuque. Elle avait rêvé d'un tel moment toute la nuit.

— C'est tout de même dangereux, Sam. Nous pourrions être pris en flagrant délit.

— Pas si nous sommes rapides.

— J'aime quand c'est rapide, répliqua-t-elle en promenant une main tentatrice sur le renflement de son sexe. D'ailleurs, on dirait que toi aussi.

Sans attendre sa réponse, elle insinua sa main dans son caleçon et la referma sur son sexe déjà dur et tendu.

— On dirait que tu aimes beaucoup ça.

— Autant que j'aime prendre mon temps avec toi. Ce que je ferai prochainement, dans un endroit désert et romantique.

— Paroles, paroles…

Elle accéléra ses caresses et il laissa échapper un soupir de plaisir.

— Tu aimes ?

— J'adore !

— Dans ce cas-là, je vais te raconter une petite histoire, continua-t-elle en caressant l'extrémité humide de son érection avant de lui mordiller tendrement son oreille.

— Une histoire ?

— Oui. Elle va te plaire. Mais avant, enlève ton pantalon.

Prise d'une impatience folle, elle l'aida à se mettre nu. Elle s'installa ensuite entre ses jambes, les mains serrées autour de sa puissante virilité.

— Voici mon histoire… Elle s'appelle : « Comment je vais t'obliger à me remercier ».

Les yeux brillant de désir, elle le prit dans sa bouche et frissonna de plaisir en le sentant se cambrer, heureuse de le mettre dans cet état. Puis elle se mit à jouer avec lui, à alterner coups de langue coquins et baisers gourmands, jusqu'à ce qu'il n'en puisse plus, jusqu'à ce qu'il crie grâce.

Au bout de quelques minutes seulement, elle le sentit se raidir puis il explosa en elle et lâcha un long râle.

Elle demeura immobile jusqu'à ce qu'il reprenne son souffle, puis elle se redressa et l'embrassa.

— La prochaine fois que tu te glisses dans ma chambre, la punition risque d'être dix fois plus sévère.

Pour toute réponse, il essaya de l'attraper mais elle s'écarta.

— Je vais prendre une douche avant que tout le monde revienne.

Puis elle courut dans le couloir, nue.

Encore une fois, elle jouait avec lui, mais cela l'excitait.

Quelques secondes plus tard, il passa la tête par le rideau de la douche et la dévisagea d'un regard si brûlant qu'elle s'enflamma instantanément, prise d'un désir aussi violent qu'un torrent de passion.

— On verra ce qui arrivera lorsque tu te glisseras dans ma chambre ce soir, lui lança-t-il d'une voix enjôleuse avant de disparaître.

Même la perspective d'une nouvelle dispute avec Kiki n'aurait pu lui faire perdre son sourire lorsqu'elle pénétra dans la maison pour y trouver tous les danseurs, et son adjointe, en train de nettoyer les dégâts de la fête de la veille.

Elle ne s'arrêta pas dans le salon et se dirigea sans attendre vers la cuisine. Là, elle retrouva Carrie, en train de passer le balai.

— J'ai entendu dire que tu avais raté le petit déjeuner, ce matin, lui dit-elle.

— Je suis heureuse de ne pas faire partie de cette bande. Je n'ai besoin que de Mel et de Josh pour être heureuse. Ils sont gentils et ils me réconfortent lorsque j'en ai besoin.

A ces mots, Meagan se raidit, soudain inquiète.

— Josh te… te réconforte ?

— Ne t'inquiète pas, Meagan. Il me réconforte comme un grand frère, rien de plus. Mais cela ne m'empêche pas de le trouver très bel homme.

— Tu devrais toutefois garder tes distances. Josh est trop âgé pour toi.

— Je suis très mûre pour mon âge. Parfois, j'ai même

l'impression d'être une femme de vingt-sept ans coincée dans le corps d'une jeune fille de dix-neuf ans.

— Ne dis pas cela. Profite au contraire de ta jeunesse et préserve ton corps, tu en auras besoin pour ta carrière.

Elle s'approcha de Carrie avant de reprendre à voix basse.

— Sais-tu quel était le but de ce petit déjeuner ?

— Tabitha m'a raconté que Kiki leur avait fait la leçon pour leur comportement d'hier et les avait menacés d'exclusion.

Bizarre. Cela ne correspondait pas à la réaction de Kiki la veille au soir.

— Je sais, poursuivit Carrie, comme si elle lisait en elle. J'ai moi aussi trouvé cela étrange car hier soir, c'était Kiki qui les encourageait à… Tu sais… Et maintenant, ils veulent me faire croire qu'elle les a réprimandés, qu'elle leur a dit qu'ils avaient eu de la chance de ne pas être exclus ?

— C'est vrai qu'ils ont eu de la chance.

Elle s'interrompit en voyant Sam arriver, l'air toujours aussi sexy.

— Tiens, voilà ton soldat, lui lança Carrie, taquine. En parlant de soldat, je crois que je suis moi aussi devenue une fille à soldat.

— Carrie !

— Désolée, désolée. Je m'en vais, répondit-elle avant de saluer Sam et de sortir de la pièce en riant.

Ce dernier approcha et se servit une tasse de café.

— Bonjour, Meg.

— Bonjour, Sam, répondit-elle en souriant.

— Ma journée a bien commencé. Ce matin, quelqu'un m'a raconté une belle histoire.

— Vraiment ?

— Oui, murmura-t-il dans le creux de son oreille. Mais j'ai l'intention d'en réécrire la fin. Je te la raconterai ce soir. Tu verras, elle te plaira.

— La version originale est déjà très bonne.

— Tu préféreras celle-ci, fais-moi confiance. Ce soir.

Kiki apparut au même instant dans l'embrasure de la porte.

— Ce soir, 19 heures ? cria l'adjointe.

Nerveuse, Meagan avala sa salive et baissa les yeux de peur de trahir son rendez-vous avec Sam. De quoi Kiki voulait-elle parler ?

— Ce soir ? répéta-t-elle, anxieuse.

— Pour la soirée cinéma que tu voulais organiser, lui rappela Kiki.

— Oui. Bien sûr. Très bonne idée, répondit-elle, se forçant à ignorer les lueurs malicieuses qu'elle voyait briller dans le beau regard de Sam. Je dois d'abord visionner les derniers rushs, en espérant que nous aurons de bonnes images pour le direct de la semaine prochaine.

— Si tu viens dans le pavillon qui abrite la régie, suggéra Sam, je pourrais te montrer notre stock d'images.

L'invitation n'avait rien à voir avec les rushs, et tout à voir avec faire l'amour. Elle le savait, mais tenta de l'ignorer. Ce n'était pas le moment d'y penser. Devant Kiki, elle devait rester concentrée.

— Parfait, fit-elle alors comme si de rien n'était. J'aimerais pouvoir commencer le montage demain matin.

— Avec un peu de chance, nous aurons de bonnes séquences, intervint Kiki. Et ne t'inquiète pas, j'ai compris le message. Finis les scandales. Tu souhaites produire une émission tout public.

Perplexe, elle hocha la tête. Tout à coup, Kiki lui paraissait bien trop sympathique pour être honnête.

— Mais si l'audience diminue, poursuivit la jeune femme, sache que je n'hésiterai pas à reprendre mon indépendance, Meg. Je refuse de couler avec le navire.

Kiki lui souriait, mais elle n'était pas dupe. Il s'agissait à l'évidence d'une menace, à peine masquée.

— Pour changer de sujet, reprit ensuite son adjointe, comme si de rien n'était, les jeunes ont envie de regarder *Massacre à la tronçonneuse*. J'ai pensé aussi leur proposer un film d'action, de kung-fu par exemple.

Puis, sans attendre sa réponse, Kiki sortit de la cuisine et Meagan ferma les yeux pour se reprendre.

— Elle vient de t'appeler Meg, lui fit aussitôt remarquer Sam. Ce n'est pas bon. Si tu veux mon avis, c'est même le signe d'un danger.

— J'ignore ce qui m'effraie le plus, cette femme, ou le fait de regarder un film qui m'empêchera de dormir pendant toute une semaine. Je déteste les films d'horreur.

— Je te changerai les idées, lui promit-il d'une voix douce.

Touchée, elle lui sourit. Comme il aurait été facile de le croire, de croire à ce monde idéal dans lequel il pourrait la protéger et résoudre tous ses problèmes.

Elle mourait d'envie de se reposer sur lui, de le considérer comme un chevalier sans peur et sans reproche, prêt à tout pour la défendre contre les agressions extérieures.

Un chevalier dont elle était en train de tomber amoureuse. Mais que se passerait-il si elle perdait son émission et Sam par la même occasion ?

Que se passerait-il si elle se reposait trop sur lui et qu'il disparaissait ?

Tout à coup, la crainte l'envahit et elle se mit à trembler.

Elle devait à tout prix se reprendre, lui ordonna la voix de la raison.

— Hélas, reprit-elle d'un ton aussi détendu que possible, pour masquer l'émotion qui la tenaillait, cette soirée cinéma est un cauchemar auquel je dois faire face seule.

Il la fixa, avec intensité, comme s'il devinait ce qu'elle

était en train de faire. Mais incapable d'écouter sa réponse, incapable de faire face à sa réaction, elle sortit précipitamment de la cuisine.

Elle avait besoin d'être seule pour tenter de reprendre sa vie en main.

La nuit était sombre et orageuse. La pluie tombait fort et le tonnerre grondait. Une soirée parfaite pour regarder un film d'horreur, en somme. Mais Sam et ses hommes préféraient suivre un match de football. Cela ne les empêchait pas de jeter des coups d'œil réguliers sur les images des caméras installées dans la maison.

Il étira ses jambes sur la table basse du salon du pavillon et regarda ses adjoints, assis sur le canapé. Puis, se détendant enfin, il laissa son regard aller et venir entre le match et les images des caméras de sécurité, entre le football et Meagan, se rappelant les mots qu'elle lui avait lancés avant de quitter la cuisine.

Il n'était pas bête. Il savait très bien qu'elle avait fui dès que l'occasion lui avait été donnée.

Malheureusement, il ignorait quoi faire.

Devait-il lui laisser plus d'espace ? Devait-il insister jusqu'à ce qu'elle lui avoue son secret si douloureux ? Devait-il lui répéter, encore et encore, combien leur relation était importante pour lui ? Car il était sérieux, il était sûr de lui et de ses sentiments. Il n'était jamais tombé amoureux auparavant, mais aujourd'hui, il le savait. Il aimait Meagan.

Sur l'écran de contrôle, il la vit crier de terreur devant le film et il esquissa un sourire amusé.

Entre Meagan et Carrie, la palme du cri de terreur le plus réussi risquait d'être très disputée.

Le tonnerre grogna de nouveau au-dehors et un éclair

zébra le ciel. Tous les danseurs se mirent à crier et les quatre hommes éclatèrent de rire.

Mais au coup de tonnerre suivant, le courant électrique se coupa.

— Zut, marmonna-t-il juste avant que l'alimentation des caméras ne bascule sur le générateur de secours.

Sans attendre, il se leva et composa le numéro de téléphone de Meagan, son regard s'habituant petit à petit à l'obscurité.

Meagan ne répondit pas, mais sur l'écran il pouvait la voir en train de tenter de calmer les danseurs.

— Je vais y aller.

— Je viens avec toi, répondit Josh, en lui tendant une lampe torche.

Dans le placard, ils attrapèrent des cirés ainsi que des torches supplémentaires.

Ils étaient sur le point de partir, lorsqu'un de ses hommes le rappela.

— Attends, Sam. Je viens de recevoir une alerte aux tornades, en vigueur pour les trente prochaines minutes.

— Dans ce cas-là, nous n'avons plus une minute à perdre. Allons-y.

Dehors, le vent était si fort qu'ils progressèrent lentement. Il leur fallut plusieurs minutes pour atteindre la maison principale.

Ils arrivaient sous le porche lorsque la porte s'ouvrit violemment et que Meagan apparut.

— Alerte tornade, lui cria-t-il, regrettant pour la première fois que la maison soit trop près de la côte pour avoir une cave. Emmène tout le monde dans la salle de bains.

Il la regarda ensuite retourner à l'intérieur et, avec calme et méthode, donner des ordres. Quelques secondes plus tard, Kiki, Ginger et DJ, inébranlables sous la pression, entraînèrent les danseurs effrayés dans les différentes salles de bains.

— Toi aussi, ma chérie. Va t'abriter, lui répéta-t-il.

Tout en parlant, il vit la terreur se refléter dans son beau regard même si, à l'évidence, elle se forçait à ne rien montrer.

Il l'entraîna dans une salle de bains et la poussa dans une douche, à côté d'autres personnes elles aussi paniquées.

— Sam…

— C'est bon, tu es avec moi, Meg, répondit-il en l'enlaçant. Il ne t'arrivera rien, je te le promets.

Elle leva les yeux vers lui.

— Il ne t'arrivera rien à toi non plus, Sam.

Il enfouit son visage dans ses cheveux et il comprit au plus profond de son être qu'il ne la laisserait plus jamais seule face au danger, qu'il s'agisse d'un orage, d'une tornade ou d'une manipulation de son adjointe. Il refusait de la laisser seule.

Il devait juste arriver à la convaincre de son sérieux et de la sincérité de ses sentiments.

21

La tornade épargna la maison, mais la force des vents réussit néanmoins à faire trembler les murs et tous ses occupants.

Sitôt l'alerte levée, elle embrassa Sam comme elle n'avait jamais embrassé aucun homme dans sa vie, sans la moindre retenue. Sam était son héros et peu importait si, dorénavant, tout le monde était au courant de leur relation. Elle en avait assez des « si » et des craintes concernant l'avenir. La vie était trop courte pour ne pas suivre ses rêves, même lorsque les difficultés s'amoncelaient.

— Je suis heureuse que tu sois ici avec moi, Sam, lui confia-t-elle. Pour toutes sortes de raisons.

— Moi aussi, Meg. Moi aussi, répondit-il en caressant tendrement ses cheveux.

— Meagan, Meagan, cria soudain Carrie en les rejoignant. Je n'arrive pas à croire que nous venons d'être touchés par une tornade.

— Tout va bien, Carrie, l'alerte est passée. Rassure-toi. Quant à moi, je vais aller vérifier que tout le monde va bien.

— Je préférerais que personne ne bouge, lui ordonna Sam en se levant. Je veux d'abord vérifier les éventuels dégâts.

— Je viens avec toi.

— Reste ici, Meagan. Tu m'aideras plus en restant ici et en surveillant tout le monde.

Elle esquissa un sourire. Elle trouvait Sam encore plus

sexy que d'habitude lorsqu'il se comportait en soldat autoritaire.

— Comme tu veux.

Il fit demi-tour pour sortir de la pièce, mais elle lui attrapa le bras et, incapable de s'en empêcher, l'embrassa une nouvelle fois.

— Fais attention, Sam.

— Toujours, répondit-il avant de sortir.

— La malédiction a encore frappé, lui murmura Carrie lorsqu'elle se réinstalla à ses côtés. Il n'y a plus aucun doute maintenant, l'émission est vraiment maudite.

— Si tout le monde est sain et sauf, il ne s'agit pas d'une malédiction mais d'une bénédiction.

Quelques minutes plus tard, Sam leur cria que tout allait bien et qu'ils pouvaient sortir de leur cachette. Sans attendre, elle se précipita hors de la pièce, se rappelant soudain qu'elle avait laissé son chaton dans sa chambre.

— Samantha… Je dois à tout prix trouver Samantha !

Inquiète pour l'animal, elle se précipita à l'extérieur, sans même prêter attention à la pluie qui tombait toujours aussi dru.

Quelques minutes plus tard, elle parvint à l'annexe et, avec la torche, partit à la recherche du chat.

— Samantha, Samantha. Viens ici mon chaton.

Derrière elle, quelqu'un alluma soudain une autre torche. Sam.

Elle n'avait pas besoin de se retourner, elle le reconnaissait rien qu'à son parfum.

— Tu la vois ? lui demanda-t-il.

— Non, répondit-elle, la gorge nouée. Peut-être est-elle blessée ?

— Je suis sûr qu'elle va bien. Elle doit simplement se cacher. Allez, sors de ta cachette, petit chat.

Il sortit de la chambre et fit le tour de la maison. Quand

il revint quelques minutes plus tard, il avait Samantha sous le bras.

Quel soulagement.

Encore une fois, Sam s'était conduit comme un véritable héros.

— Maintenant que mes deux filles sont saines et sauves, lui expliqua-t-il, il faut que je retourne à la maison principale. J'ai du travail.

Il déposa un baiser tendre sur son front avant de se diriger vers la porte.

Désormais, elle n'avait plus aucun doute. Elle était bel et bien tombée amoureuse de Sam. Mais en même temps, elle avait peur, elle se sentait vulnérable.

Malgré tout, elle avait pris une décision ce soir. Elle avait décidé de s'ouvrir au monde, de baisser la garde pour être avec Sam, quitte à souffrir.

Après avoir passé une partie de la nuit à s'occuper des conséquences de la tornade, Sam retrouva Meagan dans sa maison, juste avant le lever du soleil. Elle s'était endormie tout habillée sur le canapé, Samantha roulée en boule entre ses bras. La télévision était restée allumée sur la chaîne météo.

Doucement, il avança dans le salon.

Sans doute Kiki dormait-elle elle aussi. De toute façon, cela lui importait peu. Kiki savait déjà qu'il sortait avec Meagan. Tous les participants de l'émission le savaient, à vrai dire, ils n'avaient pas été particulièrement discrets dans la salle de bains.

Devait-il porter Meagan jusqu'à son lit ? Il hésitait. Il ne voulait pas la réveiller et qu'elle ait ensuite du mal à se rendormir. Elle avait besoin de repos.

Il éteignit finalement la télévision puis s'installa sur le

sol, devant le canapé et étendit ses jambes, content de se poser lui aussi quelques minutes.

Lorsqu'elle se réveillerait, il l'inviterait à prendre un bon petit déjeuner. A moins qu'il ne le prépare lui-même.

Epuisé, il ferma les yeux quelques secondes.

Il ignorait combien de temps il s'était assoupi lorsqu'il entendit soudain Kiki parler au téléphone. Elle était dans le couloir, mais ne semblait pas s'être aperçue de sa présence.

— Elle dort dans sa chambre, était en train de dire Kiki. Oui, je savais que je devais t'appeler. C'est un miracle qu'aucun des danseurs n'ait été blessé. Non, non, Sabrina. Je pars tout de suite.

Il entendit ensuite la porte se fermer et la voix de Kiki s'évanouir.

Il fronça les sourcils. Que se passait-il ? Qu'était en train de manigancer la jeune femme ?

Il essaya de repasser la conversation dans sa tête, mais il n'y avait rien d'incriminant dans les mots prononcés par Kiki. Cependant, le seul fait que Kiki appelle Sabrina suffisait à le rendre nerveux.

Déterminé à appeler la directrice des programmes à qui il devait toujours faire un rapport sur le comportement de Kiki, il se leva d'un bond.

Il avait recherché les anciens collègues de la jeune femme et en avait trouvé plusieurs qui n'avaient pas osé parler plus tôt, de peur de ne jamais retrouver d'emploi. Mais ils avaient quitté le show-business ou avaient désormais suffisamment évolué dans leur carrière pour pouvoir aujourd'hui témoigner librement. De ces entretiens, il avait tiré un rapport assez éloquent sur le comportement de Kiki.

Malheureusement, celle-ci était la nièce d'un des grands patrons des studios, et Sabrina avait besoin de davantage de preuves pour pouvoir agir.

— Sam, murmura soudain Meagan en se redressant,

les cheveux en désordre et les joues toutes roses. Que se passe-t-il ?

Même ensommeillée, elle se faisait du souci.

— Pourquoi me poses-tu toujours cette question lorsque tu te réveilles ?

Elle passa une main sur son visage, comme pour finir de se réveiller.

— Voyons voir, rétorqua-t-elle d'un ton malicieux et enjôleur. Je veux bien admettre que j'ai une propension à m'inquiéter pour un rien, mais dans les circonstances actuelles, j'ai quelques bonnes raisons : une tornade, une dent cassée, des problèmes électriques… En fait, quand je fais la liste des problèmes, je me demande si l'émission n'est pas bel et bien victime d'une malédiction.

— Cette émission n'est pas maudite puisqu'elle nous a réunis, et je promets de te le prouver avant même la fin de cette première saison.

Tout en prononçant ces mots, il la vit se détendre un peu.

— Tu me le promets, Sam ?

— Je te le promets, répondit-il en repoussant une mèche de cheveux qui masquait ses beaux yeux bleu outremer.

— Tu fais beaucoup de promesses, en ce moment. Vas-tu réussir à toutes les tenir ?

— On verra, reprit-il en promenant une main sur sa jambe à la peau aussi douce que la soie. En attendant, Kiki vient de partir. Ce qui veut dire que nous sommes seuls.

— Kiki est partie ? Si tôt ? Voilà qui est bizarre.

Refusant de l'inquiéter sans raison, il l'embrassa. Il aurait bien assez tôt les réponses à ses interrogations.

— Tout va bien, Meg. T'ai-je dit que…

Il s'interrompit et lui adressa un sourire coquin.

— A quoi penses-tu, Sam ?

Pour toute réponse, il posa Samantha au sol puis prit Meagan dans ses bras.

— J'ai une histoire à te raconter.

Il la porta jusqu'à la salle de bains, la déshabilla et en fit de même. Puis il l'invita sous l'eau brûlante de la douche.

Il s'adossa contre la cloison, prenant son temps pour savourer son corps de déesse, pour la caresser, pour soupeser ses seins parfaits et en pincer les tétons offerts.

Il voulait la pénétrer, la posséder. Il voulait se perdre en elle et faire savoir au monde entier que Meagan était à lui.

Si seulement c'était aussi facile…

Malheureusement, il avait peur de la faire fuir en lui mettant trop de pression.

— Je pensais à cette histoire que tu m'as raconté, osa-t-il néanmoins, en repoussant ses cheveux humides. Vas-tu un jour me révéler TON histoire ? Je sais que tu me caches quelque chose, Meg. Quelque chose qui fait de toi la femme que tu es aujourd'hui.

Elle passa un doigt fin sur son visage, dessina ses lèvres et les effleura avec les siennes avant de répondre.

— Oui, je vais te la raconter, Sam.

— C'est vrai ?

— Oui, répéta-t-elle en refermant sa main autour de du sexe durci à l'extrême. Je vais te laisser entrer en moi.

A ces mots, il sentit son désir atteindre de nouveaux sommets, mais il se força à se contrôler.

— Ce n'est pas de ça que je voulais parler, Meg.

— Je sais de quoi tu voulais parler, Sam. Et ma réponse est toujours oui. Oui, je vais te raconter mon histoire. Oui, je te veux dans ma vie. Et oui, je te veux en moi, maintenant.

Il ne répondit pas, ce n'était pas nécessaire. Il se contenta de la plaquer contre le mur et de la pénétrer avec vigueur.

Jamais il n'avait désiré une femme comme il désirait Meagan. Jamais il n'avait ressenti des sentiments aussi forts. Il voulait être en elle, maintenant et pour toujours.

Il lâcha un râle de plaisir puis baissa les yeux vers ses seins aux mamelons durcis.

— Tu es merveilleuse.

— Il faudra t'en souvenir la prochaine fois que nous nous disputerons.

— T'ai-je dit combien j'aime tes fesses ? demanda-t-il en s'agrippant à ses fesses rondes et sensuelles et accélérant son va-et-vient.

— T'ai-je dit combien j'aime les tiennes aussi ? répliqua-t-elle en enfouissant ses ongles longs dans sa peau, électrisant tous ses sens.

Il ne répondit pas. Il se contenta de donner un grand coup de reins jusqu'à la faire rejeter la tête en arrière et se mordre la lèvre, comme pour retenir un cri.

— Sam…

— Oui, fit-il en posant son front contre le sien, sans jamais cesser de vagabonder de ses mains sur sa peau laiteuse et brûlante.

— A propos de la nuit dernière…

— Oui.

— Je pense que tout le monde a compris que nous étions ensemble, lorsque je t'ai embrassé dans la douche.

Ils étaient ensemble.

Ensemble. Il aimait ce mot et il aimait l'entendre dans la bouche de Meagan.

— Je le pense aussi.

— Mais je ne le regrette pas. A vrai dire, cela m'est égal s'ils sont au courant. Je sais que nous devons être discrets, mais… Dans cette salle de bains, pendant cette tornade, je me suis sentie en sécurité, avec toi. Je voulais te le dire. Avec toi, je me sens toujours en sécurité.

Touché par ces mots, il l'embrassa avec ferveur. La confiance qu'elle lui témoignait aujourd'hui le touchait plus que tout, car il savait combien elle avait du mal à faire confiance.

Quant au passé, il allait la convaincre de l'oublier. Avec lui, elle apprendrait à se concentrer sur le futur.

Sam garnit leurs deux assiettes de l'omelette qu'il avait préparée, avant de rejoindre Meagan à table. Elle était en train d'écouter ses messages sur son téléphone.

Elle portait un jean noir et un T-shirt rouge au col en V qui dévoilait une poitrine à la sensualité folle. Il la trouvait si belle à cet instant, qu'il l'aurait bien emmenée dans la chambre pour lui prouver à quel point il la désirait, à quel point il était attaché à elle.

Mais il se força à contrôler ses émotions. Ce n'était pas le moment.

— Kiki m'a laissé un message m'informant qu'elle m'attendait aux studios, lui expliqua Meagan en reposant son téléphone. Je continue à penser qu'il est étrange qu'elle soit partie aussi tôt. Mais je n'ai pas la force d'y penser, j'ai trop faim.

Elle baissa les yeux vers son assiette avant de reprendre.

— J'ignorais que tu savais cuisiner, Sam. Cette omelette a l'air succulente. Honnêtement, je n'arrive pas à croire que tu cuisines. Je ne t'imaginais pas du tout comme un homme d'intérieur.

— Je recèle encore beaucoup d'autres surprises pour toi. Nous autres soldats, nous avons plus d'un tour dans notre sac.

— C'est bien que l'un de nous au moins sache cuisiner. Personnellement, je sais juste me servir du four à micro-ondes.

— C'est ce que tu m'as dit. Ça ne fait rien. Ce ne sont pas tes qualités de cordon-bleu qui m'intéressent. Je te le garantis.

Elle posa sa fourchette, comme si, tout à coup, elle redevenait professionnelle.

— Il faut que je te dise, Sam… J'ai renvoyé mon agent et j'en ai engagé un nouveau. Ainsi, je serai capable de choisir l'équipe technique que je souhaite pour la prochaine saison. Michael Beckwith, c'est son nom, m'a dit que cela aurait pu être le cas cette année s'il avait protégé mes intérêts. En tout cas, il pense pouvoir commencer à négocier pour la saison prochaine dès maintenant, grâce aux bonnes audiences. C'est une bonne nouvelle, n'est-ce pas ?

— C'est une très bonne nouvelle.

Mais cette nouvelle voulait dire qu'il devait avancer vite dans son enquête concernant Kiki. En effet, si elle apprenait qu'elle ne faisait pas partie de la saison deux, peut-être la jeune femme chercherait-elle à saboter les derniers épisodes.

Il n'avait donc plus le choix. Il devait agir, le plus rapidement possible.

22

Dans les montagnes russes de stress causé par les répétitions, les émissions en direct, et l'attente anxieuse des résultats de l'audimat, Sam était devenu son roc, une force à laquelle elle s'accrochait tant bien que mal.

En ce soir d'émission en direct, elle se tenait dans les coulisses et regardait une star de la chanson se produire sur scène avant l'annonce, par Derek, des trois moins bons danseurs de la semaine.

L'épisode consacré à la bataille de cupcakes, joyeux et léger, avait obtenu un grand succès, tout comme celui, plus sombre, sur le passage de la tornade. La dernière émission avait même été un tel succès que les studios commençaient à envisager une deuxième saison. Son agent était d'ailleurs sûr qu'elle obtiendrait le renouvellement de son contrat.

Au bout de quelques minutes, Derek revint sur scène pour annoncer le nom des trois nominés de la semaine.

Anxieuse, elle retint son souffle.

— Tabitha, appela d'abord Derek.

Depuis le début de l'émission, Tabitha plaisait beaucoup aux téléspectateurs.

— Deuxième nominé, continua Derek, Kevin.

Kevin était un grand jeune homme qui n'avait pas fait beaucoup parler de lui depuis le début de *Pas de deux*.

— Et enfin, Carrie.

En entendant ce nom, Meagan trembla et blêmit.

Comme Sam, Carrie l'avait surprise en se faisant une

place dans sa vie. En quelques semaines, elle était devenue comme la petite sœur qu'elle n'avait jamais eue.

Derek annonça une page de publicité et Shayla, la réalisatrice, en profita pour s'approcher d'elle.

— J'espère vraiment que Carrie ne partira pas, lui lança la jeune femme.

— Je l'espère aussi.

Elle aperçut soudain Sam, de l'autre côté de la scène. Elle avait parfois peur de trop dépendre de lui, d'oublier ce que c'était d'être seule, de ne plus savoir être forte toute seule. Et à d'autres moments, comme maintenant, savoir qu'il était à ses côtés la rendait plus confiante.

Lorsqu'elle tourna de nouveau la tête, Sam avait disparu. Sans doute lui aussi était-il inquiet pour Carrie.

L'émission en direct reprit et sa nervosité grandit. Il était temps, maintenant, d'entendre les résultats.

— Le public a sauvé… Tabitha, annonça Derek.

Carrie et Kevin se prirent la main. Tous les deux semblaient trembler de peur. Et elle aussi.

Même s'il s'agissait de son émission, de son rêve, elle n'était pas sûre d'avoir le courage, l'année prochaine, d'apprendre à connaître les participants, de peur de trop s'attacher à eux et d'avoir le cœur brisé s'ils partaient.

Enfin, elle ne devait pas se poser la question avant de savoir si l'émission était reconduite. Elle devait d'abord mener cette saison-là à son terme.

— Et le deuxième danseur à être sauvé ce soir est… Carrie ! reprit Derek. Kevin, tu rentres à la maison.

Soulagée, elle lâcha un long soupir. Carrie allait rester une semaine de plus. C'était une excellente nouvelle. Elle était néanmoins triste pour Kevin. Mais comment pouvait-elle le réconforter ? Evidemment, il avait été sélectionné parmi des centaines de danseurs pour participer, preuve de son talent. Mais demain, il rentrerait chez lui, seul avec son rêve.

De loin, elle regarda Carrie, Ginger et DJ, entourer le jeune homme pour tenter de lui remonter le moral. Pendant ce temps, Tabitha était en train de signer des autographes, ignorant Kevin comme s'il n'avait jamais existé.

A vrai dire, elle n'avait pas envie que Tabitha gagne la compétition. Elle dansait bien, mais ne le méritait pas.

Décidément, elle était bien trop impliquée pour rester objective. Ce n'était pas bon. En tant que productrice, elle aurait dû être neutre.

Plusieurs heures après la fin du direct, elle était encore en coulisses lorsque son téléphone sonna. Aussitôt, elle sourit en voyant qu'il s'agissait de Sam.

— Salut.

— Salut, chérie. Ecoute, je vais en avoir encore pour un bon moment. Nous avons eu quelques petits problèmes ici, mais rien d'inquiétant. Je pensais que tu voudrais savoir que Carrie se trouve dans le studio de répétition.

— Que fait-elle là-bas ?

— Elle danse, dans le noir. Et elle pleure.

Carrie pleurait ? L'inquiétude la gagna.

— Merci, Sam. Je vais tout de suite la rejoindre.

Quelques minutes plus tard, elle arriva dans la salle de répétition. Elle y trouva Carrie, dansant frénétiquement, comme pour évacuer tout ce qu'elle avait en elle.

Elle ouvrit alors son sac et en sortit la pochette dans laquelle elle gardait toujours ses anciennes pointes, souvenir de son rêve d'enfant, de son rêve brisé.

Puis, la gorge nouée, elle chaussa ses chaussons.

— Tu veux de la compagnie ? demanda-t-elle ensuite à Carrie, en allumant la lumière.

— Meagan… J'avais juste besoin de…

— De répéter, et de vérifier que tu contrôlais toujours ton destin. Je comprends.

Elle changea la musique.

— Je vais t'apprendre quelque chose que j'ai appris autrefois à Julliard.

— Tu as étudié à Julliard ? Je croyais que tu étais allée à l'université du Texas.

— J'y suis allée après Julliard, répondit-elle, évoquant cette partie de sa vie qu'elle cachait à tout le monde, comme pour se persuader qu'elle n'était jamais arrivée. Bon, veux-tu que je t'explique ?

— Oui, s'il te plaît.

Alors elles dansèrent, et dansèrent. Sa jambe la faisait terriblement souffrir, mais elle continua, elle persista. Elle refusait de s'arrêter avant de s'effondrer, avant que Carrie ne fonde en larmes et qu'elle la serre dans ses bras.

— Je n'ai pas envie de rentrer à la maison, Meagan.

— Je sais, ma belle, je sais. Mais cette émission n'est qu'une opportunité parmi d'autres. Regarde Rena, elle va danser sur Broadway. Tu n'as pas besoin de gagner *Pas de deux* pour voir s'ouvrir les portes de grandes compagnies de danse. Prends chaque semaine l'une après l'autre.

— J'essaye, mais je ne suis pas sûre d'y arriver.

— Je sais.

Elle se retourna brusquement en entendant quelqu'un se racler la gorge, derrière elle.

Josh.

— Je voulais proposer à Carrie de venir manger un morceau avant de rentrer, dit-il.

A ces mots, elle vit le regard de la jeune femme s'illuminer. Josh avait sept ans de plus qu'elle, mais Sam louait ses qualités et cela voulait dire beaucoup pour elle. Notamment qu'elle pouvait lui faire confiance.

De toute façon, elle préférait que Carrie parte, car elle

n'était pas sûre de pouvoir masquer sa douleur encore très longtemps.

— C'est une bonne idée, répondit enfin Carrie. A moins que cela n'aille à l'encontre du règlement de l'émission.

— Tu n'as aucun souci à te faire. N'est-ce pas, Josh ?

— Aucun, la rassura l'homme.

Carrie l'embrassa puis rassembla ses affaires et sortit.

Une fois seule, elle éteignit la lumière, la musique, puis se laissa tomber au sol, contre le miroir, et ferma les yeux.

Quelques secondes plus tard, elle le sentit s'asseoir à ses côtés. Sans le voir, elle savait que c'était lui, que c'était Sam. Elle percevait sa présence instantanément.

— C'est douloureux ?

Elle ouvrit les yeux et se tourna vers lui. Pourtant, elle ne voulait pas. Elle ne voulait pas qu'il voie sa douleur. Elle ne voulait pas qu'il la voie ainsi, aussi vulnérable.

Elle ne le voulait pas car il avait le pouvoir de la faire souffrir autant que la danse l'avait fait souffrir.

Elle ne dit rien mais, comme s'il pouvait lire en elle, il commença à masser sa jambe. Cela lui faisait du bien mais, en même temps, lui donnait le sentiment d'être encore plus fragile. Et elle refusait de faiblir. Il était hors de question qu'elle s'effondre devant lui. Elle voulait rester forte, professionnelle, maître de ses émotions.

— Est-ce douloureux, ma chérie ?

— Je gère.

Elle reprit la formule que lui-même avait utilisée lorsqu'elle l'avait interrogé sur sa blessure.

— Et ne m'appelle pas ainsi, reprit-elle d'un ton sec. Mon nom est Meagan, Sam. Maintenant, je dois rentrer.

Elle essaya de se lever, mais la douleur était telle qu'elle laissa échapper un gémissement.

— Assieds-toi, Meagan, c'est un ordre.

— Non, Sam. Je vais bien et tu n'as pas à me dicter ce que je dois faire.

En disant ces mots, elle vit son beau visage viril se crisper.

— Je ne gère pas ma blessure, Meagan, finit-il par admettre. Je dis simplement cela parce que c'est ce que disent les gars, dans l'armée. Je n'ai pas le choix car sinon, je me sens faible et cela me rappelle ma vie d'avant et mon rêve brisé. Je suis toujours en colère, mais aujourd'hui, je sais que cette blessure a aussi eu du bon. Elle m'a conduit jusqu'à toi.

Elle ferma les yeux pour tenter de refouler les larmes qu'elle sentait monter à ses yeux.

— Je dois y aller, Sam. J'ai besoin d'être seule.

— Ah non ! Si tu crois que je vais te laisser partir toute seule, tu te trompes. Lorsque nous rentrerons à la maison, si tu veux que je parte, je partirai. Mais pas avant d'avoir la certitude que tu vas bien.

Elle se força à se lever, à oublier la douleur extrême qui irradiait sa jambe.

Le téléphone de Sam sonna à cet instant, et elle le vit jeter un coup d'œil au numéro puis laisser échapper un juron.

— Je dois retourner au bureau pour un moment. Attends-moi, Meagan. Si ce n'était pas important, je ne te laisserais pas, mais je n'ai pas le choix. Je te demande juste de ne pas être têtue et de ne pas t'enfuir. D'accord ?

Elle ne répondit pas. A quoi bon de toute façon ?

— Je dois vraiment y aller, Meagan, répéta-t-il. S'il te plaît, attends-moi.

Toujours silencieuse et immobile, elle le regarda simplement sortir du studio. Mais elle n'attendit pas son retour. Nerveusement, elle rassembla ses affaires puis sortit et prit sa voiture. Direction, les urgences, là où elle pourrait obtenir une piqûre de cortisone.

Pendant les trois heures suivantes, Sam l'appela à de multiples reprises, mais elle ne répondit pas. Elle ne s'en sentait pas le courage.

Il était minuit passé lorsqu'elle quitta enfin les urgences, épuisée.

Sam allait sans doute être en colère. Il allait exiger des réponses de sa part, lui demander pourquoi elle ne l'avait pas attendu.

Très bien. Puisque c'était ainsi, il valait mieux qu'elle aille le voir. Elle allait passer directement chez lui, dans sa chambre, dans son lit. Elle allait jouer les dominatrices, sans dire un seul mot. Sam l'avait privée de tout contrôle en entrant dans sa vie, et ce soir, elle avait bien l'intention de récupérer cette maîtrise.

Sam arpenta la pièce, jurant contre le coup de fil de Sabrina. Même s'il l'attendait, il n'aurait pas pu plus mal tomber car Meagan en avait profité pour s'échapper.

Il s'en voulait de ne pas avoir été honnête avec elle concernant sa jambe. Peut-être que s'il avait été plus sincère, elle aussi l'aurait été.

— Tu vas finir par user la moquette à force de piétiner ainsi, lui lança Josh depuis le canapé. Cela fait deux jours que tu n'as pas dormi. Va donc te reposer, je t'appellerai sitôt qu'elle rentrera.

Il passa une main lasse sur son visage. Ouh là ! Il fallait qu'il se rase. Et il fallait qu'il dorme, Josh avait raison. Il était même tellement fatigué qu'il n'arrivait plus à penser.

— Je t'appellerai, répéta Josh. Nous savons qu'elle va bien. Elle a répondu lorsque Carrie l'a appelée.

En effet, elle avait répondu à Carrie. Mais pas à lui, soit-disant parce qu'elle rendait visite à un ami.

— Très bien. Appelle-moi alors.

Sans un mot de plus, il s'éloigna.

Il était temps pour lui d'affronter la vérité. Meagan l'avait repoussé, encore une fois.

Une partie de lui avait envie de la retrouver, de la jeter sur son épaule et de la garder prisonnière jusqu'à ce qu'elle retrouve la raison et qu'elle comprenne combien elle était importante pour lui. Jusqu'à ce qu'il puisse lui faire oublier la douleur.

Une autre partie hésitait et ne souhaitait pas la brusquer de peur de la faire fuir.

Après sa douche, il se sentait déjà un peu mieux et parvenait à réfléchir plus calmement.

Meagan allait bien, elle était en sécurité, tenta-t-il de se raisonner. Il ne devait donc pas s'inquiéter. Malgré tout, il mourait d'envie de la voir, pour vérifier qu'elle allait bien. Attendre qu'elle revienne vers lui toute seule, c'était prendre un risque. Prendre le risque qu'elle ne revienne jamais.

Il se souvint tout à coup d'une phrase que sa mère avait l'habitude de lui répéter : « Si tu aimes une femme, libère-la. Si elle te revient, elle est à toi. Sinon, elle ne le sera jamais. »

Il devait donc libérer Meagan. Il n'avait pas le choix, s'il voulait savoir si elle reviendrait vers lui.

Il s'allongea enfin et ferma les yeux.

Quelques minutes plus tard, la porte de sa chambre s'ouvrit, puis se referma doucement.

23

Sam se redressa, mais ne bougea pas. Il savait que s'il prononçait le moindre mot, cela pourrait déclencher un déchaînement. Un déchaînement de quoi ? De cris ? De balles ? Il l'ignorait, mais un déchaînement.

— Déshabille-toi, lui ordonna une voix féminine.

C'était Meagan. Mais la Meagan du premier soir, dans sa voiture, celle qui utilisait le sexe pour prendre le pouvoir et le contrôler.

Sam chercha à distinguer son visage dans la pénombre.

Se rendait-elle compte de ce qu'elle faisait ?

Lui s'en rendait compte et refusait de la laisser agir ainsi. Il attrapa néanmoins son T-shirt, l'enleva, puis se débarrassa de son caleçon. Il s'adossa ensuite contre la tête de lit, nu, son sexe en érection tendu devant lui.

Instantanément, il vit son regard chaud descendre sur lui, il la vit se lécher la lèvre. A l'évidence, elle voulait jouer les dominatrices, les femmes fortes.

— A quoi joues-tu, Meagan ?

Elle détacha ses yeux de son sexe pour river son regard au sien.

Elle lui avait demandé à plusieurs reprises de ne plus l'appeler chérie, alors il respectait sa demande. Il aurait pu l'ignorer et lui susurrer des mots doux, mais non, il obéissait.

Elle devait le regretter car il apercevait des lueurs de

colère dans ses beaux yeux bleus. Mais elle ne lui fit aucun reproche.

— Tais-toi, se contenta-t-elle de répliquer.

Elle posa ensuite son sac par terre et commença à se déshabiller.

Impatient, il la dévora du regard. Dans quelques secondes, elle serait enfin dans ses bras et il pourrait lui faire l'amour. Il pourrait lui prouver qu'il s'agissait de bien plus que de sexe, entre eux. Il pourrait lui montrer combien il tenait à elle.

Elle dévoila sous ses yeux un soutien-gorge de dentelle rose et, sous le charme, il ravala sa salive, admirant ses seins ronds et sensuels aux pointes couleur framboise.

Il la regarda ensuite faire glisser son jean le long de ses longues jambes de ballerine et laissa son regard s'attarder sur cette peau laiteuse qu'il savait si soyeuse. Lentement, ses yeux remontèrent vers son sexe, caché sous un petit triangle de dentelle. Un sexe qu'il avait bien l'intention d'explorer, de savourer, de goûter.

— Ne bouge pas, lui lança-t-elle.

Il obéit. Il laissa simplement son regard remonter vers ses seins si parfaits, ses seins qu'il rêvait de prendre en coupe et de caresser, qu'il mourait d'envie d'empoigner.

— Tout ce que tu veux, ma ché… Je veux dire, Meagan.

Tout en parlant, il la vit retenir son souffle, comme si elle était émue. Il avait l'impression qu'elle regrettait qu'il se soit repris et demeure froid.

Tant mieux. Il voulait qu'elle le regrette. Il voulait qu'elle réfléchisse à ce qu'elle désirait, à ce qu'elle ressentait pour lui.

Boitant légèrement, elle s'approcha de la fenêtre et attrapa les embrasses des rideaux.

Il en avait désormais la preuve. Elle cherchait simplement à le dominer, à prendre le contrôle.

Il la laissa alors le chevaucher, s'amuser en frottant langoureusement ses fesses sensuelles contre son érection.

— Tu m'as dit que ça ne te gênait pas d'être dominé, murmura-t-elle en étirant les liens devant son visage.

Puis elle se pencha jusqu'à appuyer son front contre la tête de lit, approchant dangereusement ses seins de son visage. Ils étaient même si près qu'il aurait presque pu les toucher d'un coup de langue.

Mais il vit soudain son beau visage se crisper de douleur et se détourner tandis qu'elle bougeait son genou.

Emu par cette douleur qu'elle semblait devoir supporter, il oublia ses résolutions. Il écouta simplement son instinct et l'enlaça.

— Meagan… Je suis prêt à te laisser m'attacher, à te laisser me faire tout ce que tu veux. Mais pas si tu te caches, pas si tu fuis la réalité. Car notre histoire est réelle, notre relation est vraie.

— Je ne fuis pas.

— Bien sûr que si et tu le sais. Tu avais promis de me raconter ton histoire.

— Sam… J'ai géré cela toute seule pendant si longtemps, je ne peux pas me livrer aussi facilement. En plus, ces souvenirs sont beaucoup trop douloureux.

— Partage-les avec moi, s'il te plaît.

Elle bougea légèrement et il la sentit se tendre contre lui. Alors il la fit rouler, se positionna sur elle, puis s'insinua entre ses jambes.

— Tu n'es pas en état pour me chevaucher ou m'attacher, Meagan. Tu joueras les dominatrices un autre jour, quand tu iras mieux. De temps en temps, il faut savoir demander de l'aide.

— J'ai peur de ne plus pouvoir me passer de toi, ensuite.

— Je ne peux déjà plus me passer de toi, et ça ne me gêne pas.

— Sam…

Il la fit taire en l'embrassant, un baiser d'abord doux et sensuel, qu'il approfondit peu à peu.

Puis, sans un mot, il la pénétra.

Instantanément, il la sentit se détendre, comme si toutes les craintes qu'elle avait eues s'évanouissaient. Alors il s'enfouit en elle, dans son corps chaud et palpitant, refusant de rompre le lien.

Il aimait cette femme. Il l'aimait pour tout ce qu'elle était et était déterminé à lui prouver.

Son tempo devint peu à peu plus régulier. Ni l'un ni l'autre ne semblait vouloir s'arrêter. Mais ni l'un ni l'autre ne semblait pouvoir résister à l'incroyable vague de plaisir qui grandissait en eux, de plus en plus forte, de plus en plus puissante et intense, à tel point, qu'au bout de quelques minutes à peine, ils explosèrent de concert.

Lorsqu'ils reprirent leur souffle, il la serra contre lui mais ne parla pas. Il se contenta de la tenir, de peur qu'elle s'échappe une nouvelle fois. Alors il l'entendit soupirer puis prendre son élan.

— J'ai étudié à l'école Julliard, finit-elle par murmurer d'une petite voix. La prof dont je t'ai parlé m'a aidée à l'intégrer.

Il demeura silencieux, de peur de la couper dans ses confessions.

— J'ai obtenu une bourse. J'en avais besoin puisque mes parents ne soutenaient pas mon choix Mais un jour, pendant une répétition, le partenaire qui me portait a trébuché et je suis tombée. Mon genou a été touché. J'ai bien essayé de récupérer, mais je n'ai jamais réussi à retrouver mon niveau d'avant. J'ai dû abandonner Julliard et rentrer au Texas. Là, mon université proposait une section télévision.

Elle se tut enfin et laissa échapper un rire las teinté d'ironie.

— Mes parents ont accepté ce choix, même s'il n'était toujours pas celui qu'ils espéraient.

— Cela a dû être très difficile pour toi.

— Oui, et cela l'est toujours. Chaque fois que je me dis que j'ai tourné la page, la douleur resurgit.

— Mais tu aimes toujours la danse. C'est une véritable passion, je le vois.

Elle posa sa tête sur son torse avant de répondre.

— Je n'ai jamais cessé d'aimer la danse. C'est notamment pour ça que c'était dur pour moi de rester au Texas. Trop de souvenirs me rappelaient ce rêve perdu. Le problème était que rien d'autre ne m'intéressait.

— Jusqu'à ce que ce recruteur vienne dans ton université.

— Oui, et grâce à mon expérience, j'ai ensuite pu monter cette émission. En le faisant, je pensais avoir tourné la page et oublié ma blessure. Mais ce soir, j'ai compris que ce n'était pas le cas. Je ne sais pas si je peux reconduire l'émission l'année prochaine. J'ai peur d'être encore trop fragile, trop impliquée émotionnellement.

Pendant un long moment, ils discutèrent des options qui s'offraient à elle. Mais il lui restait une question à laquelle il n'avait toujours pas de réponse.

— Pourquoi ne m'as-tu pas parlé de ton genou plus tôt ? Je t'avais parlé de ma blessure, moi.

— C'est justement à cause de ta blessure que je ne t'en ai pas parlé. Toi, tu as été blessé pendant que tu te battais pour sauver des vies, tandis que moi, je me suis blessée avec des chaussons de danse. Je n'avais pas le droit de me plaindre. Tu es un héros, Sam. Tu n'es peut-être plus dans l'armée, mais je suis fière de ce que tu as été, et de ce que tu es toujours.

A ces mots, une immense émotion l'envahit et il se sentit

fondre, corps et âme. Alors, incapable de résister, il lui fit de nouveau l'amour, sans la moindre retenue, déterminé à lui montrer ce qu'il ressentait. Ce fut intense et délicieux.

Lorsque leurs corps s'apaisèrent et que Meagan s'endormit enfin entre ses bras, elle était redevenue la Meagan tendre et pleine de confiance qu'il chérissait tant. Et il avait bien l'intention que cela continue.

Personne, et surtout pas Kiki, ne la priverait de son rêve. Il était là pour y veiller.

Sam se réveilla au bruit de son téléphone portable. Sabrina venait de lui laisser un message pour l'informer que les images qu'il avait obtenues, de la part des anciens collègues de Kiki, avaient été envoyées à son oncle, le directeur général du studio. Ces rushs contenaient de tout, depuis des manœuvres de séduction jusqu'à du chantage pur et simple. Kiki était démasquée et Sabrina lui donnait le feu vert pour l'exclure de la maison.

Heureux de cette nouvelle, il embrassa Meagan, qui dormait encore.

Il la réveillerait plus tard, lorsqu'il pourrait lui annoncer de façon certaine qu'elle n'avait plus rien à craindre.

Il prit une douche rapide puis lui laissa un mot dans lequel il annonçait devoir aller résoudre un problème de sécurité.

Ensuite, il partit à la recherche de Kiki.

Quelques minutes plus tard, il frappa à la porte de l'annexe. Pas de réponse. Il frappa alors un peu plus fort.

Kiki, vêtue d'une minijupe et maquillée outrageusement finit par lui ouvrir. Il aurait pu la trouver sexy, du moins s'il ne la connaissait pas et ne la savait pas si méchante, mais ce matin, elle lui paraissait tout simplement pathétique.

— Nous devons parler, Kiki, lança-t-il tout de go. En privé.

— Cela ne peut pas attendre ?

— Non, répondit-il en la suivant dans la cuisine.

Il posa sur la table le dossier qu'il avait apporté.

— Ouvre-le.

Kiki le fixa en fronçant les sourcils. Tout à coup, elle semblait beaucoup moins à l'aise.

Pendant quelques minutes, elle étudia les documents prouvant tous ses méfaits.

— Et alors ? dit-elle ensuite, il n'y a rien de mal. Par mon travail, je permets juste de mettre en avant les gagnants, et de punir les perdants.

— Tu veux dire que tu sabotes les émissions sur lesquelles tu travailles.

— Tu dis n'importe quoi et j'en ai assez entendu. De toute façon, tu ne peux rien prouver.

Elle sortit son téléphone.

— Je vais appeler mon oncle, et on verra si tu oses répéter tes accusations.

— Ce n'est pas la peine, il est déjà au courant de tout. Il a vu toutes les images, il a lu tous les documents. Il sait que tu as l'habitude de saboter les émissions pour te débarrasser des gens et être payée. Si cela ne te suffit pas, sache que j'ai réussi à t'enregistrer moi-même. Un appel en particulier a retenu mon attention. Tu étais en train d'expliquer à ton amie Jenna que tu avais décidé de rester sur l'émission et d'éliminer Meagan. Si tu savais tous les endroits où nous avons placé des micros…

Il s'approcha d'un placard avant de poursuivre.

— Par exemple ici, où tu aimes tant t'installer pour téléphoner lorsque Meagan n'est pas là. Avant que tu me poses la question, sache que oui, ces enregistrements sont légaux. Tu les as acceptés dans ton contrat.

La bouche en « o », stupéfaite, Kiki fondit en larmes

et, avant même qu'il comprenne ce qui se passait, elle s'accrocha à son cou.

— S'il te plaît, Sam, je ferai n'importe quoi. Mon oncle me déshéritera. Il représente ma seule famille et...

Il tenta de la repousser. Kiki pensait peut-être qu'il n'avait pas tout vérifié, mais elle se faisait des illusions.

— Arrête de mentir. Tu as trois frères et une sœur, et tes parents sont bien en vie.

Tout en parlant, il entendit des pas sous le porche.

Meagan.

Meagan arrivait alors que Kiki était toujours accrochée à son cou.

Meagan grimaça de douleur puis monta la dernière marche, impatiente de prendre une douche et de se changer.

Elle regrettait de ne pas avoir vu Sam ce matin. Elle l'avait bien entendu, mais elle était tellement fatiguée qu'elle n'avait pas réussi à ouvrir les yeux.

De toute façon, après leur nuit et ses confidences, elle se sentait un peu timide.

Elle se raidit en entendant deux voix. Celle de Kiki et celle de...

Elle fit quelques pas et entra dans la cuisine.

— Sam ?

Elle se figea net, sous le choc. Elle avait l'impression que son cœur venait de s'arrêter de battre.

Kiki était dans les bras de Sam.

Le choc lui fit l'effet d'un bloc de béton qui lui serait tombé sur la tête. Abasourdie, elle ouvrit la bouche puis, ne trouvant rien à dire, courut tant bien que mal dehors. Elle n'arrivait plus à respirer.

Dans l'escalier, elle faillit tomber, mais elle se força à avancer jusqu'à la plage.

— Meagan, Meagan, entendit-elle Sam crier derrière elle.

Elle l'entendait, oui, mais elle ne voulait pas le voir. Elle voulait rester seule.

S'éloigner. Elle devait s'éloigner.

Mais il la rattrapa et la força à se tourner vers lui.

— Va-t'en, Sam.

— Meagan, ma chérie.

— Ne m'appelle pas comme ça ! Je te l'ai déjà dit.

— Je sais que tu ne le penses pas, pas plus que tu ne crois que je puisse désirer cette femme. Tu n'y crois pas.

Elle le dévisagea pour lire en lui, mais ce n'était pas difficile. Elle voyait la sincérité se refléter dans son regard azur. Elle savait qu'il lui disait la vérité. Elle le savait dans son cœur.

Elle savait aussi qu'elle venait de se conduire de façon ridicule.

— Je le sais, c'est juste que…

Elle ne parvenait pas à oublier sa douleur. Cet homme avait le pouvoir de lui briser le cœur, alors comment pouvait-elle…

Elle recula et entra dans l'eau, tout habillée.

Il la suivit, avec ses chaussures.

— Va-t'en, Sam. Laisse-moi du temps pour analyser mes sentiments, pour réfléchir.

Comme s'il ne l'avait pas entendue, il s'approcha mais elle se mit à courir. Il la rattrapa une nouvelle fois.

— Non, Meagan, je refuse de baisser les bras, je refuse de te laisser t'enfuir.

— Tu n'as pourtant pas le choix.

Elle recula et tomba à la renverse dans l'eau. Trempée, elle releva ensuite les yeux vers Sam.

Il lui tendit le bras pour l'aider à se lever, mais elle le tira et le fit tomber à son tour dans l'eau.

— Je ne te laisserai pas partir, Meagan.

— Je ne peux pas me concentrer. Je ne peux pas me concentrer sur l'émission, sur les audiences et…

— A cause de moi.

Elle ne pouvait pas répondre oui, car elle savait que si elle le repoussait trop fort, il finirait par partir pour de bon.

— Tu sais, Meagan, j'ai cru que je pouvais t'aider à t'ouvrir. Je pensais même avoir réussi la nuit dernière. Mais apparemment, je me suis trompé. Tu persistes à chercher une raison pour fuir.

Il la laissa retomber dans l'eau et ne l'aida pas à se relever. Elle était toute seule désormais.

Toute seule.

— Va poursuivre tes rêves, Meg. Kiki est partie, elle ne reviendra plus. C'est pour cela que j'ai quitté le studio hier soir. J'avais rendez-vous avec Sabrina pour finaliser le dossier contre elle. Kiki espérait que tu finirais par être renvoyée de façon à prendre ta place. Maintenant que tu es au courant, que tu sais que tu es tranquille, je vais te laisser travailler, je vais arrêter de te déconcentrer. D'ailleurs, j'ai demandé à ne plus travailler sur l'émission.

Il se tut puis fit demi-tour et reprit le chemin de la maison.

Kiki était partie, lui avait-il dit. Mais elle n'y pensait même pas. Désormais, Kiki lui importait peu.

Mais lui partait ? Non, ce n'était pas possible.

— Sam, Sam… S'il te plaît.

Elle tenta de se relever, mais son genou la faisait tant souffrir, qu'elle n'y arrivait pas.

— Sam.

Le désespoir la gagna.

Perdre Sam était bien plus douloureux que sa blessure. Elle avait mal parce qu'il partait, parce qu'elle n'aurait plus jamais l'occasion de le toucher, qu'elle n'aurait plus l'occasion d'être avec lui.

Non. Elle ne pouvait pas le laisser partir. Il fallait à tout prix qu'elle le retienne.

— Sam ! Sam ! cria-t-elle de toutes ses forces. Je t'aime. S'il te plaît, ne t'en va pas.

Hélas, elle ne pouvait pas lui courir après.

Désespérée, elle enfouit son visage entre ses mains.

Quand elle releva les yeux, il était là, devant elle, à genoux, et prenait son visage entre ses mains.

— Je t'aime moi aussi, ma chérie. Je pensais que je devais attendre que tu sois prête avant de te faire ma demande. Mais… Je t'ai acheté une bague et… Je voulais te demander en mariage.

Sans attendre sa réponse, il se releva et l'attira à lui. Puis il l'embrassa, un baiser salé, merveilleux, rempli d'émotions. Un baiser qui lui donna la chair de poule.

Lorsqu'il rompit enfin l'étreinte, elle aperçut toute l'équipe technique qui les regardait. Mais cela lui importait peu.

— Meagan, acceptes-tu de m'épouser ?

— Si j'accepte, aurais-je le droit de t'attacher pour te faire l'amour ?

— Seulement si tu m'attaches avec des liens éternels.

— Alors oui. J'accepte, Sam.

Pour toute réponse, il la prit dans ses bras et la porta jusqu'à la maison. Aujourd'hui, elle savait que plus jamais, elle ne marcherait seule.

Car grâce à Sam, plus jamais elle ne serait seule.

Epilogue

Plusieurs semaines plus tard, Derek attendait sur la scène les deux derniers concurrents, Tabitha et Jensen.

Les studios avaient d'ores et déjà annoncé qu'une deuxième saison de *Pas de deux* serait organisée. Les audiences étaient extraordinaires et la prétendue malédiction avait peu à peu été oubliée, à son grand soulagement.

Meagan se trouvait maintenant en coulisses, avec Carrie qui était devenue son assistante après son élimination de la compétition. La jeune fille apprenait vite et elle pourrait sans aucun doute être embauchée l'année prochaine.

Cette émission était son bébé et Sam l'avait convaincue de ne pas l'abandonner. Il l'avait aidée à voir tout ce que cette émission lui avait apporté, à elle mais aussi aux danseurs.

D'ici la fin de la deuxième saison, Sam aurait monté son entreprise. Elle pourrait alors réfléchir à une possible saison trois.

Mais elle imaginait déjà une nouvelle émission de téléréalité qu'elle appellerait *Les hommes de Kellar.* Sam ne semblait pas d'accord, mais elle ne perdait pas espoir de le convaincre.

Derek ouvrit une enveloppe et en sortit le nom du vainqueur.

— Le gagnant de la Ford Mustang, d'un chèque de 100 000 dollars et d'un contrat de deux ans est… Jensen !

Des cris résonnèrent dans la salle et Jensen exulta, tandis

que Tabitha, fidèle à son personnage, sortit de scène telle une diva vexée.

Des heures après la fin du direct, Meagan monta sur la scène désormais déserte et sourit, heureuse, soulagée. Son rêve s'était réalisé.

Tous ses rêves s'étaient réalisés.

— Je pensais bien que je te trouverais ici, lança une voix masculine derrière elle.

Elle se retourna et sourit à Sam, si beau dans son costume noir.

— Il est l'heure, ma chérie. Nous avons un avion à prendre.

— A nous deux l'Italie.

Cela faisait des semaines maintenant qu'ils préparaient ce voyage. Elle était impatiente.

Il l'enlaça et sortit une petite boîte en velours.

— Tu es sûre que tu ne veux pas la voir tout de suite ?

— Non, une fois là-bas, lui répondit-elle, sûre d'elle.

Dans ce domaine, elle était contente de lui laisser tout le pouvoir.

— Mais si elle ne te plaît pas ? Je voudrais vraiment que tu aies une bague qui te plaise.

— Je vais l'aimer, j'en suis persuadée. Je vais l'aimer parce que je t'aime toi, et parce que toutes tes surprises sont réussies. A propos de surprises, j'en ai moi aussi une pour toi.

Elle déboutonna son chemisier, et tira de son soutien-gorge des liens de cuir.

Aussitôt, elle vit les yeux outremer de Sam se mettre à étinceler.

Son regard à elle étincelait déjà et elle savait désormais qu'il étincellerait pour toute la vie.

DEBBI RAWLINS

Brûlant Montana

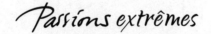

éditions **HARLEQUIN**

Titre original : OWN THE NIGHT

Traduction française de SYLVIE PATRICK

Prologue

Le moral dans les chaussettes — même si elle ne l'aurait admis pour rien au monde —, Rachel fixait la page des demandes de réservation du site web du Sundance Ranch. Comment est-ce qu'elle allait s'en sortir ? Trois mois auparavant, elle avait pris la première réservation en croisant les doigts pour que l'ouverture de chambres d'hôtes — son idée, âprement défendue — aide les siens à se tirer des difficultés financières que rencontrait le ranch. Aujourd'hui, elle était dépassée par le succès au point qu'elle ne savait plus à quel saint se vouer. Le gros hic était qu'il n'y avait plus aucune chambre disponible.

Le Sundance s'étendait sur plus de mille deux cents hectares, et elle avait promis à ses frères que l'activité hôtelière dont elle avait la charge ne contrarierait en rien la bonne marche des autres activités. En réalité, il en allait tout autrement ! Leurs hôtes, exclusivement des femmes, tombaient toutes, les unes après les autres, sous le charme des hommes de la fratrie McAllister, Cole, Jesse et Trace, ainsi que des jeunes cow-boys qui travaillaient et logeaient au Sundance.

Grâce aux premiers groupes de touristes venus goûter à la vie champêtre sous le ciel bleu du Montana, le ranch avait eu droit à des critiques dithyrambiques sur différents supports médiatiques, notamment sur le blog de la nouvelle petite amie de Cole, ancienne cliente elle-même et blogueuse célèbre pour ses carnets de voyage. C'était fantastique pour les affaires, bien sûr, mais beaucoup moins quant au niveau de stress que Rachel devait gérer. Elle avait sur-réservé pour le week-end et se retrouvait à présent avec deux clientes mécontentes sur les bras, lesquelles avaient aimablement proposé de partager le dortoir des cow-boys pendant quarante-huit heures, sauf qu'il n'en était pas question ; tout le monde au ranch en aurait fait des gorges chaudes.

Rachel cliqua sur les derniers commentaires et critiques du site, souriant chaque fois qu'apparaissait le nom de Noah Calder. Le shérif, qu'elle considérait comme un frère, était le meilleur ami de Cole et de Jesse. Il n'allait guère apprécier son quart d'heure de gloire, surtout si des femmes énamourées se jetaient à son cou à tous les coins de rue !

Cela dit, ce n'était pas son problème. Elle en avait bien assez comme cela ! Elle espérait ne pas regretter d'avoir accepté des hôtes quelques semaines à peine avant Noël. Au départ, il avait été décidé que les chambres d'hôtes fermeraient du 1er novembre au 1er mai, seulement Rachel n'avait pas eu le cœur de refuser l'afflux de demandes.

Le revers de la médaille résidait dans le fait qu'elle allait devoir se creuser la cervelle pour inventer des animations à proposer à la clientèle. L'été, c'était relativement facile entre les randonnées, le camping, le rafting en eaux vives, le rassemblement du troupeau, la pêche, les rodéos… Certes, plusieurs de ces activités pourraient encore s'effectuer avant que les premières neiges ne saupoudrent les Blackfoot Falls. Mais dans la région du Montana où ils se trouvaient, à quelque trois cents kilomètres de la frontière canadienne, les températures chutaient rapidement en cette saison, ce qui n'allait pas arranger ses affaires.

Un signal sonore lui indiqua un nouvel e-mail. Une annulation de dernière minute. Voilà qui tombait à pic, car elle était sur le point de refuser une personne désirant séjourner une semaine à partir du lendemain soir. Elle décida généreusement de rembourser la caution avant d'enregistrer sa nouvelle cliente. La journée était terminée ; elle allait enfin pouvoir souffler. Ce n'était pas trop tôt, elle était au bout du rouleau !

Elle s'apprêtait à éteindre son ordinateur quand deux commentaires récents, émanant du fan-club de Noah, attirèrent son attention.

Tammy de Chicago :

J'ai séjourné une semaine au Sundance Ranch en août. C'était merveilleux. Je n'aurais jamais pensé adorer le Far West, mais j'aurais pu y rester facilement un mois. Une amie m'y a entraînée. Elle aura droit à ma reconnaissance éternelle ! Paysages magnifiques. Cuisine délicieuse. J'économise déjà pour pouvoir y retourner l'année prochaine. Cerise sur le gâteau : les beaux cow-boys, et pas seulement les frères McAllister, encore plus séduisants en vrai que sur la page d'accueil du site. En tout cas, si vous y allez, n'oubliez pas le shérif, il vaut vraiment le détour, on peut dire qu'il sait porter l'uniforme, celui-là. J'aurais donné cinq étoiles au ranch si j'avais réussi à sortir avec lui.

Miranda de San Francisco :

Je viens de vivre les meilleures vacances de ma vie ! J'aime l'équitation, la randonnée et j'adore les activités en plein air. Celles proposées au Sundance sont vraiment top, mais ce qu'il y a de mieux, c'est encore Trace, l'un des frères McAllister, celui qui est coiffé d'un Stetson beige sur la page d'accueil. C'est un merveilleux pédagogue, aussi beau en vrai que sur la photo. Vous ne serez pas déçues du voyage, croyez-moi. N'oubliez surtout pas d'aller faire un petit coucou à Noah Calder, le shérif. Et il faut aussi visiter Blackfoot Falls à environ une demi-heure du ranch. Il y a un pub pittoresque qui s'appelle le Watering Hole, vous m'en direz des nouvelles. Au fait, vous ai-je parlé du beau gosse qui porte la plaque ?

Rachel sourit. Trace ne passait pas inaperçu et le pauvre Noah n'allait pas tarder à se faire ermite à ce rythme !

- 1 -

Alana Richardson avait exactement une heure pour vider son bureau. Elle contempla par les immenses baies vitrées Madison Avenue et la cathédrale Saint-Patrick, le superbe panorama qui s'étalait à ses pieds. Le ciel plombé annonçait l'automne et la splendeur jaune orangé des arbres compensait largement la grisaille. Octobre était son mois préféré, sauf cette année en raison du déménagement de Midtown à Tribeca — décision qu'elle désapprouvait totalement.

Elle venait d'être nommée vice-présidente du marketing dans une agence de publicité qui ne connaissait pas la crise. En partie grâce à ses efforts, le chiffre d'affaires avait augmenté de 50%, si bien que les bureaux que l'agence occupait au vingt et unième étage d'un immeuble récent étaient devenus trop exigus. Dommage, car elle s'y sentait davantage chez elle que dans son appartement de l'Upper West Side. Si son patron avait été un peu plus raisonnable, le transfert des fichiers, des meubles et des ordinateurs aurait pu s'effectuer en quarante-huit heures au grand maximum. Or, il devait prendre une semaine et elle était très contrariée à l'idée d'être condamnée à l'inactivité pendant ce temps.

Elle ôta ses Louboutin et se massa les orteils. Les escarpins étaient neufs et la faisaient souffrir. Les talons de dix centimètres n'y étaient pour rien, elle y était habituée. Grâce à eux, elle mesurait près d'un mètre quatre-vingts et pouvait regarder ses collègues masculins en face, quand elle ne les dépassait pas d'une bonne tête. Elle appréciait l'avantage psychologique que sa haute taille lui conférait, car en dépit de ses capacités et de son acharnement au travail, certains de ses collègues estimaient qu'elle était trop jeune et inexpérimentée pour avoir gravi si vite les échelons.

Pam, son assistante, entra sans frapper. Elle n'avait pas perdu de temps pour troquer son strict tailleur contre un vieux jean confortable.

Alana pivota dans son fauteuil et considéra la blonde jeune femme d'un œil critique.

— Vous venez m'annoncer que vous avez changé d'avis et que vous restez à New York finalement ?

— Voyons voir… Skier dans les Alpes avec Rudy ou travailler quatorze heures par jour pour vous, voilà qui demande réflexion, en effet. Vous avez encore le temps de nous accompagner, si vous voulez, ajouta Pam en consultant sa montre. L'avion décolle dans quatre heures.

— Non, merci, sans façon.

— Allez-vous vraiment vous enfermer chez vous et travailler vingt-quatre heures sur vingt-quatre ?

— J'ai aussi l'intention d'aller voir *Wicked*, et cette comédie musicale avec… je ne sais plus qui… Vous voyez ce que je veux dire ?

Pam secoua la tête avec une consternation résignée. Elle avait fréquenté Yale, tout comme Alana dont elle était, à vingt-cinq ans, de trois ans la cadette. Ambitieuse, l'esprit aiguisé, rien ne lui échappait. C'était la raison pour laquelle Alana l'avait embauchée après vingt minutes d'entretien seulement. Elles avaient exactement la même façon de penser. Sauf que Pam avait le bon sens de passer une semaine dans les Alpes pour se refaire une santé, tandis qu'elle-même prévoyait de plancher sur ses dossiers douze heures par jour au minimum.

Pam contourna le bureau et se pencha sur le clavier de l'ordinateur.

— J'aimerais vous montrer quelque chose à condition que vous me promettiez de m'écouter jusqu'au bout.

— On verra.

Pam leva les yeux au ciel avant de se mettre à pianoter à toute vitesse sur le clavier. Elle recula d'un pas lorsqu'un site web s'afficha.

— Jetez un œil là-dessus…

Alana s'approcha de l'écran et considéra, interloquée, un immense ciel bleu au-dessus d'une vaste demeure de bois. Trois cow-boys occupaient le bas de l'écran, chacun installé sur sa monture. L'un des chevaux, tout particulièrement, attira son attention. Elancé, puissant, la crinière grise et brillante, il avait l'air d'un pur-sang arabe, même si la photographie pouvait être trompeuse. Quel était donc ce site ? Son regard remonta vers le haut de l'écran. Le Sundance Ranch.

— Un ranch ? C'est une plaisanterie ?

— Pourquoi pas ? Vous aimez les chevaux et ce serait une bonne idée d'aller respirer l'air pur de la montagne, là où les hommes sont de vrais hommes.

Alana examina alors plus attentivement les trois cow-boys. Pas mal en effet, à condition d'apprécier les mâles virils habitués aux grands espaces…

— Je ne suis pas montée à cheval depuis des années.

— Raison de plus pour oublier un peu le travail et partir faire quelque chose d'amusant, pour une fois ! Vous avez bien besoin de prendre des vacances, croyez-moi…

— Un ranch, voyons, Pam, vous n'y pensez pas !

— Ecoutez, l'idée ne me serait jamais venue spontanément, mais des amies à moi y sont allées le mois dernier.

Elles en sont revenues extasiées. En plus, les garçons sont tous à tomber là-bas à ce qu'il paraît, ce qui ne gâte rien.

— Des amies ? Vous ne travaillez pas assez dur à ce que je vois.

— Lisez au moins un ou deux commentaires.

Alana frotta ses yeux fatigués. Elle avait encore passé la moitié de la nuit à déchiffrer des textes publicitaires rédigés en tout petits caractères.

— Peut-être.

Pam lâcha un soupir douloureux.

— Au fait, votre mère a appelé pendant que vous étiez en réunion avec M. Giles.

Curieux, songea Alana en ouvrant le tiroir où elle rangeait son portable, car Eleanor téléphonait rarement au bureau. Elle constata qu'elle avait effectivement reçu plusieurs messages.

— Que voulait-elle ?

— Vous informer de son absence. Elle donne une conférence à Boston ce week-end. Ensuite, elle se rendra au Cap pour quelques jours.

— Vous ne lui avez pas parlé du déménagement ni de la fermeture temporaire du bureau, j'espère ?

— Pourquoi, il ne fallait pas ?

— Ce n'est pas qu'elle me fait peur, mais… je ne peux rien lui refuser.

C'était un mensonge. Sans être un monstre, loin de là, sa mère la terrorisait littéralement. Même si elle-même croyait savoir manipuler les gens, elle n'arrivait pas à la cheville d'Eleanor Richardson, passée maîtresse en la matière. Neuf fois sur dix, celle-ci était capable de retourner n'importe qui comme une crêpe. Si elle venait à savoir que sa fille unique était disponible, elle insisterait pour qu'elle l'accompagne au Cap.

Pam contourna le bureau et se dirigea vers la porte.

— Cap Cod est magnifique en automne. C'est un vrai festival de couleurs en cette saison. Réfléchissez-y.

Alana s'empara de son portable en réprimant un soupir. Les trois messages étaient bien d'Eleanor.

— Amusez-vous bien avec votre mère, ajouta Pam en agitant la main par-dessus son épaule au moment où elle franchissait la porte.

— C'est trop gentil, murmura Alana assez fort pour que Pam entende.

Puis elle se mit à tambouriner sur son bureau avec ses doigts aux ongles courts, parfaitement manucurés, en fixant le téléphone comme si c'était son pire ennemi.

Elle devait impérativement rappeler sa mère. Si elle s'en abstenait, Eleanor ne manquerait pas de débarquer sans la prévenir. Et le portier, qui la connaissait bien, la laisserait monter sans aucune difficulté.

D'abord, parce que c'était une très belle femme, douée d'un charme irrésistible. Ensuite, parce qu'elle savait exactement comment obtenir ce qu'elle voulait. En tant que psychiatre mondialement connue, elle était invitée partout et les plus prestigieuses institutions du monde se disputaient ses conférences. Elle parvenait à dissimuler sa morgue naturelle avec une maestria proprement stupéfiante. Sa virtuosité avait vraiment quelque chose d'exceptionnel. Enviable même.

Alana frémit à cette pensée. Elle aimait sincèrement sa mère dont elle admirait l'intelligence, l'acharnement au travail, la discipline rigoureuse. Pourtant, elle n'avait aucune envie de lui ressembler. Eleanor n'avait pas d'amis. Il ne lui serait jamais venu à l'esprit d'échanger des banalités comme elle-même venait de le faire avec Pam, par exemple, même si c'était là un détail insignifiant en comparaison des nombreuses qualités héritées de sa mère, ce dont elle lui était profondément reconnaissante.

Sans parler de l'enseignement d'excellence qu'elle avait reçu, des fabuleux voyages à l'étranger, des fonds de placement la délivrant de tout souci financier. Mais ces privilèges, elle les avait payés au prix fort. Elle avait renoncé à une enfance normale. Pas de soirée pyjama avec ses amies, pas de colonie de vacances, l'été, ni la permission d'assister aux matchs de football de l'école, le vendredi soir. Et pas de père non plus pour lui lire des histoires le soir, avant de dormir.

Plus jeune, elle pensait que sa vie aurait peut-être été très différente si elle avait reçu une éducation plus traditionnelle. Elle avait même envisagé de retrouver son père biologique. Elle se rappelait encore sa rage quand sa mère avait prévu un voyage aux Caraïbes, le week-end du bal de fin d'année. La coupe avait débordé et elle avait failli lui jeter à la figure qu'elle n'aurait jamais dû avoir d'enfant. Mais elle s'était abstenue. A quoi bon ? Elle n'aurait jamais le dernier mot, de toute façon. Elle avait vite compris la vraie nature de leur relation et le rôle qu'elle y jouait. Eleanor n'avait jamais vraiment désiré un enfant, mais plutôt un compagnon, en quelque sorte. Quant au mariage, il n'entrait pas en ligne de compte. Aucun homme n'aurait jamais pu se plier à ses desiderata.

Mais un enfant… L'idée était ingénieuse, car il pouvait se modeler. Et le plus rageant était que le plan avait parfaitement fonctionné ! Elle avait beau faire, elle était le plus souvent incapable de tenir tête à sa mère, toutes ses bonnes intentions annihilées devant la volonté maternelle.

Elle cligna des yeux lorsque l'économiseur d'écran afficha une galaxie imaginaire, effaçant la page d'accueil du Sundance Ranch. Elle bougea la souris pour retrouver le site. Son regard s'attarda une fois encore sur le cheval arabe et son cavalier. Ces cow-boys étaient effectivement de splendides spécimens du genre masculin. Pam avait vu juste, n'ignorant pas qu'elle était particulièrement difficile en matière de vêtements, de nourriture, et du reste…

Elle colla le nez sur l'écran pour mieux les voir, mais deux d'entre eux avaient leurs chapeaux vissés sur le crâne. Le troisième avait rejeté le sien en arrière. Il était très séduisant, bien qu'un peu jeune. A en croire le texte de présentation, il s'agissait des frères McAllister, les propriétaires et exploitants des lieux avec leur mère et leur sœur. Le ranch appartenait à la famille depuis des générations, mais ils n'hébergeaient des hôtes payants que depuis peu.

Elle ne put s'empêcher de sourire. Pas étonnant que le ranch connaisse un franc succès, particulièrement auprès des femmes cherchant un petit flirt ! Poussée par la curiosité, elle cliqua sur les activités proposées et entreprit de survoler les commentaires.

Comme elle l'avait supposé, le ranch et ses habitants étaient chaudement recommandés. Certaines clientes avaient même ajouté des photos. Le Montana était indéniablement une belle région, comme en témoignaient des vues à couper le souffle sur les Montagnes Rocheuses enneigées, des prairies verdoyantes et des ruisseaux comme on n'en voyait que dans les contes. Toutefois, pour la plupart des femmes qui avaient déposé des commentaires, le clou était — ô surprise — les cow-boys qui travaillaient au ranch. Plusieurs clichés montraient les trois frères, les ouvriers et le shérif de la ville voisine…

Alana regarda de plus près. Ce Noah Calder était indéniablement attirant. A condition de fantasmer sur l'uniforme, bien sûr. Ce qui n'était pas son cas, d'autant qu'il s'agissait d'une moitié d'uniforme de shérif. Outre le T-shirt beige réglementaire, l'homme portait des bottes de cow-boy éraflées et un jean usé qui lui allaient à merveille, il fallait l'admettre. Sans parler de sa forte mâchoire carrée et de ses cheveux bruns éclaircis par le soleil, un peu trop longs à son goût.

Son portable vibra, signalant un texto.

Elle vérifia quel en était l'expéditeur, même si elle devinait son identité et savait déjà qu'elle ne répondrait pas. Le message d'Eleanor était bref. Elle serait en réunion dans l'heure suivante, mais ensuite, elle devait lui parler sans faute.

Alana retourna à ses préoccupations et se perdit dans le ciel bleu qui occupait presque tout l'écran. Des rires derrière la porte la tirèrent de sa contemplation. Le déménagement avait été confié au personnel du service courrier et il semblait bien que son bureau soit le prochain sur la liste.

Alors, le Montana, oui ou non ?

Elle ne pouvait quand même envisager sérieusement ce voyage ? C'était complètement aberrant ! Elle fourragea dans ses boucles en essayant de se rappeler la dernière fois qu'elle était montée à cheval.

Et pourquoi pas, après tout ? Ça la changerait des Caraïbes qui commençaient à l'assommer sérieusement. Et puis, ce n'était pas tous les jours qu'elle prenait des vacances.

A quoi bon se leurrer ? Elle se sentait comme une adolescente sur le point de couper le cordon ombilical. Elle n'avait pas vraiment menti à Pam. Si, en théorie, rien ne l'empêchait de tenir tête à sa mère, elle redoutait les coups de griffes qu'Eleanor avait le chic de lui porter, de façon à attiser sa culpabilité. Un regard, un mot, un haussement de sourcil suffisaient à lui faire perdre ses moyens. Elle pouvait se blinder, se traiter de tous les noms, se rappeler que dans tous les autres domaines de son existence, elle avait des nerfs d'acier, rien n'y faisait. Face à sa mère, c'était toujours le même scénario. Elle faisait preuve d'une insigne faiblesse et finissait invariablement par céder à tous ses caprices.

Elle cliqua alors résolument sur « réservation ».

Un ranch au milieu de nulle part ? Elle risquait de bien s'amuser finalement. A condition que personne ne le sache. Préserver les apparences était primordial dans son métier. Ses clients étaient majoritairement des créateurs sophistiqués appartenant au cartel des cinq cents plus grandes entreprises nationales. Non, personne ne devait l'apprendre. Pas même Pam.

Noah Calder émergea de son bureau et porta ses regards vers le bas de Main Street. Les sœurs Lemon, qui avaient fini de décorer la façade de la Gazette en l'honneur d'Halloween, s'activaient à accrocher des fantômes en papier dans les branches de l'orme, planté dans le minuscule square du centre-ville. Il aurait dû être rentré chez lui, à l'heure qu'il était, laissant la boutique à Roy, de garde ce soir-là, mais on était vendredi et les jeunes cow-boys des ranchs avoisinants avaient touché leur salaire hebdomadaire plus tôt que d'habitude. La plupart traînaient au Watering Hole pour jouer au billard, boire et tenter leur chance avec l'une des touristes du Sundance, qui fréquentaient parfois les lieux.

La majorité des filles qui descendaient en ville depuis l'ouverture des chambres d'hôtes n'avaient pas froid aux yeux. Elles savaient exactement ce qu'elles voulaient et n'hésitaient pas à le réclamer. Deux d'entre elles l'avaient fort embarrassé, déjà, en lui offrant un verre, un dîner, une promenade au clair de lune… Une jeune dame audacieuse l'avait même invité à un bain de minuit, prétexte aux pires plaisanteries de la part de ses adjoints.

Il tourna la tête et étouffa un juron en voyant Avery Phelps se diriger vers lui.

Le teint rougeaud à force de hanter le pub de Sadie, le

vieil homme traînait les pieds tout en faisant de grands moulinets menaçants de ses bras osseux.

— Ecoutez-moi bien, shérif. Ces histoires de vol, c'est à cause des McAllister. Je veux savoir ce que vous comptez faire à ce sujet, et je ne suis pas le seul !

Noah lâcha un soupir exaspéré tout en repoussant pacifiquement le poing qu'Avery brandissait sous son nez. L'homme était horripilant et agressif, mais aussi bien solitaire depuis la mort de sa femme, disparue trois hivers auparavant, après cinquante ans de vie commune.

Il croisa ses yeux de fouine, injectés de sang.

— Si j'étais vous, je réfléchirais à deux fois avant de lancer de pareilles accusations, Avery.

Le dos voûté et les jambes arquées par l'âge, Avery tangua dangereusement sur ses pieds, ses traits burinés trahissant la confusion. Noah le prit par le coude pour le soutenir. Il ne lui manquait plus que ça ! Il en avait déjà bien assez avec ses parents vieillissants. Raison pour laquelle il avait quitté la police de Chicago où il s'était engagé après son service militaire et ses études. Ce n'était d'ailleurs pas un grand sacrifice, vu qu'il détestait la ville.

— Voulez-vous que je vous reconduise chez vous ?

— J'ai mon propre véhicule. Comment pensez-vous que je suis arrivé jusqu'ici ? Et puis, ne me faites pas dire ce que je n'ai pas dit, shérif. Je n'accuse pas les McAllister d'être des crapules, je dis seulement que les vols ont commencé à partir du moment où ils ont ouvert leurs portes à des étrangers.

Voilà trois mois qu'Avery et ses amis tempêtaient contre l'afflux des touristes au Sundance. Noah commençait à se lasser de ces accusations, même si le fait de n'avoir pas progressé d'un iota concernant les vols récents commis dans le comté — justement depuis que les McAllister accueillaient des hôtes payants — ajoutait à son irritation.

Bien sûr, l'économie était en crise et le chômage en hausse, mais il connaissait presque tout le monde dans la région, de braves gens, honnêtes et croyants, pour la plupart. Quant aux saisonniers venus travailler au cours de l'été, ils étaient repartis bien avant la première affaire de vol : preuve qu'ils n'y étaient pour rien.

Une partie des larcins avait d'ailleurs été récupérée, sans que ni lui ni aucun de ses adjoints n'interviennent. La remorque de Harlan Roker, par exemple, avait été retrouvée dans un champ à une quinzaine de kilomètres au sud de son ranch. La citerne des Silva avait disparu pour réapparaître deux jours plus tard derrière le magasin d'Abe.

A croire que quelqu'un jouait au plus fin avec la police, démontrant qu'il pouvait faire ce qu'il voulait au nez et à la barbe du shérif et de ses adjoints ! Pourtant, depuis trois ans qu'il était shérif du comté de Salina, Noah ne croyait pas s'être fait des ennemis. Il s'était borné à apaiser une bagarre occasionnelle entre ivrognes ou à régler une querelle de voisinage, rien de plus.

Après Chicago, Blackfoot Falls était une véritable sinécure. Enfin, en théorie…

Avery désigna alors d'un doigt noueux une voiture de location verte qui se garait devant les bureaux de la Gazette de Salina, près du pub. Trois jeunes filles blondes d'une vingtaine d'années en descendirent, arborant toutes un look torride.

— Regardez-les ! C'est depuis que le Sundance s'est transformé en hôtel de passe que les ennuis ont commencé ! Le vieux McAllister doit se retourner dans sa tombe !

Noah abaissa sans ménagement la main tendue du vieil homme.

— Taisez-vous, Avery, sinon je vous coffre pour ivresse et troubles de l'ordre public.

— Ne me parlez pas sur ce ton, mon garçon !

L'une des jeunes femmes semblait avoir remarqué leur manège. Craignant qu'elle ne s'approche, Noah prit Avery par le bras et l'entraîna vers son bureau.

— Vous n'allez quand même pas me boucler ? s'insurgea l'autre.

— Pas si vous me suivez de votre plein gré.

Au même moment, le pick-up de Roy déboucha sur la place. Noah fit signe à son adjoint de le rejoindre à l'intérieur.

Avery se remit à jacasser avant même que la porte ne se referme. Noah fit la sourde oreille et regarda par la fenêtre dont les stores étaient entrouverts.

Le fax se mit à ronronner au moment où son adjoint faisait irruption dans la pièce. Avec sa tignasse en bataille et sa chemise d'uniforme toute froissée qui dissimulait mal son embonpoint, Roy avait l'air d'être tombé du lit.

— Que se passe-t-il, chef ?

— Vous allez ramener Avery chez lui, dit Noah d'un regard sévère, en coupant court aux protestations du vieillard.

Le silence retomba quand les deux hommes eurent quitté la pièce. Noah en profita pour lire le message. Il provenait du bureau de Roland Moran, un policier de la vieille école qui l'avait expédié lui-même. Noah le connaissait à peine, car la région administrée par son collègue était située plus au sud, près de la frontière de l'Idaho.

Il déchiffra le texte, adressé également aux shérifs des trois comtés voisins. Un couple d'escrocs se dirigeait vers le nord en direction de la frontière canadienne.

Des escrocs ? Voilà qui était plutôt inhabituel… L'homme, la trentaine, de taille moyenne avec des cheveux noirs ; la femme à peu près du même âge, très grande, séduisante, les cheveux châtains et les yeux noisette. Le cerveau de l'organisation, semblait-il. D'après Moran, ils étaient mariés, mais pouvaient voyager séparément.

Noah massa sa nuque endolorie. Encore des ennuis en perspective. Quelle poisse !

2

Le chauffeur gara sa vieille berline bringuebalante et resta affalé sur la garniture en vinyle craquelé de son siège, son ventre débordant de sa chemise écossaise, les yeux fixés sur le pare-brise comme s'il béait d'admiration devant les décorations d'Halloween qui ornaient la rue.

— Et mes bagages ? demanda Alana.

— Ah oui, fit-il en appuyant sur le bouton d'ouverture du coffre sans faire mine de s'extirper de la voiture.

Le message était clair : elle allait devoir récupérer ses affaires elle-même. Agacée, elle lui remit en soupirant la somme qu'elle avait négociée pour le trajet d'une heure et demie jusqu'à Blackfoot Falls. A vrai dire, l'homme n'était pas un chauffeur professionnel. En débarquant dans le petit aéroport, elle s'était adressée à l'unique agence de location de voitures, mais ne possédant pas de permis de conduire, elle avait dû recourir aux services du beau-frère du gérant pour la déposer en ville.

Elle descendit, sortit ses bagages du coffre, arrimant solidement son fourre-tout et son ordinateur portable à la poignée rétractable de sa valise à roulettes. D'ordinaire, elle voyageait léger, mais le départ décidé à la dernière minute et la course folle jusqu'à l'aéroport John F. Kennedy pour attraper son avion l'avait obligée à bourrer n'importe comment son sac, qui pesait très lourd sur son épaule.

Elle regarda la voiture faire demi-tour, laissant un épais nuage de fumée noire dans son sillage. Elle jeta un coup d'œil alentour dans l'espoir que son arrivée dans ce tas de ferraille était passée inaperçue, même si elle avait veillé à se faire déposer à la périphérie de la ville. Comme Harvey, son chauffeur, ne connaissait pas le Sundance, elle avait estimé suffisant qu'il la conduise à Blackfoot Falls, escomptant trouver ensuite quelqu'un qui lui indiquerait le chemin du ranch. Seulement, il n'y avait pas âme qui vive dans la rue. Elle rejeta ses cheveux en arrière et défroissa sa veste tout en cherchant un signe de vie. Plusieurs voitures étaient stationnées le long de quelques boutiques, pourtant l'endroit était anormalement calme à... elle consulta sa Rolex, effectua un rapide calcul mental et la régla sur 16 h 30, heure locale. Curieux, on était encore loin du dîner...

La rue, étonnamment large, ne s'étirait que sur cinq pâtés de maisons, mais elle constituait visiblement l'artère principale du bourg. Planté en son centre, un petit carré de pelouse rabougrie entourait un arbre gigantesque dont la plupart des feuilles jaunies par l'automne étaient tombées. Des fantômes en papier suspendus aux branches nues se balançaient dans le vent glacé.

Pas de panneau « stop » en vue ni le moindre feu de circulation, même si l'artère croisait deux ou trois ruelles adjacentes. Un armurier et une quincaillerie jouxtaient une station d'essence. De l'autre côté du trottoir sur lequel elle se trouvait, elle repéra une boutique de location de vidéo ainsi qu'un mont-de-piété — un panneau apposé sur la porte signalait que le propriétaire était absent pendant une semaine.

Un peu plus loin, elle aperçut d'autres magasins qu'elle ne parvint pas à identifier, à l'exception peut-être d'une seconde station-service. En dehors d'une banderole accrochée entre deux lampadaires annonçant le festival d'automne annuel et les omniprésentes décorations d'Halloween, la ville était plutôt quelconque. Certains magasins avaient peut-être même définitivement fermé, à l'instar de la vieille pension de famille qu'elle découvrit derrière elle.

Elle rajustait la bandoulière de son sac sur son épaule, lorsqu'elle avisa une femme et un enfant chargés de paquets qui se dirigeaient vers un pick-up stationné un peu plus loin. La ville parut alors se réveiller comme par magie. Une bande de lycéens émergea d'un grand bâtiment. Trois véhicules apparurent l'un après l'autre dans la rue. Un petit homme aux jambes arquées surgit sur le trottoir et s'éloigna — à sa démarche chaloupée, Alana supposa qu'il sortait du pub.

Un Cosmo ne lui ferait pas de mal, songea-t-elle avec envie. Mais elle chassa vite cette idée de son esprit, posa son sac en équilibre sur la pile de ses bagages, saisit la poignée de sa valise et se mit en route. Autour d'elle, la circulation s'était intensifiée — quelques rares voitures et surtout de gigantesques pick-up poussiéreux, un genre de véhicules apparemment très répandu dans la région.

Tout le monde se dirigeait de l'autre côté de la ville, de sorte que personne n'avait encore remarqué sa présence, en dehors de trois femmes à bord d'un cabriolet vert qui la dévisagèrent avec curiosité au moment où elles la dépassèrent. Elle les vit se garer un peu plus loin et descendre. A leur tenue élégante, elle devina qu'elles étaient probablement des touristes résidant dans l'un des ranchs avoisinants.

Quelques minutes plus tard, le chauffeur d'une voiture blanche aux vitres teintées la salua de la main en passant. Elle sentit son cœur bondir dans sa poitrine en déchiffrant le mot SHERIF inscrit sur la portière en grosses lettres noires, mais ce n'était pas le beau gosse qui figurait sur la photo du site. L'homme se gara le long du trottoir, sortit du véhicule, traversa la rue et disparut dans le bureau de police.

Les roulettes de son bagage se coincèrent dans une fissure du trottoir. Elle les dégagea avec une telle énergie que sa valise et son ordinateur faillirent basculer. Elle soupira de soulagement en constatant qu'il n'y avait rien de cassé, puis se dirigea vers la voiture verte. Avec un peu de chance, les trois jeunes femmes blondes accepteraient de la conduire au Sundance. Dans le cas contraire, elle pourrait toujours appeler le ranch et demander qu'on vienne la chercher. Ou mieux encore, pourquoi ne pas aller se renseigner auprès du shérif ?

Après tout, c'était une initiative parfaitement rationnelle de la part d'une touriste perdue dans un lieu inconnu, non ? Surtout dans une ville trop petite pour posséder des transports en commun. Elle pourrait en même temps vérifier si les commentaires, qu'elle avait lus sur internet à son propos, étaient objectifs. Même si elle ne se souciait guère des shérifs de province, qu'ils portent bien l'uniforme ou non !

Elle accéléra le pas sur le trottoir inégal. Les véhicules qui empruntaient la rue principale semblaient tous prendre la même direction et par désœuvrement, elle s'amusa à regarder les conducteurs en émerger. Certains étaient coiffés de chapeaux, d'autres non, mais ils portaient tous un jean, une chemise de style Far West et des bottes assorties.

Quelques-uns lui sourirent, mais la plupart étaient plus intéressés par les jolies blondes, langoureusement appuyées au capot de leur voiture. Alana ne s'en formalisa pas. Ces filles étaient visiblement en chasse, pas elle. Elle n'était pas du genre à flirter ou jouer les vierges effarouchées.

Elle traversa la rue et aperçut l'enseigne d'un pub, le Watering Hole. De la musique country s'en échappait chaque fois que la porte s'ouvrait. L'air y était à couper au couteau tellement il était chargé de fumée. Elle n'allait certainement pas y mettre les pieds.

Elle se rendit soudain compte qu'elle aurait dû traverser plus tôt. En effet, les cow-boys massés devant l'établissement, bavardaient, fumaient ou lorgnaient ouvertement les trois jeunes femmes blondes. Et pour ne rien arranger, les allées et venues des clients de la banque voisine encombraient le trottoir.

Alana slaloma habilement au milieu de cette foule sans perdre de vue son objectif, le bureau du shérif, quelques centaines de mètres plus loin.

— Vous résidez au Sundance ? lança une voix rocailleuse dans son dos.

Elle s'immobilisa, jeta un coup d'œil par-dessus son épaule et ne vit qu'une ruelle déserte qui semblait mener à un parking en terre battue. Les jeunes gens, devant le pub, étaient plongés dans une conversation animée. Quelques-uns s'étaient décidés à aborder les trois blondes. Personne ne lui prêtait la moindre attention.

Elle pivota sur elle-même et se retrouva nez à nez avec un vieil homme nonchalamment adossé à un poteau, la taille élancée, la chevelure grise, son chapeau enfoncé sur le front jusqu'aux yeux, et un sourire au coin de ses lèvres minces qui n'avait rien d'amical.

Elle nota ses bottes neuves et coûteuses, sa tenue recherchée.

— Oui, répondit-elle. Vous aussi ?

Il esquissa un rictus haineux.

— Certainement pas !

— Oh ! Désolée.

Il lui tendit une main hâlée.

— Vous n'avez aucune raison de l'être, mademoiselle.

Elle considéra ses doigts, ridés par le soleil, sans esquisser un geste.

Au bout d'un long moment de silence gêné, il fourra les mains dans ses poches et lui sourit de toutes ses dents.

— Puis-je vous aider ? Vous indiquer le chemin, peut-être ? Mais permettez-moi d'abord de vous offrir un verre…

Médusée, Alana ouvrit la bouche, mais aucun son n'en sortit. Cet homme lui faisait du plat ! Il était assez vieux pour être son père ! Elle jeta un regard éperdu aux beaux cow-boys, quelques mètres plus loin, mais ils étaient obnubilés par les trois jolies blondes. Il n'y avait rien à attendre de ce côté-là.

Elle remua ses doigts douloureux à force de porter ses bagages.

— Non, merci. Je me rends au bureau du shérif.

— Y a-t-il un problème ?

A bout de patience, elle consulta ostensiblement sa montre.

— Excusez-moi, mais je dois y aller, merci quand même.

Elle tendit la main vers la poignée de sa valise, mais un brusque coup de vent la fit frissonner et elle resserra les pans de sa veste autour d'elle.

Il lui toucha le bras.

— Voulez-vous que je vous dépose au Sundance ?

Il était hors de question qu'elle monte en voiture avec cet homme.

— Non, merci, excusez-moi, répéta-t-elle, agacée.

Un vacarme assourdissant provint à cet instant de l'intérieur du pub — des bris de verre, des hurlements stridents. A croire qu'un plateau de boissons s'était écrasé sur le sol. Tous les regards se dirigèrent vers la porte grande ouverte et l'un des cow-boys cria quelque chose à une certaine Sheila, sans doute la serveuse, qui répondit par un juron bien senti.

Alana sourit en cherchant machinalement la poignée

de sa valise. Sa main se referma sur le vide. Un frisson d'angoisse l'envahit et elle se retourna d'un bloc.

Sa valise, son sac, son ordinateur portable, tout avait disparu… volatilisé. Elle se rappelait avoir encore la poignée dans la main, un instant plus tôt… C'était complètement insensé !

Le cœur battant à tout rompre, elle avisa une fourgonnette rouge stationnée devant le trottoir, un peu plus loin. Elle inspecta la plate-forme avant d'examiner le pick-up garé juste derrière. Paniquée, elle se retourna et fouilla la ruelle du regard.

Rien.

Ce n'est pas possible ! Un vrai cauchemar !

Folle d'inquiétude, elle scruta la foule et repéra le vieil homme qui l'avait abordée. Il se dirigeait dans la direction opposée.

— Monsieur, attendez !

Il ne s'arrêta pas et poursuivit son chemin. Il n'avait probablement pas entendu : la musique tonitruante provenant du pub dominait sa voix.

D'ailleurs, personne ne semblait l'avoir entendue, à l'exception d'un cow-boy vêtu d'une chemise claire qui lui lança un regard curieux.

Elle désigna du doigt le vieil homme qui se faufilait dans la cohue.

Le cow-boy eut l'air surpris. Elle crut qu'il allait passer son chemin, mais les mains en porte-voix, il se mit à crier :

— Hé, Gunderson !

La longue silhouette s'immobilisa alors et l'homme se retourna lentement, les lèvres pincées en une mince ligne dure. Il était clair qu'il n'appréciait pas d'être interpellé de la sorte.

Elle sentit une douzaine de paires d'yeux la transpercer tandis qu'elle s'avançait vers lui.

— Mes bagages… Je les avais avec moi pendant que je vous parlais.

Il repoussa son chapeau de l'index et la dévisagea de ses yeux bleus perçants, glacés, presque sans vie. Il avait dû être fort séduisant dans sa jeunesse, mais aujourd'hui, son regard dur et cynique n'avait rien d'attirant.

— Oui et alors ?

— Ils ont disparu. Quelqu'un a dû s'approcher par-derrière pendant que nous discutions. Auriez-vous aperçu quelque chose ?

— Je ne crois pas, répondit-il avec un sourire froid en s'éloignant.

Elle le rattrapa par le bras.

— Vous devez avoir vu quelque chose !

Il fixa la main qui le retenait avant de se dégager brusquement.

— Il me semble vous avoir affirmé le contraire.

Elle accusa le coup. Il prétextait n'avoir rien remarqué. Tout ça parce qu'elle avait refusé ses avances ? Et si c'était lui, le coupable ? Elle se retint de lui lancer l'accusation à la figure.

— En êtes-vous sûr ?

Il leva les sourcils d'un air de défi.

— Certain.

Elle le toisa à son tour, rajustant sa veste d'une main tremblant de colère impuissante. Elle l'aurait volontiers giflé.

— Vous vous appelez Gunderson, c'est ça ? Je vais déposer plainte. J'aurai probablement besoin de citer votre nom.

— Wallace Gunderson, pour vous servir, précisa-t-il aimablement, la bouche crispée en un sourire doucereux. Tout le monde me connaît à Blackfoot Falls.

— Je n'en doute pas. J'imagine que nous nous reverrons.

Il toucha le bord de son chapeau en un vague salut.

— Je l'espère aussi, dit-il en rejoignant sa voiture, un luxueux 4x4.

Elle réprima un juron avant de tourner les talons en direction du bureau du shérif.

Noah arracha son chapeau d'un geste rageur.

— Pour l'amour du ciel, Roy, ce type a quarante ans de plus que vous ! Comment avez-vous pu le laisser filer ? Allez voir si son pick-up est toujours là et empêchez-le de repartir si possible.

— Chef, vous savez très bien que le vieux est aussi rusé qu'un renard. En plus, les jeunes de l'équipe de foot mettaient une de ces pagailles ! Ça aurait pu arriver à n'importe qui !

— Grouillez-vous ! Avery n'est pas en état de conduire.

Les joues rouge brique, Roy ouvrit la porte au moment où une femme en franchissait le seuil. Elle était plus grande que lui, et il bredouilla des excuses quand il faillit la bousculer.

Sans lui prêter la moindre attention, elle se dirigea droit sur Noah.

— Etes-vous le shérif ?

Oh non, encore une ! Ces bonnes femmes du Sundance le feraient devenir chèvre ! En deux jours, il avait vu débouler trois filles dans son bureau sous des prétextes divers et variés. Il avait supplié Rachel de retirer les commentaires débiles et les photos de lui de son site web, mais elle avait refusé, alléguant que c'était excellent pour ses affaires. Il allait devoir améliorer ses compétences en informatique pour s'en charger lui-même.

Il se recoiffa de son Stetson et loucha discrètement sur les hauts talons de la nouvelle venue. Elle devait mesurer un bon mètre quatre-vingts avec ces machins aux pieds.

— Shérif Calder, dit-il. Que puis-je pour votre service ?

— Je viens signaler un vol qui s'est produit à l'instant. En vous dépêchant, vous pourrez sûrement…

Il leva une main apaisante.

— Une minute…

Elle lui lança un regard noir en désignant la porte d'un geste impatient.

— A force de traîner, vous ne retrouverez jamais celui qui a emporté mes affaires !

— Vous connaissez l'identité du coupable, peut-être ? lança-t-il avec hauteur.

Il le regretta aussitôt. Mais elle l'avait bien cherché aussi ! Elle n'avait pas à lui parler sur ce ton. D'un autre côté, si elle disait vrai et qu'il y avait effectivement eu un autre vol ? Le comté partait à vau-l'eau. De mieux en mieux !

— Que vous a-t-on volé ? reprit-il plus aimablement.

— Ma valise, mon ordinateur portable, mon sac à main, mon iPhone, mon portefeuille. Absolument tout…

Il considéra son pantalon bleu marine confectionné sur mesure, sa veste haute couture ouverte sur un chemisier crème boutonné jusqu'au cou.

— Résidez-vous au Sundance ?

— Le Sundance ? Euh… oui, mais je ne m'y suis pas encore présentée. Je viens d'arriver.

Elle n'était pourtant pas la cliente type des McAllister, songea-t-il. Il ne l'imaginait pas séjournant dans un ranch. Elle avait plutôt l'air d'une femme de pouvoir, dotée d'un grand bureau, habituée à donner des ordres et à obtenir ce qu'elle voulait. Le genre dominatrice qu'il ne supportait pas pour avoir rencontré nombre de ses semblables à Chicago.

Elle fixa la porte avec un désespoir impuissant, puis se retourna vers lui et le foudroya du regard.

— Pourquoi restez-vous planté là, les bras croisés ?

— Ecoutez, vous êtes en colère, je comprends, mais

j'ai besoin de quelques informations supplémentaires.
Vous ne voulez pas vous asseoir ?

Il approcha une chaise en vinyle noir râpé.

Elle le toisa sans aménité.

— Ecoutez, shérif, loin de moi l'idée de vous dire ce
que vous avez à faire, mais…

Il s'installa dans son propre fauteuil, derrière son bureau,
ignorant son air furibond.

— Je suis ravi que nous nous comprenions. Le vol
s'est produit où ?

— Près du pub.

— Etiez-vous à l'intérieur ?

— Non, et je n'ai pas bu, si c'est ce que vous insinuez !
répondit-elle avec hauteur, comme pour signifier qu'elle
n'aurait jamais mis les pieds dans cet endroit de perdition.

— La question n'est pas là. Je me fiche pas mal que vous
cachiez ou non une flasque de whisky sous votre veste.

Elle battit des paupières, les lèvres entrouvertes, puis
écarta le vêtement avec ostentation.

— Il n'y a ni flasque ni rien du tout, comme vous le
voyez. Et c'est *exactement* où je voulais en venir. Toutes
mes affaires ont disparu !

Il n'aurait pas affirmé quant à lui qu'elle n'avait « rien
du tout » sous sa veste. Elle était dotée d'une très jolie
poitrine, au contraire. Il s'éclaircit la voix et se concentra
sur le formulaire vierge qu'il venait de sortir d'un tiroir.

— Pourriez-vous me décrire exactement ce qui s'est
passé ?

Elle lâcha un soupir irrité et il ne put s'empêcher de
loucher de nouveau sur sa poitrine. Elle portait un chemisier de soie léger sous lequel il distingua un soutien-gorge
bordé de dentelle…

— Je me rendais ici avec mes bagages lorsque, juste
après avoir dépassé le pub…

— Attendez. Revenons en arrière, si vous le permettez. Vous veniez ici, à mon bureau ?

Elle rougit légèrement, puis leva résolument le menton et le regarda bien en face.

— Oui, je… euh… je venais vous demander la direction du Sundance.

Elle aurait pu arrêter n'importe qui dans la rue, songea-t-il, perplexe.

— Mais pourquoi avoir sorti vos bagages de la voiture ?

— Je n'ai pas de voiture. Le chauffeur m'a déposée à l'entrée de la ville.

De plus en plus curieux…

— Pour quelle raison ne vous êtes-vous pas directement rendue au Sundance ?

— Je ne vois pas le rapport avec la disparition de mes bagages. Pensez-vous que j'aie volé mes propres affaires ?

Il esquissa un sourire conciliant. Elle semblait vraiment avoir été victime de ce vol, et peut-être avait-il sauté à une conclusion hâtive en la voyant pénétrer dans son bureau, échaudé par les ruses qu'employaient les invitées du Sundance pour attirer son attention.

— Bien sûr que non. J'essaie seulement d'y voir clair. Au fait, je ne sais même pas votre nom.

— Alana.

Il attendit un patronyme qui ne vint pas.

Elle se renversa sur sa chaise avec un soupir.

— Ecoutez, shérif, je ne comprends pas comment une chose pareille a pu se produire en plein jour. Il a suffi d'une seconde d'inattention. J'aurais été plus vigilante à New York, mais dans une petite ville comme celle-ci… C'est ma faute. J'aurais dû être plus prudente.

— Vous venez de New York ?

Elle hésita, une lueur d'effroi dans les yeux.

— Oui.

— Pourriez-vous me répéter votre nom de famille ?

Elle se figea, les épaules crispées, le visage tendu.

— Richardson, articula-t-elle lentement.

Il nota son nom sur le formulaire, tous ses sens en éveil.

— Comment avez-vous entendu parler du Sundance ?

Elle se pencha en avant.

— Et s'il s'agissait d'une farce ? suggéra-t-elle. J'ai remarqué un groupe d'enfants dans la rue. Il ne doit pas y avoir trop de problèmes chez vous d'ordinaire, n'est-ce pas ?

— Vous êtes passée devant le pub ?

— Oui.

— C'est le jour de paie de la plupart des ouvriers qui travaillent dans les ranchs voisins. Ils étaient tous sur la place, tout à l'heure.

— Exact, je les ai remarqués, moi aussi.

Noah cessa d'écrire et la dévisagea.

— Vous avez constaté la disparition de vos bagages à ce moment-là ?

Elle hocha la tête.

— Un vieil homme m'a arrêtée et m'a adressé la parole. C'est la raison pour laquelle j'ai baissé la garde.

— Quel homme ? Connaissez-vous son nom ?

— Gunderson.

— Que voulait-il ?

— Il m'a demandé si je résidais au Sundance. Je pense qu'il était curieux, voilà tout.

Sur ce point, elle avait probablement raison. Gunderson ne s'entendait pas avec les McAllister et depuis qu'ils avaient ouvert leur ranch au public et gagnaient de l'argent avec leurs chambres d'hôtes, il était d'une humeur massacrante. Leur réussite signifiait qu'ils ne lui vendraient pas de sitôt le terrain qu'il convoitait.

— Les jeunes gens devant le pub… ils vous ont sûrement remarquée. L'un d'entre eux a dû voir quelque chose.

— Ils étaient trop occupés pour ça.

— Permettez-moi d'en douter.

Le regard incrédule qu'elle lui lança le mit mal à l'aise. Ses propos n'étaient pourtant pas déplacés, mais peut-être aurait-il dû adopter un ton plus mesuré. Il ne pouvait s'empêcher de penser à ce qu'elle dissimulait sous sa veste… Il était troublé, n'ayant pas pour habitude de mêler le travail et ses sentiments personnels.

— Il y avait trois jeunes femmes qui accaparaient leur attention, expliqua-t-elle avec un petit sourire.

Noah voyait parfaitement à quoi elle faisait allusion, mais cela n'avait certainement pas empêché les cow-boys de la repérer. Même si les jeunes de la région étaient plutôt attirés par le genre tape-à-l'œil.

Indubitablement, la femme assise en face de lui, avec ses hautes pommettes, sa peau satinée, sa bouche généreuse, sa beauté élégante et raffinée, était différente. Mais tels qu'il les connaissait, les garçons qui traînaient chez Sadie n'avaient pas manqué de la reluquer.

Son regard se posa sur le fax oublié dans un coin de son bureau. « La trentaine, grande, séduisante, cheveux bruns, yeux noisette. »

Il l'examina alors avec plus d'attention.

Voilà qui ne présageait rien de bon…

3

Quand ce type allait-il se décider à agir ? Entre ses questions stériles et les appels téléphoniques intempestifs qui les dérangeaient toutes les cinq minutes, ça n'en finissait pas ! Alana sentait sa vie lui échapper de seconde en seconde. Enfin, il lui restait toujours la consolation de voir cet homme manier son stylo. Il commençait à l'exaspérer, mais elle aimait ses mains puissantes, brunies par le soleil, ses doigts couverts d'un fin duvet. Les manches de sa chemise d'uniforme, retroussées au-dessus du coude, révélaient des poignets robustes et des avant-bras vigoureux.

Lorsqu'il s'interrompit, elle leva le nez et surprit ses yeux bleu-vert envoûtants fixés sur elle. Elle sentit une étrange excitation l'envahir et son cœur s'emballer. Il était sexy… Agaçant, mais incroyablement sexy… Plus encore que sur les photos, si c'était possible.

Elle reprit ses esprits et retomba brutalement sur terre, saisie de nouveau par l'horreur de sa situation, complètement dépassée par les événements et les conséquences désastreuses de la perte de ses bagages.

— En dehors de Gunderson, avez-vous parlé à quelqu'un d'autre ?

— Non, je ne crois pas.

Il reporta son attention sur le document posé devant lui en fourrageant dans sa tignasse brune éclaircie par le soleil, tout comme ses cils, qu'il avait longs et épais : l'image même du baroudeur viril, séduisant en diable !

Par déformation professionnelle, elle était accoutumée à remarquer ce genre de détail, comme, par exemple, ses muscles saillant sous l'étoffe de sa chemise lorsqu'il glissa les doigts dans ses cheveux et s'attarda sur sa nuque qu'il se mit à masser avec énergie.

Elle comprenait maintenant pourquoi les blogueuses ne tarissaient pas d'éloges à son sujet. Elle-même l'engagerait séance tenante pour une affiche ou une campagne publicitaire si elle le pouvait. En comparaison, elle devait avoir triste allure avec ses cheveux hirsutes qui auraient eu bien besoin d'un coup de peigne après cet interminable voyage en avion, sans parler du trajet dans la vieille guimbarde de Harvey… Son maquillage aussi avait dû en prendre un coup.

Elle tendit la main pour pêcher son miroir dans son fourre-tout et frémit en se rappelant qu'il avait disparu en même temps que ses bagages. Raison pour laquelle elle se trouvait justement là, dans ce bureau… Elle sentit une vague de panique lui nouer l'estomac. Son existence tout entière dépendait de son ordinateur et de son téléphone portable. Elle ne connaissait par cœur aucun numéro de ses contacts, enregistrés dans la mémoire de l'appareil. Elle ne se souvenait d'ailleurs pas d'avoir jamais été privée d'internet plus de vingt-quatre heures !

Sans parler de ses vêtements et de ses produits de beauté, qui valaient une petite fortune. Sa crème de nuit à elle seule coûtait une centaine de dollars.

Elle laissa échapper un gémissement douloureux qui rompit le silence.

Noah redressa la tête, lui jeta un regard inquiet, se leva d'un bond et se dirigea vers une cafetière en piteux état qui trônait sur un classeur métallique.

— Ça ne va pas ? Voulez-vous un verre d'eau ou du café ?

Elle aurait préféré un bon whisky bien tassé, songea-t-elle, tout en se disant qu'elle n'avait plus les moyens de se l'offrir.

— De l'eau, merci.

Elle consulta sa montre : il était trop tard pour appeler sa banque à New York afin de faire effectuer un virement. Quant à Pam, elle s'était envolée la veille pour l'Europe. Elle ne pouvait donc attendre aucun secours de ce côté-là non plus. La situation était grave, mais pas désespérée cependant. Elle avait réservé son séjour au Sundance en pension complète et, sachant qu'elle arriverait très tard après avoir raté son avion la veille au soir, elle avait pris soin de donner son numéro de carte de crédit comme garantie… Bref, il n'y avait pas de quoi s'affoler.

— Tenez !

La voix toute proche la fit tressaillir. Elle leva les yeux et découvrit Noah Calder debout près d'elle, une bouteille d'eau à la main. Il était très grand, un mètre quatre-vingt-cinq au bas mot. C'était à peine si elle y avait prêté attention dans son affolement.

Elle le remercia et réussit à se calmer grâce à la technique de respiration profonde que Pam lui avait enseignée pour lutter contre le stress.

Elle lorgna dans la direction du shérif au moment où il retournait s'asseoir derrière son bureau. Il avait de belles fesses, fermes et musclées. Impressionnant ! De crainte qu'il ne surprenne ses regards indiscrets, elle se hâta de décapsuler la bouteille, la porta à ses lèvres et en vida la moitié en trois gorgées.

Elle croisa son regard tandis qu'elle se tamponnait les lèvres du bout des doigts. L'insistance avec laquelle il la dévisageait la troublait. Ce qui lui aurait paru normal à Manhattan était complètement déplacé dans ce lieu, au fin fond de nulle part.

Le téléphone sonna de nouveau. Il détourna les yeux en se renversant sur son siège, une main derrière la tête, ce qui fit de nouveau saillir les biceps sous sa chemise.

— Shérif Calder, j'écoute, dit-il en l'enveloppant de nouveau du regard, s'arrêtant brièvement sur le devant de son chemisier avant de fixer un point derrière son épaule gauche. Vous avez trouvé quelque chose ?

Elle en profita pour couler un regard sous ses paupières baissées. Cet homme devait être habitué à ne pas passer inaperçu. Avec sa forte mâchoire, son regard magnétique, sa large carrure, son torse puissant et son ventre plat, il arborait un physique zéro défaut. Quoi qu'il en soit, il n'était pas son genre. Elle aimait les hommes qui avaient de la classe, capables, par exemple, d'obtenir une réservation un samedi soir chez Per Se, l'un des restaurants en vogue de New York. Cela dit, elle ne se ferait pas prier pour mettre le séduisant shérif dans son lit si l'occasion se présentait.

— Au fait, et Gunderson ? demanda-t-il à son interlocuteur, sans la quitter des yeux, comme s'il voulait sonder les replis de son âme. D'accord, rappelez-moi, conclut-il avant de raccrocher.

— Alors, avez-vous trouvé quelque chose ?

— Je viens de parler à mon adjoint. Il a cuisiné les jeunes qui traînaient devant le pub. Personne n'a rien vu.

Il la prenait donc suffisamment au sérieux pour mettre son adjoint sur le coup, c'était déjà ça, mais constituait une maigre consolation.

— Ce n'est pas possible ! Les gens ne sont pas légion à se promener ici en remorquant une grosse valise à roulettes derrière eux, quand même !

Il inclina la tête d'un air sceptique sans répondre.

Elle refusait d'envisager qu'il puisse mettre sa parole en doute.

— Vous croyez que j'ai inventé cette histoire ?

— Je n'ai jamais dit ça.

— Pourquoi aurais-je fait une chose pareille, à votre avis ?

Il attrapa le téléphone.

— Pas la peine de vous mettre dans tous vos états. Désirez-vous appeler votre famille ? Un ami peut-être ?

Elle écarta sa suggestion d'un geste.

— Ecoutez, je me souviens d'un détail... un grand bruit provenant du pub, comme du verre brisé. Et il y avait aussi une ruelle adjacente, où M. Gunderson et moi nous étions arrêtés pour discuter. Est-ce que votre adjoint l'a interrogé ?

Le shérif ôta sa main du combiné.

— Il n'a pas encore réussi à le localiser. Mais revenons à nos moutons. Vous parliez d'un grand bruit ?

— Oui, comme si quelqu'un avait fait tomber un plateau chargé de verres et de boissons... Tout le monde s'est tourné vers la porte. Le voleur a dû en tirer parti pour embarquer ma valise.

— La ruelle ? Vous voulez dire le passage entre Chez Sadie et la banque ?

— Il y avait un parking au bout, je me rappelle.

Il ajouta quelques mots au bas de sa déposition en hochant la tête.

Epouvantée, elle prit brusquement conscience de l'énormité des problèmes qui l'attendaient. Elle n'avait plus de papiers, pas d'argent, ni même une brosse à dents ou un peigne. Heureusement qu'elle avait un endroit pour dormir, sans parler de sa Rolex qui pourrait lui servir de caution. Au ranch, on comprendrait la situation, du moins l'espérait-elle. On la dépannerait sûrement du minimum nécessaire qu'elle rembourserait plus tard.

— Connaissez-vous les propriétaires du ranch ? demanda-t-elle.

— Les McAllister ? Oui, ce sont de braves gens.

— Je pense que… je vais être obligée de leur demander un coup de main.

La méfiance qu'elle décela dans son regard lui parut proprement injurieuse.

— Pourquoi ?

— Je n'ai même plus de brosse à dents, figurez-vous !

— Sur ce point, je pourrai sans doute vous aider.

— Il y a un tas d'autres choses dont j'aurais besoin en plus d'une brosse à dents et d'un tube de dentifrice. Pourrais-je appeler le Sundance, s'il vous plaît ? insista-t-elle en tendant la main vers l'appareil.

Après un moment d'hésitation, il composa un numéro. Il était clair qu'il avait l'intention de jouer les intermédiaires.

Elle s'affaissa sur son siège, contrariée. Elle avait horreur de dépendre de qui que ce soit.

Il avait dû remarquer son mécontentement, comprit-elle en croisant ses yeux inquisiteurs. Cet homme perdait son temps dans ce trou perdu. Avec ce regard froid comme une lame, il aurait fait un excellent inspecteur dans une grande cité.

Il bascula en arrière sur sa chaise, une main derrière la tête de nouveau, les biceps gonflés, le torse bombé.

— Salut, Rachel, lança-t-il dans le combiné, le visage détendu, plus séduisant que jamais. Non, je ne l'ai pas vu… Avait-il l'intention de passer ?

Il se mit alors à bavarder à tort et à travers au lieu de se concentrer sur son problème. Cette Rachel était peut-être sa petite amie ? Elle se redressa sur son siège sans dissimuler son agacement. Il parut s'en apercevoir, mais n'interrompit pas son bavardage pour autant.

Elle s'éclaircit ostensiblement la gorge. Il était peut-être sexy, mais ce qu'il pouvait être horripilant !

Le regard du shérif Calder parut la traverser sans la voir.

— Je garde l'œil sur lui, poursuivit-il sur le même ton décontracté. Ecoute Rachel, j'ai un petit problème avec l'une de tes clientes. Quoi ? Ah non ! rugit-il avec une expression de profonde frustration. Ce cirque doit cesser au plus vite, je te préviens ! Toutes ces filles…

Le rouge aux joues sous son hâle, il s'interrompit et se concentra sur la feuille devant lui. Il ne semblait guère apprécier son fan-club.

— Elle s'appelle Alana Richardson, reprit-il après un silence. Elle ne s'est pas encore présentée chez toi, mais…

Alana se pencha en avant, tendue.

— Il n'y a aucune réservation à votre nom, expliqua-t-il.

— Bien sûr que si. Je l'ai faite hier. J'ai même un numéro de confirmation…

Sauf qu'elle ne l'avait plus, puisqu'il se trouvait dans son sac.

— Puis-je lui parler ? fit-elle, la main tendue.

Il leva un doigt en l'air, l'oreille toujours collée à l'écouteur.

— Apparemment, vous avez réservé pour deux personnes, mais vous deviez arriver hier. Ne vous voyant pas venir, elle a loué la chambre à quelqu'un d'autre.

— J'étais en retard parce que j'ai raté mon avion. J'ai communiqué mon numéro de carte bancaire.

Il posa sa main sur le combiné.

— Où est votre compagnon ?

— Quel compagnon ?

— Vous avez bien réservé pour deux personnes ?

— Je vous répète que non. C'est une erreur. Je suis venue seule. J'aimerais lui parler, s'il vous plaît.

— Non, ça va, répondit-il à son interlocutrice. Je m'en charge. Oui, ne t'inquiète pas.

Incrédule, Alana le regarda raccrocher.

— Je croyais vous avoir dit que je voulais lui parler ! fulmina-t-elle.

— Désolé, mais Rachel a été appelée pour une urgence. En tout cas, le Sundance affiche complet. Il n'y a plus une seule chambre libre.

— Je fais quoi alors ? Je dors dans la rue ?

— Inutile d'en arriver à de telles extrémités, répliqua-t-il avec un petit sourire.

— Ce n'est pas drôle, shérif !

— Ai-je dit le contraire ?

Elle entendit porte du bureau s'ouvrir derrière elle et elle vit aussitôt le shérif esquisser une grimace de contrariété.

Elle pivota sur sa chaise et en comprit la raison. Deux des trois filles blondes, qu'elle avait aperçues un peu plus tôt dans la rue, entrèrent d'un pas décidé, un sourire agui-cheur aux lèvres. Curieuse, elle se retourna pour observer la réaction du shérif qui accueillit ses visiteuses le visage dur, les mâchoires serrées.

— Bonjour, mesdames, que puis-je pour vous ?

— Nous espérions que vous auriez bientôt fini, dit l'une d'entre elles. Roy ne devait pas vous remplacer ? Ou Gus ?

Il se frotta les joues d'une main lasse.

— J'ai du travail, comme vous voyez.

— Oh ! fit la jeune femme, l'air déçu. Quand aurez-vous terminé, Noah ?

Alana n'en perdait pas une miette, curieuse de voir comment il allait se dépêtrer de la situation. Ce qui était certain, c'est qu'il avait du mal à garder son calme !

Il tendit la main vers son chapeau posé sur la table de bois éraflé qui semblait servir de vide-poches.

— En quoi puis-je vous être utile, mademoiselle ? reprit-il d'une voix égale.

— Je m'appelle Cindy, minauda-t-elle.

Alana se mordit la lèvre pour garder son sérieux. Noah Calder se coiffa de son Stetson avec une nonchalance étudiée qui lui donna l'intime conviction qu'il fallait interpréter son attitude comme une fin de non-recevoir, pourtant aucune femme normalement constituée n'aurait songé à battre en retraite à la vue de ce jeune et fringant cow-boy, son chapeau crânement vissé sur la tête.

Elle profita de ce qu'il était accaparé par les nouvelles venues pour l'observer. En dépit de son emploi du temps chargé, elle savait apprécier un beau mâle quand elle en rencontrait un. Elle avait acquis une certaine expérience en la matière après des années passées à côtoyer des mannequins et des acteurs, et n'ignorait pas que l'emballage n'avait souvent pas grand-chose à voir avec le contenu.

En tout cas, ce Noah avait fière allure. Elle se le figurait sans mal vantant une eau de toilette de Ralph Lauren. Il serait rapidement devenu la coqueluche des agences publicitaires de New York. La façon dont son jean râpé moulait ses hanches minces et ses cuisses musclées signifiait qu'il devait passer le plus clair de son temps à cheval. Elle aurait adoré le voir chevaucher un fier étalon. Curieux que cette image lui traverse soudain l'esprit ! Quant à imaginer vivre une idylle avec ce beau cow-boy, voilà qui relevait du fantasme le plus fou.

Elle aurait dû au contraire lui en vouloir atrocement pour le traitement cavalier qu'il lui avait réservé concernant le vol de ses affaires. En tout cas, son physique de jeune premier et l'embarras où le plongeaient visiblement les attentions soutenues de ces deux jeunes dévergondées étaient le cadet de ses soucis. Elle avait suffisamment de problèmes comme cela ! A commencer par sa réservation au Sundance. Qu'est-ce qui avait bien pu se passer pour que cette Rachel n'en trouve pas trace ? Ce voyage était vraiment la pire décision qu'elle ait prise de sa vie ! Elle aurait tout donné pour reprendre l'avion et rentrer chez elle.

Mais il lui fallait d'abord récupérer ses bagages, car sans papiers, elle n'irait pas loin.

— Pourrait-on en finir ? demanda-t-elle avec une exaspération mal dissimulée au moment où il contournait la table en direction des deux filles.

Il gagna la porte et l'ouvrit en grand.

— Mesdemoiselles, s'il n'y a rien d'autre pour votre service, je ne vous retiens pas…

Les filles échangèrent des regards déçus.

— Nous serons au Watering Hole, au cas où…, lança la dénommée Cindy en sortant, son amie sur ses talons.

Le shérif revint alors à son bureau et se pencha sur le tiroir du milieu.

— A en croire les commentaires que j'ai lus sur le Sundance, vous êtes très populaire, lui assena Alana, histoire d'enfoncer le clou.

Il fouilla dans le tiroir, un pli de contrariété au coin de la bouche.

— Allons-y, dit-il.

— Où ça ?

— Vous installer pour la nuit.

— Merci, j'apprécie. Je vous rembourserai les frais dès que possible…

— Par ici, s'il vous plaît.

Elle remarqua la clé qu'il tenait à la main.

Il désigna du menton le fond de la pièce, où un couloir menait à une autre porte. Son pick-up était-il stationné derrière le bâtiment ?

Il s'effaça pour la laisser passer. Le couloir était si étroit qu'elle dut se plaquer contre lui. Elle effleura son torse de son bras et ses hanches frôlèrent les siennes ; un contact bref, intense, qui accéléra son rythme cardiaque.

Elle s'en irrita. Son opinion sur cet homme devait se cantonner au plan professionnel. Point final.

La poignée de la porte résista.

Il s'approcha, si près qu'elle sentit son haleine tiède lui chatouiller l'oreille, et ouvrit le battant d'une secousse.

— C'est coincé, ça arrive de temps en temps.

Elle avait les jambes en coton et peinait à garder son équilibre. Elle n'avait rien avalé de la journée, à l'exception d'un café pendant le voyage. Elle avait beau parcourir le monde, elle avait toujours une boule d'angoisse à l'estomac chaque fois qu'elle prenait l'avion.

— Mademoiselle Richardson ? Ça va ?

— Très bien, je vous remercie.

Elle sentit ses doigts se poser au creux de ses reins et surprit son regard inquiet, fixé sur elle.

— Vous êtes toute pâle.

— J'ai eu une longue journée. Ce n'est pas une mince affaire de relier New York au Montana en s'y prenant à la dernière minute.

Il l'écoutait avec intérêt.

— Pourquoi ? Vous étiez en retard ?

Elle eut un petit sourire en imaginant la réaction de sa mère à la lecture du message énigmatique qu'elle lui avait laissé. Elle avait d'ailleurs chargé sa femme de ménage et le portier de son immeuble de prévenir Eleanor qu'elle se trouvait dans les Caraïbes, au cas où cette dernière les contacterait.

— Oui, et j'ai raté mon avion. Vous pouvez m'appeler Alana.

— D'accord. Moi, c'est Noah.

Elle se noya un instant dans son regard ensorcelant et s'obligea à détourner la tête. Bon sang, elle n'allait quand même pas singer ses groupies hystériques !

Elle ouvrit la porte à la volée et se figea sur le seuil, stupéfaite.

L'espace consistait en deux cellules avec une couchette et un W.-C. pour tout mobilier.

4

Noah précéda Alana dans l'une des deux cellules munie d'une petite fenêtre à barreaux et d'un lit en relativement bon état. Il n'était pas certain d'avoir pris la bonne décision en la mettant sous les verrous et ne pouvait s'empêcher d'éprouver une pointe de culpabilité. Et si elle était vraiment une touriste innocente qui s'était trouvée au mauvais endroit au mauvais moment, comme elle l'affirmait ? Si la nouvelle de cet incident venait à se savoir, les touristes déserteraient Blackfoot Falls, c'était certain. Sans compter qu'il n'oserait plus regarder les McAllister en face. Rachel avait travaillé si dur à son affaire de chambres d'hôtes pour sortir le ranch de ses difficultés !

En plus, Alana avait vraiment l'air désorientée et mal en point. Si elle était bien la femme du couple suspect identifié par le shérif Moran et qu'elle avait été doublée par son complice, elle avait de quoi se sentir désarmée et perdre les pédales.

A moins qu'elle ne le mène en bateau ? Il ne pouvait pas prendre le risque. Même si son expérience des escrocs était limitée, il avait entendu dire qu'ils avaient de nombreuses cordes à leur arc pour abuser les gens. La réalité, en la matière, dépassait bien souvent la fiction. On pouvait tout à fait s'attendre à ce qu'un truand vienne frapper à la porte du bureau du shérif pour donner le change, avant de saisir la première occasion de passer la frontière.

En tout cas, que cette femme soit innocente ou pas,

se faire dépouiller de ses biens en plein jour, devant une demi-douzaine de personnes qui n'avaient rien vu, dépassait l'entendement. Certes, compte tenu des vols récents, cette affaire devait être prise en considération, mais les incidents précédents relevaient tous d'un mode opératoire différent. Une farce de l'équipe de foot du lycée, peut-être ? Peu probable, les jeunes filaient droit depuis qu'ils avaient un nouvel entraîneur. Et si on avait voulu le faire marcher à cause des attentions que lui prodiguait la clientèle féminine du Sundance ? Ce ne pouvait pas être Cole ou Jesse. Ils avaient autre chose à faire. Trace, en revanche, était bien capable d'avoir inventé cette histoire abracadabrante juste pour voir sa réaction.

Il recula en tenant la porte de la cellule grande ouverte et observa l'incrédulité se peindre sur le visage de la jeune femme. Si elle faisait semblant, c'était incontestablement une bonne actrice !

L'incrédulité se mua très vite en horreur.

— C'est une plaisanterie ?

— Je vous fournirai des draps propres.

— Je ne resterai là-dedans pour rien au monde ! C'est complètement insensé ! Vous voulez me boucler en prison alors que je suis une victime ?

— Je vous offre un endroit sûr pour dormir, nuance. La cantine n'est pas mauvaise non plus, vous savez. Marge, la patronne du snack d'en face, vous apportera vos repas.

— Si c'est une blague, elle n'est pas drôle.

— C'est à vous de me le dire. C'est Trace qui a orchestré cette farce, n'est-ce pas ?

— Trace ? Qui est-ce ?

Il soupira. Peut-être se fourvoyait-il, finalement. Après tout, elle ne ressemblait pas à l'une des dindes aguicheuses qui séjournaient au Sundance.

— La petite scène dans mon bureau semblait vous plaire.

Elle esquissa un sourire gêné.

— Peut-être, oui. Mais de là à me boucler, vous exagérez !

— Si j'exagère ? Absolument pas ! J'ai pensé que ce serait une bonne solution, au contraire. Du moins pour cette nuit.

Elle écarquilla ses beaux yeux noisette.

— N'y a-t-il pas un hôtel en ville ?

Il fit non de la tête.

— J'aimerais parler à la propriétaire du Sundance, alors. Je suis sûre qu'on pourra s'arranger. Je dormirai sur un canapé, s'il le faut.

Il était hors de question de la laisser contacter Rachel, laquelle avait effectivement proposé de l'héberger dans l'aile familiale. Tant qu'il ne saurait pas si cette femme était ou non celle que la police recherchait, il ne pouvait pas la relâcher dans la nature et encore moins l'envoyer chez les McAllister. Il était plus prudent de la surveiller, le temps de vérifier son identité. C'était quand même étrange qu'elle ait refusé d'avertir un membre de sa famille ou un ami.

Il referma la porte de la cellule.

— Il y a une autre possibilité… Je peux vous offrir une chambre chez moi. J'habite au coin de la rue.

Il lui aurait imposé une fouille au corps qu'elle n'aurait pas eu l'air plus étonnée.

— Vous me proposez de loger chez vous ?

Il regrettait déjà ses paroles. Même si, réflexion faite, c'était une bonne idée. Il pourrait ainsi l'avoir à l'œil, d'autant que la moindre des choses était de lui procurer un toit dans l'éventualité où elle était vraiment innocente.

— Exactement. Il y a un lit avec un matelas neuf. Ce n'est pas le grand luxe, mais comme vous n'avez pas de bagages…

— Vous n'avez pas peur du qu'en dira-t-on ?

Noah éclata de rire. Il ne s'attendait pas cette réaction.

Elle lui jeta un regard irrité.

— Je ne ressemble peut-être pas à Cindy, mais ça n'empêchera pas les gens de médire sur votre compte.

— Vous me surprenez. J'avais plutôt l'impression que vous vous moquiez comme d'une guigne de ce qu'on pouvait penser de vous.

— Vous avez raison.

Il la croyait. Cette fille-là, seul un tremblement de terre pouvait la déstabiliser ! Elle lui rappelait Kara, une avocate qu'il avait fréquentée à Chicago. Un bourreau de travail, perfectionniste et près de ses sous. De quoi devenir dingue. C'était d'ailleurs l'une des raisons pour lesquelles il avait du mal à imaginer Alana choisir un ranch pour venir en villégiature.

— Je vous emmène chez moi, ensuite nous irons dîner chez Marge, d'accord ?

— J'aimerais d'abord acheter une brosse à dents.

Il s'effaça pour la laisser passer dans le couloir.

— J'en ai une à la maison.

— Je n'en doute pas, murmura-t-elle.

Il devina ses paroles plutôt qu'il ne les entendit et sourit en lui emboîtant le pas, admirant au passage ses longues jambes fuselées que sa veste trois-quarts laissait entrevoir.

— Pourriez-vous me prêter un peu d'argent ? lança-t-elle par-dessus son épaule. J'aurais besoin de me procurer deux ou trois bricoles. Je noterai toutes mes dépenses et je vous rembourserai au plus vite.

Parvenue dans le bureau, elle fit si brusquement volte-face que surpris, il faillit la bousculer et la retint par le coude.

Elle plaqua une main sur son torse afin de reprendre l'équilibre.

— Oh ! Désolée.

— Avez-vous le vertige ?

Elle retira vivement sa main.

— Non, non, pas du tout.

La voyant vaciller sur ses jambes, il ne lâcha pas prise.

— C'est la deuxième fois que ça vous arrive. Etes-vous sûre que ça va ? Voulez-vous consulter un médecin ?

Elle secoua la tête, faisant voleter ses cheveux qui flottaient librement autour de son visage en forme de cœur.

— Auriez-vous un peu de sucre, par hasard ? Je pense que je suis en hypoglycémie.

— Etes-vous diabétique ?

— Non, mais je n'ai pas mangé depuis un bout de temps.

Il passa son bras autour de ses épaules plus frêles qu'il ne l'aurait cru sous l'épais vêtement de tweed et la guida vers la chaise.

— Nous allons y remédier tout de suite. Asseyez-vous.

Elle s'obstina à rester debout.

— Je vais bien, je vous dis. Et j'aimerais vraiment effectuer mes achats avant d'aller chez vous.

Noah ouvrit le tiroir où Roy cachait les friandises que sa femme lui interdisait à la maison.

— Tenez, dit-il en lui tendant un caramel et quelques chocolats.

Elle accepta le caramel.

— Il n'est pas éventé, j'espère ?

— Je doute que Roy laisse traîner des bonbons très longtemps.

Elle dépiauta le papier avec des doigts tremblants.

— Vous n'oublierez pas de le remercier pour moi ?

Il éprouva malgré lui un élan de sympathie. Il réussit à la convaincre de s'asseoir, puis alla chercher dans le miniréfrigérateur une bouteille d'eau qu'il ouvrit et plaça devant elle, tandis qu'elle fourrait délicatement le caramel entre ses lèvres.

Elle se passa ensuite le bout de la langue sur ses lèvres et une poussée de désir envahit brusquement Noah à cette vue. Il s'empressa de détourner la tête. Il devrait peut-être s'asseoir à son tour ? Elle avait visiblement besoin de quelques instants de répit, exactement comme lui. Il se sentit mieux dès qu'il se retrouva à bonne distance, à l'abri derrière son bureau.

Il vit ses yeux s'attarder sur son torse, avant de remonter se river aux siens.

— Je suis assommante, je sais.

— Vous n'y êtes pour rien. J'espère que vous ne tiendrez pas rigueur au Sundance pour ce qui s'est passé.

— Je n'ai rien contre eux. C'est entièrement ma faute si j'ai été négligente. J'habite New York. J'aurais dû me tenir sur mes gardes.

— New York ? Vous n'avez pas d'accent pourtant.

Elle esquissa un grand sourire qui le subjugua. Il lui conférait un charme fou, capable de faire craquer n'importe quel homme.

— Vous non plus, shérif.

— Un point pour vous.

— En fait, j'ai fréquenté un collège privé dans le Connecticut. La directrice interdisait les accents. De toute façon, si elle ne l'avait pas fait, ma mère s'en serait mêlée. On y va ? Sinon, je retire ma veste. Il fait un peu trop chaud ici, je trouve.

— Je suis garé un peu plus loin dans la rue. Croyez-vous pouvoir marcher jusque-là ?

— Mais nous allons d'abord faire les courses, n'est-ce pas ?

— Oui… Buvez un peu d'eau avant…

Elle hocha la tête, s'humecta les lèvres et tendit la main pour prendre la bouteille avant de se raviser.

— J'ai vraiment trop chaud, dit-elle en ôtant sa veste.

Noah loucha alors sur ses seins qui pointaient sous son

chemisier, puis s'obligea à regarder ailleurs quand il se rendit compte de ce qu'il faisait.

— Pourquoi n'avez-vous rien mangé ?

Elle prit son temps avant de répondre, à tel point qu'il se demanda la raison de ses réticences. Elle attrapa la bouteille et but avidement.

— J'étais pressée, finit-elle par répondre.

Inutile de la brusquer s'il voulait arriver à ses fins.

— Vous étiez en retard ?

Elle se tamponna les lèvres avec un soupir de satisfaction.

— En quelque sorte. Ouf, je me sens mieux… Je pensais qu'il ferait plus frais dans le Montana, à cette période de l'année.

— C'est le cas à cette altitude après le coucher de soleil. N'oubliez pas que nous sommes très au nord. Vous avez raison, il fait effectivement un peu étouffant ici, j'avais tout fermé juste avant votre arrivée. C'est la première fois que vous visitez la région ?

— Oui, je n'ai pas beaucoup voyagé en dehors des côtes Est et Ouest.

Si elle était bien la femme du couple d'escrocs qui avaient sévi dans le comté de Potter, elle mentait comme un arracheur de dents ! Mais peut-être qu'elle était sincère… Il penchait intuitivement pour la seconde hypothèse, ce qui n'était pas très professionnel de sa part.

Il coiffa son chapeau et se leva.

— On y va ?

Elle se leva à son tour, l'œil vitreux, et jeta sa veste sur son bras.

— On peut attendre encore un peu, si vous préférez.

Elle redressa le menton.

— Non, merci, ça va aller.

*
* *

Apprenant que la maison du shérif se trouvait à quelques centaines de mètres à peine et qu'il laissait généralement sa voiture garée devant le commissariat, Alana insista pour marcher.

Tandis qu'ils approchaient du Watering Hole, Noah lui saisit le bras et l'entraîna de l'autre côté de la rue.

— Alors, on traverse en dehors des clous ? dit-elle.

Il éclata de rire, les yeux brillant de malice.

— Vous vous sentez mieux, à ce que je vois.

— Allons-y, suggéra-t-elle en désignant le pub sur le trottoir d'en face. Vous aimerez peut-être y retrouver Cindy et son amie ?

— Très drôle !

Elle accéléra le pas pour rester à sa hauteur.

— Pardonnez-moi, mais je n'ai pas pu m'en empêcher !

Il rabattit les manches de sa chemise sans s'arrêter.

— Si c'est comme ça que vous me remerciez de mon hospitalité, vous pouvez toujours retourner dormir en prison.

— En parlant de prison, que comptez-vous faire à propos de M. Gunderson et de mes bagages ?

— Mes adjoints et moi allons interroger tous ceux qui auraient pu se trouver aux alentours du pub. Il y a sûrement eu des témoins.

— Gunderson sait quelque chose, j'en mettrais ma main au feu.

— Je m'occuperai de lui moi-même.

— Quand ?

— Bientôt.

Ils tournèrent au coin de la rue en silence avant de gravir une petite rue en pente.

— Nous y voilà, dit-il.

Elle avisa une petite maison bleue aux volets, portes et clôture peints en blanc.

— C'est à vous ?

Il ouvrit le portail.

— J'y habite, mais c'est le Comté qui en est le propriétaire. Un des avantages du métier…

— C'est très joli !

— Vous trouvez ?

— Absolument.

— Merci.

Elle franchit le portail derrière lui et remonta sans
hâte l'allée qui menait à l'entrée, essayant d'imaginer les
plates-bandes débordant de fleurs de toutes les couleurs
au lieu des restes de pâquerettes et d'œillets fanés qui les
envahissaient. Elle distingua une poignée de chrysanthèmes
roses et jaunes qui tenaient encore la route.

Elle s'immobilisa devant le porche et promena ses
regards alentour.

— C'est vous qui avez planté toutes ces fleurs ?

— Non, répondit-il, interloqué.

— Les hommes jardinent aussi, vous savez.

Il gravit les quatre marches du perron pour ouvrir la
moustiquaire et la porte, qui n'était pas verrouillée.

— Très peu pour moi. Ce sont les dames bénévoles
du Comité pour l'amélioration du cadre de vie qui s'en
s'occupent.

— Ça fait aussi partie de vos attributions ?

— Je n'ai jamais abordé le sujet avec elles, mais je
doute d'avoir mon mot à dire là-dessus.

— Un homme intelligent sait quand il faut lâcher du lest.

— Amen !

Parfaitement à l'aise à présent, elle brûlait de caresser du
doigt la petite fossette qui creusait sa joue quand il souriait.

Elle se retint et le suivit à l'intérieur. Malgré la situation
délicate où elle se trouvait, Noah Calder lui plaisait beaucoup, surtout quand il affichait un visage détendu. Elle
n'aurait pas apprécié un bellâtre sans personnalité.

Il faisait encore jour, mais le soleil déclinant à l'ouest de la maison noyait le salon dans l'ombre. Noah alluma de part et d'autre du canapé en cuir beige deux lampes de cuivre qui dispensèrent une lumière tamisée. Elle considéra le plancher usé et les murs coquille d'œuf. Deux tapis tressés — l'un placé devant le canapé, l'autre devant la cheminée en pierre qui occupait presque tout un pan de mur — apportaient leurs touches de couleur dans ce sobre décor.

— Je n'ai pas fait grand-chose dans cette maison, comme vous voyez, dit-il en tournant le commutateur du couloir.

— Il y a longtemps que vous habitez ici ?

Il ôta son chapeau et se frotta le crâne avec une grimace.

— Un petit moment, oui. La cuisine est par là, ajouta-t-il en désignant d'un geste une porte derrière une table en chêne, flanquée de quatre chaises et d'un vaisselier. Le frigo et le garde-manger sont pleins. Venez, je vais vous montrer la chambre d'amis…

Elle le suivit, secrètement ravie de pouvoir admirer ses belles fesses fermes et ses jambes interminables, qu'allongeaient encore les talons ferrés de ses bottes.

— Combien mesurez-vous ? demanda-t-elle sans réfléchir.

Il lui jeta un coup d'œil amusé.

— Un mètre quatre-vingt-dix. Vous êtes grande vous aussi, même sans vos talons.

— Je dois reconnaître que j'aime assez ça, commenta-t-elle sans trop savoir pourquoi.

Il ouvrit la porte d'une petite chambre moquettée de beige foncé, peinte de la même nuance que le salon. Les rideaux vichy bleu semblaient avoir été confectionnés à la main, de même que l'édredon en patchwork bleu marine et marron recouvrant le grand lit.

— Le lit est assez confortable. J'espère que vous vous plairez ici.

— J'en suis sûre. En tout cas, ce sera toujours mieux que la cellule où vous vouliez m'enfermer.

Noah sortit son téléphone de sa poche et le lui tendit.

— Dépêchez-vous de faire opposition sur vos cartes bancaires.

Elle fixa le petit portable noir qu'il tenait au creux de sa main en essayant de se rappeler le contenu de son portefeuille. Un vrai cauchemar ! Elle qui était si fière de sa capacité à garder la tête froide en toutes circonstances. Chez Giles et Reese Publicité, elle était à la fois jalousée et redoutée. Et elle adorait cela. Il faut dire qu'elle avait activement peaufiné son image de superwoman indispensable.

Mais pour l'heure, elle se sentait pareille à une pauvre idiote, et sa fierté en prenait un coup.

— Merci, dit-elle, en acceptant le téléphone avec le même enthousiasme que si elle se rendait chez le dentiste.

D'où venait donc la boule d'émotion qui lui nouait l'estomac ? La fatigue, la faim, l'impuissance... autre chose ? Mais quoi ?

Il lui jeta un regard soucieux.

— Vous avez besoin de nourriture et d'un verre... quelque chose de fort.

— Vous avez raison, admit-elle d'une voix cassée. Auriez-vous par hasard les numéros de téléphone d'American Express et de Visa ?

Il la débarrassa de sa veste qu'il posa sur le lit et lui prit le bras pour la guider dans le couloir en direction du salon. Elle voulut s'écarter, mais il ne lâcha pas prise et l'entraîna promptement vers le canapé.

— Asseyez-vous.

— Je pensais...

Sans l'écouter, il s'assura qu'elle était bien installée

et tira de la poche de sa chemise un petit carnet dont il déchira une feuille qu'il lui tendit avec un stylo.

— Je vais préparer des œufs et du pain grillé. Mais avant, je vous apporte un whisky, comme promis. En attendant, appelez les renseignements pour obtenir les numéros dont vous avez besoin et faites vite vos appels.

— Et mes courses ?

— Vous allez manger d'abord, décréta-t-il d'un ton sans réplique, en se dirigeant vers la cuisine.

D'ordinaire, c'était elle qui commandait, pas le contraire. La fermeté qu'il affichait la stimula.

— Merci, mais je vous signale que je n'aime pas les œufs brouillés.

Il se retourna.

— Alana ?

— Oui ?

— Bienvenue chez moi…

5

Noah sortit deux T-shirts de sa commode, un blanc tout neuf encore dans son emballage et un noir à manches longues porté une seule fois. Alana pourrait ainsi choisir celui qu'elle préférait, le temps de faire ses emplettes.

Il n'était que 18 h 30, mais la supérette avait fermé plus tôt que d'habitude, Abe, le propriétaire, devant se rendre à Billings pour chercher des décorations d'Halloween. L'horaire d'hiver était toujours un peu farfelu à Blackfoot Falls. Seuls le pub et le bistrot de Marge restaient ouverts tard le soir.

Il leva les yeux en entendant frapper à la porte de sa chambre et découvrit Alana adossée au chambranle, la tête légèrement inclinée, ses boucles brunes ébouriffées, l'air hagard. Vu le peu de nourriture qu'elle avait ingurgité, il se dit qu'il aurait été bien inspiré de ranger la bouteille de whisky après le deuxième verre.

Elle étouffa un bâillement dans sa main.

— C'est pour vous, dit-elle en lui tendant le portable.

Elle s'était endormie sur le canapé et la sonnerie avait dû la réveiller. Il la rejoignit en deux enjambées, récupéra le téléphone et lui remit en même temps les vêtements.

— Bonsoir, Roy, oui, elle logera chez moi, répondit-il à son adjoint qui venait aux nouvelles, tout en regardant son invitée déplier le T-shirt noir, le nez froncé en une délicieuse petite moue.

Il eut soudain très chaud et préféra écourter la conversation.

— On se reparle plus tard. Pourriez-vous dire à Cole McAllister que je le rappellerai tout à l'heure ?

— Qu'est-ce que c'est ? demanda-t-elle en désignant les vêtements, ses yeux noisette embrumés de sommeil.

— De quoi vous changer jusqu'à ce que vous fassiez vos courses, demain.

— On n'y va pas maintenant ?

— Il est trop tard. C'est fermé.

Elle consulta sa montre.

— Il est presque 20 heures ! J'ai dormi longtemps ?

— Quelques minutes, je crois. En réalité, il est seulement 19 heures.

Elle fit glisser sa montre de son poignet et entreprit de changer l'heure.

— Donnez, je m'en charge…

Il s'empara de la Rolex qui n'était pas à l'heure de la côte Est, ni à celle du Montana. Intéressant… L'argument susceptible d'étayer ses affirmations, selon lesquelles elle était une simple touriste arrivée en avion un peu plus tôt dans la soirée, tombait à l'eau. Il soupesa l'objet dans le creux sa main. Il était en or massif ; la couronne, sigle de la marque, était à la bonne place et la trotteuse marchait parfaitement. C'était donc une authentique Rolex et elle avançait d'une heure. Il la régla avant de la lui rendre.

Elle le remercia d'un sourire en pressant le T-shirt contre sa joue.

— Mmm… C'est doux. C'est à vous ?

La voir frotter ainsi le fin tissu contre son visage provoqua en lui un drôle de pincement au cœur. Peut-être parce que, avec ses yeux encore embués de sommeil, elle avait l'air différente, plus détendue et très sexy. Sans parler de son chemisier entrebâillé dévoilant un bout de dentelle rose et de peau pâle qu'il entrevit une fraction de seconde.

Il s'avança vers la porte dans l'espoir qu'elle comprendrait l'allusion et tournerait les talons.

— Oui, le blanc est tout neuf et l'autre est fraîchement lavé.

Elle ne bougea pas d'un pouce, la tête et les épaules contre l'encadrement de la porte, un sourire au coin des lèvres.

— En plus d'être séduisant, vous pouvez aussi être charmant quand vous voulez.

Il respira à fond, désarçonné par ces paroles, et l'incita à le suivre dans le couloir.

— Avez-vous encore faim ? Le bistrot de Marge est ouvert pendant une bonne heure encore.

— Non, merci, les œufs et le pain grillé étaient suffisants. Et vous ? Je peux vous attendre ici si vous voulez sortir, je trouverai à m'occuper.

— Ce ne sera pas nécessaire.

Il l'entraîna vers le salon, incapable de se départir du trouble qui l'avait saisi lorsqu'elle était dans sa chambre. Peut-être parce qu'il s'était toujours abstenu d'emmener une femme chez lui. Impossible de préserver son intimité dans cette petite ville de province, où les potins allaient bon train et où des regards curieux épiaient vos moindres faits et gestes, même derrière les portes closes.

Quand l'envie lui en prenait, il se rendait à Twin Creek Crossing, dans le comté voisin. Tania, la serveuse du Sully, était jolie, généreuse et se contentait d'un bon dîner, d'un peu de conversation et de chaleur humaine.

Alana s'immobilisa et désigna une porte.

— C'est la salle de bains ?

La maison était ancienne et ne possédait qu'une minuscule salle d'eau aux murs couleur turquoise du plus mauvais goût. Combien de fois s'était-il promis de les repeindre en blanc ?

— Oui, j'ai déposé des serviettes propres à votre intention.

— Merci. Puis-je utiliser la douche ?

Il alluma la lumière.

— Allez-y. Au fait, j'espère que vous n'avez pas peur des chiens ?

— Je les adore au contraire… A condition qu'ils ne me bavent pas dessus.

— J'ai un border collie croisé. Il s'appelle Dax. Il est dehors la journée, mais rentre la nuit. Je vais lui faire la leçon pour qu'il se conduise sagement.

— C'est trop gentil, fit-elle en s'enfermant dans la salle de bains.

Il sortit son portable dès que l'eau se mit à couler. Après avoir rappelé son adjoint pour discuter de l'enquête et lui enjoindre se montrer discret au sujet d'Alana, il téléphona à Cole McAllister.

— Ce n'est pas trop tôt, je pensais que tu étais aux abonnés absents ! lança ce dernier en guise de salut.

Noah attrapa au passage un verre et la bouteille de whisky dans le placard de la cuisine.

— J'étais sûr que tu dirais ça. Qu'est-ce que Roy a bien pu te raconter encore ?

— Que tu as une otage.

Noah se versa deux doigts d'alcool, rangea la bouteille et se dirigea vers la porte de derrière, sourd aux taquineries de son ami. C'était de bonne guerre. Après tout, il s'était lui-même moqué tant et plus, lorsque, deux mois plus tôt, Cole était sorti avec une cliente du Sundance, qu'il avait ensuite poursuivie de ses assiduités jusqu'en Californie.

— Tu as bientôt fini, oui ?

— Pas encore, gloussa Cole. Tu pourrais peut-être me dire de quoi il retourne ? Roy a été plutôt confus.

Noah ouvrit la porte à moustiquaire. Son adjoint aurait dû garder sa langue, mais il avait tendance à se lâcher en présence des McAllister, sachant qu'ils étaient proches.

— N'en parle à personne, seulement à Jesse si tu y tiens, mais surtout pas à Rachel.

— D'accord.

Entendant la voix de son maître, Dax jaillit de sa niche et galopa à sa rencontre avec des bonds joyeux.

Noah faillit lâcher son verre qu'il posa sur la table de jardin en séquoia qui ne servait jamais.

— Doucement, mon vieux, dit-il en caressant la tête du chien.

Il s'assura que la salle de bains était toujours éclairée avant d'expliquer toute l'histoire à son ami.

— C'est quand même une drôle de coïncidence qu'elle ait débarqué comme ça, non ? commenta Cole.

— Oui. Quant au vol de ses bagages, j'ai du mal à croire qu'on ait pris un tel risque et que personne n'ait rien vu. Il y a quelque chose qui m'échappe.

— Tu devrais suivre ton intuition.

— Oui, et mon intuition me dit que je ne peux pas laisser Rachel lui louer une chambre, c'est trop dangereux.

Voyant la lumière de la salle de bains s'éteindre, Noah raccrocha et rentra avec Dax par la porte de derrière. Il fit halte dans la cuisine pour laver son verre qu'il posa sur l'égouttoir.

L'animal sentit aussitôt qu'ils avaient un visiteur à la maison et fila hors de la pièce.

Noah l'appela en vain. Seul un bref jappement lui répondit.

— Oh ! Oui, mon chien, tu es beau, toi ! entendit-il Alana s'exclamer.

Il gagna le salon au pas de course et la trouva à genoux,

occupée à caresser Dax qui paraissait bien décidé à lui lécher le menton, la poussant du museau au risque de la faire tomber.

Apparemment, aucun des deux ne voulait lâcher prise.

Elle avait enfilé le T-shirt noir à manches longues, sans remettre son pantalon. Le cœur de Noah s'emballa aussitôt. Il ne lui était pas venu à l'esprit de lui prêter un bas de survêtement. A la réflexion, il n'était même pas sûr d'en posséder un.

— Dax, viens ici !

— Laissez, il ne me dérange pas, dit-elle, tandis que l'animal faisait une nouvelle tentative aussi infructueuse.

— Dax, ici tout de suite ! répéta-t-il avec autorité.

Le chien obéit, la queue basse.

Alana tira sur l'ourlet du T-shirt qui lui descendait à mi-cuisses et se redressa, une main en appui sur le mur.

Il laissa son regard errer sur ses longues jambes fuselées, leva les yeux et se figea, constatant qu'elle ne portait pas de soutien-gorge.

— Le T-shirt vous va bien, bredouilla-t-il, incapable de détourner les yeux de ses jolis seins ronds qui montaient et descendaient au rythme de sa respiration.

— Merci, et par chance, il est plus long que je ne le pensais !

Pas assez long, cependant, ni assez épais ! Pas suffisamment pour sa tranquillité d'esprit, en tout cas. Les nerfs à vif, le sexe tendu de désir, il se pencha pour caresser Dax avant qu'elle ne remarque son érection.

— J'aurais aussi un pantalon de pyjama à vous prêter.

— Volontiers. J'ai un peu froid.

Il retourna dans sa chambre pour fouiller dans le dernier tiroir de la commode, tout en pestant contre lui-même. Qu'est-ce que c'était que cette réaction d'adolescent ? Il finit par dénicher ce qu'il cherchait — un bas de pyjama à carreaux verts et bleus avec un cordon de serrage, un cadeau de Noël qu'il n'avait jamais porté. Voilà qui couvrirait ses jambes, ce qui serait une bonne chose pour tous les deux, se félicita-t-il en repartant.

Le souvenir extrêmement précis de l'endroit où le T-shirt s'arrêtait, dénudant ses jambes interminables, de ses mamelons durs pointant à travers la mince cotonnade, l'obligea à s'attarder dans la salle de bains pour s'asperger le visage d'eau froide.

Il attendit de reprendre ses esprits avant de regagner le salon où il trouva Alana assise sur le canapé, les jambes repliées sous elle, susurrant des mots doux au chien qui la fixait avec adoration.

Il lui tendit le pyjama.

— Un cadeau de Noël de ma mère. Il faudra probablement retrousser le bas.

— Merci.

Il nota avec un soulagement mêlé de regret qu'elle avait drapé le plaid marron du sofa autour de ses épaules.

— Vous avez un admirateur, à ce que je vois.

Elle sourit au chien.

— Je lui ai promis une gâterie.

Les oreilles du chien se dressèrent aussitôt.

— Oh ! Il comprend ce que je dis ?

Noah s'installa dans le fauteuil inclinable.

— Oui, surtout quand il veut quelque chose. Maintenant, vous allez être obligée de lui donner sa friandise. Les biscuits pour chiens se trouvent sur le comptoir de la cuisine.

Elle posa avec précaution les pieds sur le sol en s'entortillant dans le plaid.

— Vous êtes toujours en service ? demanda-t-elle en se dirigeant vers la cuisine, Dax à la remorque.

Quelle malchance ! Son chien, ce traître, lui obstruait la vue !

— Non, pourquoi cette question ?

— Vous portez encore votre chemise d'uniforme.

Elle disparut dans la pièce, d'où il l'entendit soulever le couvercle du pot en céramique, avant de reparaître, un gâteau à la main, Dax toujours sur ses talons.

Le plaid découvrait à moitié sa poitrine et ses jambes. Noah admira alors ses mollets galbés, ses chevilles minces et ses orteils laqués d'un joli rose pêche. Punition ou récompense ? Il aurait été bien en peine de le dire.

Elle s'immobilisa, le regard sévère.

— Assis !

Dax s'exécuta docilement avant de sauter pour attraper le biscuit, mais Alana leva brusquement la main, hors de sa portée.

— Non. Tu restes assis, bonhomme.

Elle savait se faire obéir, de toute évidence. Le whisky l'avait amollie, mais ses effets s'étaient dissipés et elle était redevenue la femme qui avait fait son apparition dans son bureau, en fin d'après-midi. Ses élégants vêtements en moins. Et elle était encore plus belle, si c'était possible.

Il sentit derechef son sexe durcir et s'agita sur son siège en priant pour qu'elle regarde ailleurs. Cela n'avait aucun sens ! D'ordinaire, il ne perdait pas ses moyens de la sorte en présence d'une femme, pas depuis son adolescence, en tout cas, et certainement pas avec une suspecte potentielle ! Le seul point positif était qu'elle ne ressemblait pas aux jeunes écervelées qui séjournaient au Sundance.

La queue pendante, le chien jeta un regard malheureux à son maître.

— Ne te plains pas. On dirait que tu as trouvé à qui parler, mon vieux.

— D'accord, tu es un bon chien, déclara alors Alana en lui tendant la friandise.

Dax la saisit au vol avant qu'elle ne change d'avis et alla

se coucher sur le tapis, devant la cheminée, son endroit de prédilection, le biscuit coincé entre ses pattes de devant.

Les mains croisées sur la poitrine, Alana l'observa avec tendresse.

— Il est croisé labrador, n'est-ce pas ?

— Oui, et chien de berger, je crois, plus autre chose. Je l'ai trouvé il y a trois ans. Il avait environ sept mois. Le pauvre n'avait plus que la peau sur les os.

La stupeur se peignit sur les traits de la jeune femme.

— Je n'aurais jamais pensé qu'on puisse abandonner les animaux ici aussi.

— Vous plaisantez ? Dans les campagnes, les chiens et les chats doivent se rendre utiles pour être bien traités. Ils doivent garder le bétail ou chasser les souris, par exemple.

— Et Dax alors, il vous sert à quoi ?

— Il me tient compagnie.

Elle se rassit sur le canapé avec un grand sourire qui illumina son visage.

— Vous êtes un tendre, j'en étais sûre.

— Un tendre ? Moi ? C'est une plaisanterie ?

Alana s'enveloppa plus étroitement dans le plaid.

— Avez-vous grandi ici ?

Elle avait oublié d'enfiler le pantalon de pyjama, ce qu'il se garda bien de lui rappeler.

— Oui, je suis né dans un petit ranch à quinze kilomètres d'ici environ.

— Est-il toujours en activité ?

— Oui.

— Pourquoi demeurez-vous en ville alors ?

— Est-ce que vous habitez encore chez vos parents ?

— La simple idée de vivre avec ma mère me donne des boutons ! répondit-elle.

Cette remarque, en apparence anodine, réveilla immédiatement le policier en lui. Il tendit l'oreille, tous les sens en éveil. Elle pourrait peut-être lui livrer à son insu de précieuses informations.

— Où vit-elle ?

— A Manhattan, à trois kilomètres de chez moi, mais nous sommes toutes les deux si occupées que nous nous voyons à peine. Un dîner deux fois par mois en moyenne, c'est tout.

— Et votre père ?

Elle glissa un œil vers Dax qui avait fini son biscuit et léchait les miettes tombées sur le tapis.

— Je n'en ai pas.

Noah observa en elle un subtil changement d'humeur qu'il fut incapable d'interpréter. Elle ne paraissait ni en colère ni triste, ce qui semblait a priori exclure le divorce, la mort ou l'abandon. Qu'est-ce que cela pouvait être ?

— Pour ma part, je vois mes parents une fois par semaine, le dimanche soir, un rite immuable que j'accomplis plutôt par sens du devoir, déclara-t-il, histoire de relancer la conversation.

Elle lui lança un regard surpris.

— Vous êtes en froid avec eux ?

Il haussa les épaules d'un air détaché.

— Non. Seulement, nous n'avons pas grand-chose à nous dire.

— Avez-vous des frères et sœurs ?

— Deux sœurs. L'une s'est installée à Boise avec sa famille, l'autre habite à Billings. Raison pour laquelle je suis le seul à pouvoir donner un coup de main à mes parents au ranch, quand ils en ont besoin.

— Je connais Boise. Billings se trouve dans le Montana ?

Il hocha la tête, cherchant vainement ce qu'il pourrait ajouter. Si elle était l'un des malfaiteurs recherchés par le shérif Moran, elle aurait su localiser Billings. Et puis une grande ville aurait offert des possibilités bien plus stimulantes pour un escroc que Blackfoot.

— Et vous ? Avez-vous des frères ou des sœurs ?

— Non, je suis fille unique.

— Etes-vous mariée ?

L'amusement succéda à la surprise dans son regard.

— Vous voulez rire ? Je suis esclave de mon travail. Je n'aurais jamais pris de vacances si le déménagement de nos bureaux ne m'y avait pas obligée. Et regardez où ça m'a menée !

Non, vraiment, elle n'avait rien à voir avec le couple de suspects que Moran avait dans le collimateur, décida-t-il soudain. Pour quelle raison, sinon, aurait-elle voulu se faire passer pour une femme d'affaires de Manhattan ? Cela n'avait pas de sens. En fait, il ne serait pas surpris d'apprendre qu'elle était une célèbre avocate, comme Kara, son ex-petite amie.

— Qu'est-ce que vous…

— Avez-vous déjà…

Ils commencèrent leur phrase et s'interrompirent en même temps.

D'un geste, il l'invita à poursuivre.

— Avez-vous déjà été marié ? reprit-elle avec un petit sourire.

— Non. Pourquoi cette question ?

— Je ne sais pas, peut-être parce que je ne vous vois pas célibataire.

— Vous avez peut-être raison, admit-il. Ma réponse a l'air de vous surprendre ?

— Votre honnêteté m'épate. C'est une qualité plutôt rare chez un homme, du moins dans le milieu que je fréquente. Pour moi, engagement rime avec amour.

Il observa son chien, revenu se coucher aux pieds de la jeune femme. Ce serait agréable d'avoir quelqu'un qui attende son retour à la maison, songea-t-il soudain devant le tableau qu'ils lui offraient, quelqu'un avec qui il pourrait partager ses joies et ses soucis, qui réchaufferait son lit. En même temps, il ne s'activait pas beaucoup pour trouver la perle rare !

Elle s'éclaircit la gorge et passa la langue sur ses lèvres.

— Est-ce que vous… euh… est-ce que vous avez quelqu'un, en ce moment ?

Venant d'une autre femme, il aurait su décrypter le message, mais là… Difficile à dire…

Avant qu'il n'ait eu le temps de répondre, il la vit rougir violemment, les yeux agrandis de frayeur, et sauter du canapé en poussant un cri aigu.

6

A son cri, Noah se leva et la dévisagea avec effarement. De peur, Dax s'enfuit dans la cuisine en jappant.

— Qu'est-ce qui se passe ? demanda-t-il.

Elle secoua la tête d'un air gêné et laissa tomber le plaid sur le sol. Elle se sentit soudain stupide sous le regard intense qu'il fixait sur elle et fut secouée par un rire nerveux, irrépressible qui — comble du ridicule —, se mua en une sorte de plainte douloureuse.

Il lui empoigna le bras.

— Calmez-vous, voyons ! Auriez-vous aperçu quelque chose dehors ? ajouta-t-il en scrutant l'obscurité par la fenêtre.

— Mon Dieu, non ! Ecoutez, c'est un peu embarrassant… En fait, il s'agit de Dax. Je suis chatouilleuse et il m'a léché la… plante du pied, acheva-t-elle d'une voix chevrotante en omettant de préciser que le museau du chien s'était infiltré en réalité entre ses cuisses, sans trop savoir pourquoi elle était si gênée de l'avouer.

Noah ne la quittait pas des yeux, l'air dubitatif. Il alla se poster à la fenêtre pour fouiller les ténèbres à travers les rideaux qu'il tira d'un coup sec, puis il se pencha pour caresser son chien revenu se coucher à ses pieds.

— Vous êtes sûre de ne pas avoir été suivie ?

Elle porta une main à sa gorge et poussa un petit cri étranglé.

— Suivie, moi ? Mais par qui ? Et pour quelle raison ?

Elle sentit le regard de Noah s'abaisser sur sa poitrine avant de remonter croiser le sien, un éclair de culpabilité au fond de ses prunelles aigue-marine, tel un enfant pincé les doigts dans le pot de confiture.

— J'ai réagi comme une idiote, pardonnez-moi, murmura-t-elle.

Il esquissa un sourire qui adoucit le contour dur de sa bouche.

— J'en ai vu d'autres, ne vous en faites pas.

Elle ramassa le plaid étalé par terre et jeta un regard furibond au chien, étendu sur le tapis.

— Défense de me lécher, compris ! Sinon, tu seras privé de biscuits, je te préviens.

Les oreilles dressées, l'animal agita la queue avec espoir.

— Je dois me rappeler de ne plus prononcer ce mot, reprit-elle en éclatant de rire.

Noah lorgna ses jambes nues avant de reporter son attention sur Dax.

— C'est compris, mon vieux ?

Elle surprit son regard s'attarder de nouveau sur ses seins dont elle sentait les mamelons durcis pointer sous la mince étoffe du T-shirt. Mais comment les dissimuler maintenant sans se retrouver dans une situation encore plus inconfortable ? D'autant que, loin de l'embarrasser, l'attention que Noah lui portait était plutôt flatteuse.

— Il est tard, dit-elle pour cacher son trouble.

— C'est vrai, déjà presque 21 heures, confirma-t-il en consultant sa montre. Je ferais mieux d'aller au lit si je ne veux pas risquer une panne d'oreiller demain matin.

— Bonne idée, je suis moi-même morte de fatigue… N'oubliez pas qu'il est 23 heures à New York.

— Je croyais que les filles de la ville faisaient la fête jusqu'au bout de la nuit.

— Pas moi. Je travaille très tôt le matin, rétorqua-t-elle

en jouant avec un fil de laine qui pendillait du plaid plié sur son bras, tout en se demandant quel goût auraient ses lèvres généreuses.

Elle eut brusquement très chaud et sentit sa température grimper en flèche. Etait-il intéressé ou simplement amical ? se demanda-t-elle. Intéressé évidemment, décida-t-elle, comme tous les hommes sûrs de leur pouvoir de séduction. Et si elle prenait l'initiative ? Elle en avait envie, mais ignorant ce qu'il avait en tête, elle ne pouvait prendre le risque que son geste soit mal interprété.

— Puis-je utiliser de nouveau la salle de bains, si ça ne vous dérange pas ? reprit-elle très vite pour rompre le silence qui menaçait de s'éterniser.

— Ça ne me dérange pas, je vais remplir le bol d'eau du chien pendant ce temps.

Elle tourna les talons et amorça un tournant vers la gauche pendant qu'il pivotait vers la droite. Le salon n'était pas très grand, de sorte qu'ils esquissèrent une sorte de pas de deux pour éviter la collision.

— Je suis sûr que nous allons surmonter cette petite difficulté, dit-il en la retenant par les épaules pour l'empêcher de trébucher.

L'éclair de malice qu'elle vit briller dans ses yeux, quand il se pencha un peu plus près avec un sourire enjôleur, la fit chavirer.

Il était incroyablement sexy et si en plus il avait le sens de l'humour, alors… elle ne répondait plus de rien ! Que lui arrivait-il ? Elle ferma les yeux et s'efforça de rassembler ses esprits. En règle générale, un physique avantageux n'était pas suffisant pour qu'un homme lui fasse de l'effet, même s'il avait de l'humour à revendre. La liste de ses exigences était longue… Et le beau shérif de ce bled perdu du Montana ne réussirait probablement pas à en satisfaire la moitié !

Au fond, c'était aussi bien. Il était censé ne l'héberger qu'une nuit, et au cas où elle ne récupérerait pas ses bagages très vite, elle appellerait sa banque et trouverait certainement un arrangement avec la propriétaire du ranch par la suite.

Elle suspectait cependant Noah Calder d'être assez fin pour percevoir le trouble qu'il suscitait en elle. Elle avait beau feindre l'indifférence, elle n'était pas insensible à son charme. Et si elle avait deux sous d'intelligence, comme elle le prétendait, elle tenterait sa chance, histoire de voir sa réaction. S'il refusait poliment ses avances ou feignait de ne pas comprendre, elle pourrait toujours se réfugier dans sa chambre jusqu'au matin.

Elle serra les poings, encore indécise. Elle n'était pas dans son état normal. D'ordinaire, elle ne se laissait pas facilement intimider. Elle ne se reconnaissait plus.

— Noah ?

Il ne répondit pas et elle sentit la pression de ses doigts se relâcher sur ses épaules. Diable d'homme. Il demeurait une énigme.

— Je voulais vous dire merci, reprit-elle sans le quitter du regard.

Il laissa ses doigts vagabonder sur ses bras, comme une caresse.

— C'est tout ?

Quel coup bas ! A croire qu'il cherchait à la déstabiliser. Au lieu de le repousser, comme le lui soufflait sa raison, elle avança d'un pas et plaqua les mains contre ses pectoraux.

— Non, pas vraiment…

Il desserra légèrement son étreinte, immobile comme une statue, son beau visage fermé.

Ils se firent alors face en silence quelques instants… une éternité.

Elle fut incapable de dissimuler sa frustration quand

il la relâcha, et elle aurait presque juré déceler dans ses prunelles une pointe de regret, si fugace qu'elle pensa avoir rêvé. Se pouvait-il qu'il soit déçu, lui aussi ? Décidément, elle ne comprenait plus rien !

Il s'écarta en désignant le couloir d'un geste.

— Après vous, je vous en prie…

Son indifférence lui fit tout d'abord l'effet d'une douche froide, puis brusquement, elle comprit. Il n'était pas du genre à abuser de sa position ou des circonstances pour la séduire.

Elle, en revanche, n'avait pas à s'embarrasser de telles considérations. Elle s'approcha, réduisant la distance qui les séparait. Nouant les bras autour de son cou, elle hésita une fraction de seconde, comme pour lui offrir une échappatoire. Puis elle plongea son regard dans ses yeux clairs qui s'étaient assombris, et fit ce qu'elle n'avait jamais fait avec aucun homme. Elle se hissa sur la pointe des pieds et lui offrit sa bouche.

Il se pencha pour l'embrasser, ses lèvres effleurant les siennes avec une infinie lenteur. Elle ne lutta pas quand ses bras s'enroulèrent autour de sa taille pour l'attirer à lui, la plaquant contre son membre durci qu'elle sentait à travers l'étoffe de son pantalon, alors que les pointes de ses seins s'écrasaient délicieusement contre le léger coton de son T-shirt. Elle enfouit les mains sous la masse de ses cheveux, se délectant de la douceur de sa peau qui lui brûlait les doigts. Il commençait à se détendre, à surmonter ses dernières réticences, elle le sentait.

Tandis que ses doigts épousaient le contour de ses hanches, elle prit soudain conscience que, cambrée comme elle l'était, elle devait avoir pratiquement les fesses à l'air dans la culotte microscopique qu'elle portait sous le T-shirt. S'il faisait glisser ses mains de quelques centimètres, il ne manquerait pas de s'en apercevoir. Mais quand il approfondit son baiser, emportée par un délicieux vertige, elle oublia tout.

Il caressa ses lèvres avec gourmandise, la forçant à les entrouvrir, puis emmêla sa langue agile autour de la sienne en un lent ballet voluptueux. Sa bouche avait un goût délicieux, sucré et épicé à la fois. Le contact de son menton rugueux sur sa peau l'enivra — sensation inédite pour elle qui n'avait jamais connu que des hommes rasés de près. Electrisée, elle en imaginait déjà la brûlure sur ses seins douloureusement tendus.

Dax se mit à gronder à leurs pieds.

Elle fit la sourde oreille, mais sentit Noah s'écarter imperceptiblement d'elle. Tous ses sens en éveil, elle ne bougea pas, désireuse que ce baiser dure toujours, et elle s'agrippa à ses épaules pour se coller plus étroitement contre lui. Comme en écho à son désir, il l'attira de nouveau tout contre lui et se mit à explorer sa bouche avec fougue.

Le chien se frotta contre leurs jambes en geignant de plus belle. Et ce qu'elle craignait arriva. Noah redressa la tête et abandonna ses lèvres. Elle étouffa un gémissement, au comble de la frustration, et se retint de le ramener à elle. Elle avait des envies de meurtre.

Il lui caressa la joue et, retenant son souffle, elle loucha sur sa bouche, résistant de toutes ses forces à l'envie de s'en emparer avec voracité. Il promena ensuite ses doigts le long de son cou, traçant à travers son T-shirt un sillon brûlant au creux de son épaule jusqu'à la naissance de ses seins.

— Ce n'était pas prévu, je vous prie de m'excuser…

Elle ne put retenir un hoquet de surprise qui se mua en une plainte quand il retira brusquement ses mains.

Il s'éclaircit la gorge et recula d'un pas, les yeux rivés sur sa gorge, les mains fourrées dans les poches de son jean.

Elle crut lire de la déception au fond de ses yeux.

— Vous excuser ? répondit-elle d'une voix douce en posant une main sur son bras. Pour quelle raison ? C'est moi qui ai commencé, je vous signale. Je voulais que vous m'embrassiez autant que j'avais envie de le faire.

— Vous ne me devez rien.

Elle eut un petit rire sans joie.

— Dire merci n'a rien à voir avec la reconnaissance.

Secrètement ravie, elle le vit loucher sur sa poitrine et remarqua le renflement qui gonflait toujours le devant de son pantalon.

Elle mourait d'envie de lui retirer sa chemise, de l'obliger à baisser sa garde par n'importe quel moyen. En d'autres circonstances, elle aurait tenté le tout pour le tout. Mais elle était en dehors de son élément, en face d'un homme qu'elle avait du mal à cerner. Or, elle avait pour habitude de sonder l'adversaire avant d'agir.

Comprenant qu'elle ne réussirait pas à l'amadouer, elle s'avança résolument, accentuant la pression de sa main sur son bras. Du bout des doigts, elle traça des petits cercles sur sa peau, redessinant les muscles noueux de ses avant-bras tout en pressant ses hanches contre son sexe gonflé.

Quand, le souffle court, il finit par ôter les mains de ses poches, elle les saisit dans les siennes et les plaqua sur le bas de son T-shirt. Le message était sans équivoque. Il glissa les doigts sous l'étoffe et prit son sein nu en coupe dans sa grande paume rugueuse.

Elle ferma les paupières, secouée de frissons, mourant d'envie de sentir ses mains partout sur son corps pour apaiser l'incendie qui la dévorait.

Il effleura ses lèvres des siennes, agaçant son téton durci entre ses doigts.

— Non, il faut arrêter…, marmonna-t-il d'une voix éraillée.

Une vague de chaleur la submergea. Haletante, elle

se lova contre lui, électrisée par son sexe qu'elle sentait palpiter contre elle. Elle défit les deux premiers boutons de sa chemise et glissa la main dans l'échancrure pour sentir sa peau douce et tiède frémir sous ses doigts.

Il se dégagea brusquement quand elle posa l'autre main sur le devant de son pantalon.

— Il ne faut pas… Vous êtes sous ma garde.

— Sous votre garde ? répéta-t-elle dans un éclat de rire. C'est quoi ? Un jeu de rôle ?

Il resta de marbre, retira sa main et elle comprit que son fantasme de passer une nuit torride avec un inconnu resterait inassouvi.

— Je plaisante, dit-elle en effleurant son bas-ventre d'un doigt léger.

Il lui enserra les poignets et écarta ses doigts.

— C'est un moment d'égarement. Je vous renouvelle mes excuses.

— Noah…

Il s'éloigna à bonne distance pour lui signifier que, cette fois, il ne changerait pas d'avis et s'en alla vérifier le verrou de la porte d'entrée avant de fermer hermétiquement les rideaux.

Le temps qu'elle ramasse le plaid, le chien et son maître avaient disparu en direction de la cuisine et, quelques secondes plus tard, elle entendit claquer la porte du jardin.

Elle ne comprenait rien à ce stupide code de l'honneur qui était le sien. Il n'avait absolument aucune responsabilité envers elle. Qu'il aille au diable ! Il pouvait se geler dehors avec son chien tout son soûl, si ça lui chantait ! Elle n'allait certainement pas le supplier.

Penché au-dessus du plan de travail de la cuisine, Noah se versait du café. Il tendit l'oreille. Il était encore très tôt, mais Alana était déjà levée. Il l'entendit refermer la porte de la salle de bains, puis celle de sa chambre.

Dire qu'il l'avait embrassée la veille au soir et avait bien failli aller plus loin ! Ce qui lui avait valu une nuit blanche. Il s'était tourné et retourné dans son lit, incapable de trouver le sommeil, partagé entre le regret cuisant de ne pas avoir été jusqu'au bout et le dégoût d'avoir presque manqué à son devoir.

Elle avait de quoi perturber le plus serein des hommes, cela dit ! Des seins superbes. Des jambes parfaites. Brillante de surcroît. Et pleine d'humour. Toutes les caractéristiques d'une dangereuse aventurière… ou d'une jeune cadre new-yorkaise dynamique. Il ne savait d'ailleurs toujours pas ce qu'elle était venue faire dans leur petite ville. Elle avait éludé ses questions. Sciemment ou non.

Après avoir longuement tergiversé, il avait fini par décider qu'elle était innocente, victime d'un malheureux enchaînement de circonstances. Et voilà qu'un fait nouveau avait soudain ébranlé ses certitudes. Elle avait prétendu que Dax l'avait chatouillée. Or il aurait juré, lui, qu'elle avait vu quelque chose par la fenêtre. L'hypothèse que son complice l'avait suivie n'était pas improbable. Pourtant, il avait l'intime conviction qu'elle était sincère. Ce qui signifiait qu'un voleur vadrouillait en ville.

Dax avala sa dernière croquette et se planta devant la porte en attendant qu'il lui ouvre.

Ce qu'il fit.

— Tu te rends compte, mon vieux, qu'à mon âge, je réfléchis encore avec mes couilles ?

Dax n'avait apparemment pas d'opinion sur la question. Il se précipita dehors et se mit à pourchasser une buse à queue rousse qui s'envola à tire-d'aile.

Noah observa son chien par la moustiquaire tout en

sirotant son café. Il entendit alors Alana entrer dans la cuisine et se retourna.

Les cheveux ébouriffés, l'œil encore endormi, elle portait le T-shirt noir, mais avec un soutien-gorge, cette fois, constata-t-il avec regret, et le bas de pyjama écossais qu'il lui avait prêté. Comme il était trop grand, elle l'avait retroussé, une jambe plus haute que l'autre.

Elle esquissa un sourire contraint.

— Bonjour. Mmm… le café sent rudement bon. Il en reste un peu pour moi ?

Il désigna la tasse bleue posée à son intention sur la table en Formica.

— Servez-vous. Il y a du lait dans le frigo.

Elle avala une première gorgée de café en fronçant le nez. Pas étonnant, vu que le café de Colombie qu'il affectionnait était assez fort pour ressusciter un mort. Elle reposa la tasse sur le comptoir et le fixa, la mine contrite.

— Merci. Je suis confuse pour hier soir. Je n'ai pas l'habitude de boire à jeun… En fait, non, le whisky n'y était pour rien. J'avais envie de vous embrasser, un point c'est tout. Pardonnez-moi si je vous ai mis dans l'embarras.

Il réprima un sourire. La seule chose qu'il avait trouvée gênante avait été son jean trop serré.

— Oui, ce fut une épreuve redoutable.

— Vous m'en voulez ?

— Pas à vous, à moi.

Elle parut se détendre.

— Pourquoi donc ?

— Parce qu'il ne faut pas réagir sur un coup de tête. Je ne suis plus un gamin.

— Vous voulez dire que ça n'a rien à voir avec votre fonction de shérif ?

— Exactement.

— Je ne comprends toujours pas…

Poussé dans ses derniers retranchements, il abandonna sa tasse dans l'évier et se dirigea vers la porte.

— Je vais donner à boire à Dax.

— Vous pourriez peut-être m'expliquer ?

— Ah, parce que vous m'avez posé une question ? rétorqua-t-il en claquant la moustiquaire.

Elle ne le laisserait donc jamais tranquille, songea-t-il, agacé, en entendant la porte s'ouvrir quelques secondes plus tard. Il se retourna, l'air maussade.

Elle fit un pas vers lui, dut percevoir la tension qui l'animait et ravala la question qui lui brûlait visiblement les lèvres.

— Noah, attendez…

Il se pencha pour ramasser le bol du chien sans répondre.

— Je voulais vous demander à quelle heure ouvre la banque ce matin, enchaîna-t-elle de son air le plus innocent, air dont il ne fut cependant pas dupe une seconde.

Il consulta sa montre.

— Dans deux heures… Bon sang, non, ce n'est pas possible !

— Qu'y a-t-il ?

— Nous sommes samedi, la banque est fermée.

— Je croyais que les banques ouvraient le samedi matin.

— Pas chez nous.

Comment avait-il pu l'oublier ? Parce qu'elle le perturbait, voilà pourquoi, ce qui n'augurait rien de bon.

Il retourna dans la cuisine et décrocha le téléphone mural. Herman Perkins, le directeur de la banque, accepterait d'ouvrir l'agence s'il l'en priait. A condition de le coincer avant qu'il ne parte à la pêche. Comme Perkins ne répondait pas, il appela Pauline, l'unique employée de l'établissement. Elle n'avait pas la clé et n'était pas très chaude pour prendre une quelconque initiative sans l'autorisation de son chef.

— Alors ? demanda Alana une fois qu'il eut raccroché.

— Pourriez-vous joindre directement votre banque ? Votre conseiller financier peut-être ?

— Non, il ne travaille pas le samedi et je n'ai pas son numéro privé.

— Hier soir, vous avez parlé de votre mère…

Elle se raidit.

— Pas question ! Plutôt dormir dans votre cellule jusqu'à lundi.

Il se versa une nouvelle tasse de café en réprimant un sourire.

— Vous pouvez rester chez moi jusqu'à la fin du week-end, ça ne me dérange pas.

— Merci, mais j'aurais besoin de vous emprunter un peu d'argent pour faire quelques achats.

— Vous n'aimez pas mes vêtements ?

— Auriez-vous l'intention de me garder éternellement enfermée ici ?

— L'idée m'a effleuré, je l'avoue…

Elle inclina la tête, une pointe de malice au fond des yeux, un petit sourire retroussant ses lèvres.

— Tiens, tiens… voilà qui devient intéressant.

Mais qu'est-ce qu'il lui prenait de flirter avec elle de cette façon ? Cela ne lui apporterait que des ennuis. S'il avait un brin de jugeote, il chargerait Roy de s'occuper d'elle séance tenante. Comme cela, il ne risquerait pas d'outrepasser les limites. Le hic était qu'il n'avait qu'une envie : l'embrasser encore et encore, à en perdre haleine.

7

Faire ses courses chez Abe fut pour Alana une expérience mémorable. Deux fois plus petite que la maison du shérif, la boutique était cependant une véritable caverne d'Ali Baba, regorgeant d'articles les plus hétéroclites, depuis la poudre contre le pied d'athlète jusqu'au chewing-gum à la menthe.

Ajoutant une brosse à cheveux dans son panier, Alana s'arrêta devant un présentoir d'où elle décrocha des créoles fantaisie si gigantesques qu'on aurait dit des bracelets. Comment pouvait-on porter cela ? se demanda-t-elle en les caressant du bout des doigts.

— C'est du plaqué argent véritable, commenta Abe qui l'observait par-dessus ses lunettes. C'est la dernière paire que nous avons.

— Très joli…, fit-elle en les reposant sur le support.

Noah ne lui avait fixé aucune limite, et l'argent n'était pas un problème pour elle, mais la vue d'Abe, avec son gros nez rubicond et son front dégarni, salivant à l'avance à l'idée de la somme rondelette qu'il allait empocher, tempéra aussitôt son enthousiasme. Elle n'allait sûrement pas faire des folies ici, se dit-elle en examinant les marchandises un peu démodées empilées sur les rayonnages, le maigre assortiment de T-shirts, de sous-vêtements et de chaussettes emballées par trois.

De toute façon, ce n'était qu'un dépannage, l'histoire de quelques jours tout au plus. Enfin, en théorie… Parce qu'elle pourrait bien ne jamais récupérer ses bagages. Cette pensée la démoralisa. Non pas à cause des vêtements qu'elle pourrait facilement remplacer. Mais quid de son passeport et de ses boucles d'oreilles favorites, rangées dans la poche intérieure de son sac ? Sac qui se trouvait d'ailleurs être son préféré : une besace en cuir souple marron cousu main, dénichée à Florence au cours d'un voyage en Italie trois ans auparavant. Pas de chance, vraiment !

Elle attrapa un jean. La coupe en était horrible, plus masculine que féminine.

Un rire éraillé fusa à ce moment-là d'elle ne savait où, puis une femme entre deux âges, brune et bien en chair, le dernier numéro de *Modes & Travaux* sous le bras, surgit de derrière une gondole garnie de magazines et clopina dans sa direction.

— Vous ne trouverez que les produits de base ici, l'informa-t-elle. Si vous cherchez quelque chose de plus chic, vous devriez aller voir du côté de Chez Virginia ou Louise Tissus. Vous y trouverez de jolies robes d'été, même s'il fait maintenant un peu frais pour les porter. Au fait, je me présente : Sadie, la patronne du Watering Hole, le bistrot au coin de la rue.

— Mais de quoi je me mêle ! Tu vas arrêter de me piquer mes clientes, dis ? lança alors Abe avec une indignation feinte, une étincelle dans ses yeux bleus délavés.

Sadie attrapa des slips aux tons pastel sur un présentoir. Le premier du paquet, rose pâle, portait l'inscription « dimanche », tracée en élégantes lettres noires.

— Tais-toi ! Tu ne vois pas que tu as affaire à une dame distinguée ?

Alana ne put s'empêcher de rire. C'était une plaisanterie ! Il y avait sûrement une caméra cachée quelque part !

Sadie remit le lot à sa place entre des maillots de corps blancs et des caleçons pour hommes.

— Noah m'a priée de m'occuper de vous. Dire qu'on vous a volé vos affaires en plein jour, sous le nez de tout le monde, c'est à peine croyable ! C'est bien la première fois qu'une chose pareille arrive.

— J'espère qu'il s'agit d'une plaisanterie et que je vais les retrouver très vite.

— On a beau se creuser la tête, personne ne comprend. Ici, on ne ferme jamais la porte à clé, vous savez… Mais je parie que tout le monde l'a fait, hier soir.

Cette entrée en matière, loin de rassurer Alana, lui mit le moral à zéro. Les choses risquaient malheureusement de traîner en longueur et elle allait devoir prendre son mal en patience.

— La boutique dont vous m'avez parlé s'appelle Chez Virginia, c'est bien ça ?

Son interlocutrice considéra alors le pantalon bleu marine qu'elle portait — le même qu'à son arrivée, la veille au soir — ainsi que sa veste Armani, enfilée par-dessus le T-shirt emprunté à Noah.

— A la réflexion, je doute que Ginny ait quoi que ce soit qui vous plaise.

Il n'y avait aucune trace de critique dans cette remarque, pourtant Alana se sentit piquée au vif.

— Je n'ai pas besoin de quelque chose de sophistiqué. Un jean seyant et une tunique feront parfaitement l'affaire.

Sadie s'empara d'un paquet de culottes de grands-mères en coton blanc et vérifia la taille du coin de l'œil avant de le déposer dans le panier d'Alana.

— Pour les petites culottes, il faudra vous contenter de celles-ci, dit-elle d'une voix haut perchée. Pour le reste, je vous emmènerai Chez Virginia, c'est promis.

— Très drôle ! s'écria Abe en secouant la tête avec dégoût.

Le visage de Sadie s'éclaira d'un grand sourire satisfait.

— Les articles de toilette aussi, vous avez intérêt à les acheter ici, reprit-elle. Il y a quelques années, une enseigne low cost a failli ouvrir en ville, ce qui nous aurait évité de courir jusqu'à Kalispell pour chercher ce qu'Abe n'a pas en magasin. Et puis, l'économie de la région s'est effondrée… Mais depuis que le Sundance a ouvert et qu'il a l'air de bien marcher, on espère que ça va redynamiser un peu l'activité.

Pas si leurs clients se font dévaliser en plein centre-ville, se dit Alana in petto.

— Kalispell est loin d'ici ?

Sadie farfouilla dans le bac à chaussettes.

— Quarante, quarante-cinq minutes. Je vous y aurais bien emmenée moi-même aujourd'hui, seulement je n'ai personne pour me remplacer au pub, cet après-midi. Avez-vous pensé aux soutiens-gorge ? ajouta-t-elle en brandissant un sous-vêtement à bout de bras.

— Voyons voir, en coton blanc inusable, c'est ça ?

Le gloussement rocailleux de Sadie se mua en une violente quinte de toux. Elle détourna la tête et mit une main devant sa bouche en murmurant une excuse.

Abe jaillit aussitôt de derrière le comptoir, le front barré d'un pli soucieux.

— Ça va, Sadie ?

— Mais oui. C'est juste ma bronchite chronique qui fait des siennes.

— Et ta jambe, elle n'est toujours pas guérie ? As-tu consulté le Dr Heaton ?

Sa crise calmée, Sadie hocha la tête, l'air gêné.

— Oui. Désolée si je vous ai cassé les oreilles.

Alana lui effleura gauchement le bras.

— Votre jambe… J'ai remarqué que vous boitiez, en effet. Ce n'est pas grave, j'espère.

— Non, un verre m'est tombé sur le pied et ça m'a fait

une vilaine coupure à la cheville. L'année dernière, j'ai découvert que je souffrais de diabète. D'après le médecin, ça peut ralentir la cicatrisation.

Ne sachant que répondre, Alana se concentra sur les quelques modèles de soutiens-gorge qui garnissaient le présentoir, même si elle avait résolu de laver le sien tous les soirs. Elle était particulièrement pointilleuse sur sa lingerie.

Abe tripota divers objets pour masquer sa contrariété.

— Le médecin t'a sûrement conseillé d'éviter de rester debout trop longtemps, dit-il. Tu devrais te reposer au lieu de bavarder à tort et à travers avec mes clientes. Tu n'as pas l'intention de travailler non-stop jusqu'à ce soir, j'espère ?

— Gretchen n'arrivera pas avant 18 heures. Impossible de la convaincre de venir plus tôt, et Sheila, pareil. De toute façon, ce ne sont pas tes oignons !

— Bon sang, elle est têtue comme une bourrique, cette femme, maugréa Abe en retournant à sa caisse.

Il était hors de question que Sadie l'accompagne où que ce soit dans l'état de fatigue où elle se trouvait, décida Alana en remplaçant les culottes en coton blanc par les slips affichant les jours de la semaine. Elle se rendrait Chez Virginia par ses propres moyens.

— Je vais prendre ceux-là finalement, déclara-t-elle. Comme j'ai perdu mon agenda, je saurai quel jour nous sommes !

Sadie sourit et lui plaça un jean cigarette autour de la taille.

— En voici un qui devrait vous aller. C'est la bonne longueur. Pas besoin de retrousser les jambes.

Alana approuva et avisa un assortiment de T-shirts de différentes couleurs qu'elle ajouta à ses achats. Elle examina alors le contenu de son panier. Le déodorant, le crayon pour les yeux, le mascara… Elle n'avait rien oublié.

— Noah aura bien un sweat-shirt à vous prêter pour les soirées fraîches, reprit Sadie de but en blanc.

Alana surprit le clin d'œil complice qu'elle échangea avec Abe.

— Vous voulez savoir si j'habite chez le shérif, c'est ça ? A votre place, je lui poserais directement la question.

— Tout le monde sait que vous logez chez lui. Impossible de garder un secret à Blackfoot Falls. En revanche, on ignore si vous dormez dans son lit ou dans la chambre d'amis.

Alana se dirigea vers la caisse sans relever et laissa choir son panier sur le comptoir. Cette Sadie lui était sympathique, mais pas question de rentrer dans son jeu !

— Je vois qu'on s'amuse beaucoup ici…

— C'est vrai. Les garçons en ont assez de jouer au billard et de mettre des pièces dans le juke-box. Au moins, depuis l'arrivée des filles du Sundance, les plus jeunes ne dépensent plus tout leur salaire à Kalispell, les vendredis et samedis soirs.

— Vous avez un vrai juke-box ?

— Un vrai de vrai.

— Je n'en ai jamais vu.

— Ecoutez, quand cette vieille limace en aura terminé, nous irons Chez Virginia et Louise Tissus, proposa Sadie avec un petit sourire goguenard en remarquant la grimace d'Abe. Ensuite, je vous emmènerai au Watering Hole. Le temps que je mette un peu d'ordre avant l'ouverture, vous pourrez en profiter pour écouter quelques morceaux sur ma vieille bécane.

— Merci infiniment, mais les achats, c'est fini pour le moment. J'espère bientôt récupérer mes affaires, de toute façon.

Abe enregistra le dernier article qu'il emballa avec le reste.

— Noah pense que vos bagages vont réapparaître comme par enchantement ou quoi ? demanda-t-il.

Sadie posa son magazine sur le comptoir, le front plissé, dans l'expectative. Abe et elle étaient suspendus à ses lèvres, attendant sa réponse comme si leur vie en dépendait. Ils semblaient accorder beaucoup d'importance à l'opinion du shérif.

— Aucune idée. C'est un homme difficile à cerner.

Sadie fouilla dans la poche de son jean et en sortit quelques pièces.

— Il n'est pas si compliqué au fond, quand on le connaît. Même si je ne sais pas trop pourquoi il est revenu. En tout cas, on a une sacrée chance de l'avoir.

— Il est *revenu* ? répéta Alana, sa curiosité éveillée.

Abe lui remit les sacs contenant ses emplettes.

— Il était parti à Chicago après son service militaire et ses études, lui expliqua-t-il. Pendant trois ou quatre ans, je crois.

Sadie posa les pièces sur le comptoir, ramassa son magazine et poursuivit :

— Oui. Il était policier là-bas. Le métier lui plaisait, semblait-il. Tu peux garder la monnaie, Abe, enchaîna-t-elle avant de se tourner vers Alana. Vous êtes prête ? On y va ?

Sur ces entrefaites, le tintement de la cloche signala l'arrivée d'un nouveau client et Alana dut ravaler les questions qui lui brûlaient les lèvres.

— Abe, auriez-vous un ticket de caisse ou une note que je puisse remettre à Noah ? demanda-t-elle sur le seuil.

Il balaya la question d'un revers de main avant d'accueillir le nouvel arrivant.

— Laissez, je m'en occupe.

Sadie accomplit le trajet jusqu'au Watering Hole en traînant la jambe, ce qu'Alana constata non sans inquiétude, même si cela ne la regardait pas. Pendant que sa nouvelle amie déverrouillait la porte, elle leva les yeux vers l'enseigne et se remémora avec malaise l'instant où elle s'était aperçue que ses affaires avaient disparu, la veille au soir.

L'espace entre les bâtiments, très étroit, était cependant suffisant pour qu'on y roule une valise jusqu'à un véhicule stationné sur le parking, au fond de l'impasse. Le vol n'était sans doute pas prémédité. Sauf si le voleur l'avait vue arriver de loin et l'attendait de pied ferme, pendant qu'un complice faisait diversion. Ce qui était très peu probable. On n'était pas à New York.

— Il n'y a encore pas si longtemps, je n'aurais même pas pris la peine de fermer à clé, déclara Sadie en poussant la porte d'un coup d'épaule. De temps en temps, une bouteille de whisky ou de vodka disparaissaient, mais rien de bien méchant. Et je ne parle pas des vols récents. J'ai commencé à fermer à clé quand…

— Des vols récents ? Comment ça ?

Alana lut dans son regard embarrassé qu'elle était consciente d'avoir trop parlé et ne savait comment rattraper sa gaffe.

Mais elle n'avait pas l'intention d'abandonner. Le shérif lui aurait-il menti ?

— Noah m'a pourtant affirmé que les cambriolages n'étaient pas monnaie courante à Blackfoot Falls, objecta-t-elle.

Sadie alluma la lumière, plongeant la salle dans une pénombre bleutée. Elle lança son magazine sur le comptoir et prit une chaise.

— C'est vrai. Mais il y a des problèmes depuis deux mois, pas en ville, cela dit… On a constaté des vols dans les ranchs avoisinants, menus larcins ou non, selon les cas. Noah recherche toujours le van des McAllister qui a disparu en août dernier, par exemple. A mon avis, ils ne vont jamais le retrouver. C'est une honte parce que cette remorque est indispensable et très chère à remplacer. Posez vos sacs là et asseyez-vous, je vous en prie, poursuivit-elle avec un geste vague de la main.

Alana s'installa en vis-à-vis, pendant que Sadie remontait une jambe de son jean pour examiner un grand pansement blanc.

— La plaie s'est infectée ? demanda Alana en remarquant la peau rougie et boursouflée tout autour.

Sadie rajusta son pantalon.

— Non, c'est à peu près pareil. Ecoutez, Noah ne vous a pas menti. On pense que les vols dans les ranchs sont le fait de saisonniers. Avant, il y avait assez de travail pour tous, mais pas cette année. Ils ont dû refuser du monde. Or ces gens-là ont toujours des bouches à nourrir, vous comprenez ?

Alana observa le bar meublé de bric et de broc. Deux tables de billard trônaient au fond de la salle. L'endroit était assez vaste mais plutôt triste.

— Vous m'avez pourtant dit que les affaires allaient mieux depuis l'ouverture du Sundance…

— Couci-couça. Si les autres ranchs décidaient d'accueillir des touristes à leur tour, alors oui, je pourrais souffler un peu. J'envisage d'ailleurs de faire quelques travaux. Pour attirer les clientes, vous voyez ? Seulement, c'est l'argent qui manque.

— Ça ne devrait pas coûter trop cher, observa Alana, les yeux rivés sur le miroir vieillot accroché derrière le bar, qui avait l'air tout droit sorti du Far West. Je pourrais vous soumettre quelques idées si vous voulez. C'est mon travail à New York. Je suis dans la publicité.

Sadie se remit péniblement debout.

— Je me suis tout de suite doutée que vous étiez

une femme de tête. Je ne voudrais pas vous gâcher vos vacances, mais si vous avez des idées, je suis preneuse. En attendant, il faut que je travaille. Le juke-box se trouve là-bas au fond. Je vais vous chercher des jetons.

Alana l'avait complètement oublié, mais malgré son envie d'y jeter un coup d'œil, voir Sadie souffrir en s'agitant sur sa mauvaise jambe la mettait mal à l'aise.

— Qu'avez-vous à faire avant d'ouvrir le pub ?

Sadie s'adossa au bar en acajou massif.

— Nettoyer les tables, ce que j'ai négligé hier soir, vérifier les verres, couper des citrons verts, ce genre de choses... Pourquoi ?

— Je pourrais peut-être vous aider.

Sadie la regarda avec ahurissement.

— Eh bien, si je m'attendais à ça !

Alana regrettait déjà sa proposition. Elle était allergique au ménage, raison pour laquelle elle avait quelqu'un qui s'en occupait deux fois par semaine. Mais c'était le seul moyen d'enquêter discrètement sur son hôte.

— Noah travaille et je n'ai rien d'autre à faire, argua-t-elle.

Sadie considéra son pantalon bleu marine et ses hauts talons d'un œil critique.

— Vous allez vous salir, j'en ai peur.

Alana ramassa alors le sac contenant son nouveau jean et les T-shirts.

— Est-ce qu'il y a un endroit où je peux me changer ?

— Les toilettes des dames sont derrière les tables de billard, au fond à gauche.

Alana suivit les indications en espérant qu'elle n'aurait pas à s'en repentir. Mais tout compte fait, cela ne pouvait pas être pire !

8

Noah revint à son bureau après une matinée très chargée, consacrée à faire le tour des ranchs du voisinage en compagnie de Roy. Il n'avait pas eu le temps de souffler depuis le petit déjeuner. Son adjoint aurait dû être en congé étant donné qu'il avait assuré la garde de nuit et était de service le lendemain dimanche. Seulement, Noah n'avait personne d'autre sous la main pour suppléer l'absence de ses deux autres adjoints — Danny, cloué au lit à cause de la grippe et Gus, qui travaillait à temps partiel et avait quitté la ville pour quelques jours.

D'ordinaire, cela n'aurait posé aucun problème. Mais depuis le dernier vol, les habitants de Blackfoot étaient à cran, prêts à tirer sur tout ce qui bougeait. Le chaos absolu !

Une fois la porte refermée, il ôta son chapeau qu'il lança sur son bureau. Comment travailler correctement avec une pareille bande d'abrutis ? songea-t-il en se passant une main lasse dans les cheveux. Sans compter qu'il avait encore le problème d'Alana sur les bras.

Il consulta sa montre en étouffant un juron. Trois heures s'étaient écoulées depuis qu'il avait chargé Sadie de lui prêter main-forte pour ses achats. Or les magasins n'étaient pas légion en ville… A quoi avaient-elles bien pu passer tout ce temps ? Cette fille l'obsédait, c'en était ahurissant ! Il ne cessait de penser à elle, incapable de se concentrer sur autre chose.

Il ramassa son chapeau, l'enfonça sur son crâne et sortit

en trombe sans vérifier ses messages. De toute façon, la moitié du comté connaissait son numéro de portable et n'hésitait pas à le solliciter pour un oui pour un non, fût-ce pour récupérer un chat au sommet d'un arbre.

Dans la rue, il appela chez lui en espérant qu'elle répondrait. Mais la sonnerie sonna dans le vide. Il promena alors un regard agacé sur la rue chargée des décorations d'Halloween, kitsch à souhait. Le Comité pour l'amélioration du cadre de vie de Blackfoot Falls — comme Louise, Mildred, Sylvia et les sœurs Lemon le dénommaient — n'avait pas ménagé ses efforts. Ces dames avaient même invité leurs voisins de Cutter Crossing et de Maryville à assister aux festivités prévues le vendredi soir suivant. Il ne lui manquait plus que cela ! Les rues grouilleraient d'une foule d'adultes et de gamins facétieux pendant qu'il s'évertuerait à élucider ces énigmes. C'était bien sa veine…

Il ne prit même pas la peine d'aller voir chez Abe. Il était hautement improbable qu'Alana s'y trouve encore.

A cette heure, le pub était ouvert ; Sadie serait donc sa meilleure source d'information. Pourvu qu'Alana n'ait pas quitté la ville ! Mais non, elle n'était pas la suspecte que recherchait Moran. Il y avait eu l'incident de la veille au soir, bien sûr, mais c'était une fausse alerte, car il connaissait la manie de Dax de lécher tout le monde. Cette femme était blanche comme neige. Point final.

Il attendit quelques secondes sur le pas de la porte que ses yeux s'accoutument à la pénombre après la vive clarté du dehors et scruta anxieusement le bar. Aucun signe d'Alana. Il ne put s'empêcher d'en éprouver une légère déception, même s'il ne s'attendait pas vraiment à la trouver en pareil lieu. Du coup, ses espoirs de retrouver sa tranquillité d'esprit s'envolèrent.

Debout derrière le comptoir, Sadie remplissait un pichet

de bière à la pompe. Au fond de la salle, deux employés d'un ranch voisin occupés à disputer une partie de billard le saluèrent de la tête. L'un d'entre eux était Sam Miller. Noah avait déjà eu maille à partir avec lui, après qu'un père mécontent lui eut tiré dessus avec un fusil de chasse. Sam avait apparemment un faible pour les jeunes filles.

Sadie posa le broc sur un plateau et s'essuya les mains au torchon qu'elle avait sur l'épaule.

— Bonjour, shérif. Etes-vous en service ou puis-je vous offrir un verre ?

— En service, répondit-il, les yeux fixés sur un très jeune gaillard imberbe qu'il n'avait encore jamais vu, assis devant un bock à moitié vide et une pile de pièces de monnaie.

— Ne vous inquiétez pas, gloussa Sadie. J'ai vérifié sa carte d'identité. Il est majeur.

Quelque chose chez ce gamin intriguait Noah, que l'arrivée d'un nouveau visage en ville rendait nerveux, ces derniers temps.

— Vous travaillez dans le coin ? lui demanda-t-il.

— Oui, j'ai commencé chez Gunderson le mois dernier, répondit le jeune homme, le nez dans son verre. Je n'ai le droit de venir ici que depuis une semaine.

— Tu as tout le temps de vieillir, Tony, commenta Sadie d'un ton sentencieux. Vous cherchez quelqu'un en particulier ? ajouta-t-elle en fixant Noah d'un air entendu.

— Savez-vous où elle est ?

Tony s'essuya la bouche à la manche de sa chemise en louchant vers le fond du bar d'un air chafouin que Noah détesta. Il fit le tour de la salle du regard, mais ne voyant aucune trace d'Alana, il se décrispa.

Le sourire de Sadie s'élargit.

— Elle m'a donné un coup de main en attendant l'ar-rivée de Gretchen.

— Alana ?

Au même moment, l'intéressée sortit des toilettes et pila en l'apercevant. Elle était vêtue d'un T-shirt rouge aux manches retroussées jusqu'au coude et un jean roulé sur les chevilles, les pieds toujours chaussés de ses talons aiguilles. De ses cheveux relevés en une queue-de-cheval désordonnée s'échappaient quelques mèches folles qui encadraient gracieusement son beau visage aux joues rosies. Elle les lissa du plat de la main, redressa la tête et les épaules et se remit en marche.

— Ah, c'est vous ? Vous arrivez à pic.

Noah la contempla, sans voix. Il avait le sentiment d'avoir atterri dans un monde parallèle issu d'un film de science-fiction. Elle devait avoir cet air-là après l'amour, fut la seule pensée cohérente qu'il fut capable d'aligner.

Il sentit le regard de Sadie lui brûler la nuque. Elle ne devait pas en perdre une miette. Il déglutit avec peine et se secoua pour reprendre ses esprits.

— Pourquoi dites-vous ça ?

Sans répondre, elle alla se camper devant le comptoir.

— Vous n'allez pas boire ça, j'espère ? lança-t-elle en avisant la bière posée en face d'elle.

Sadie poussa la chope vers elle.

— Mais non, voyons, c'est pour vous. Je me suis dit que vous auriez une petite soif après tous vos efforts.

Alana retira ses gants en latex jaune, les roula en boule, les rangea quelque part sous l'évier et se lava les mains qu'elle sécha avec un chiffon propre.

Elle releva brusquement la tête et darda un œil inquisiteur sur Noah.

— Avez-vous retrouvé mes valises ?

— Pas encore.

Elle pinça ses jolies lèvres pulpeuses en une grimace plus éloquente que tous les reproches du monde. Puis elle fourra la main dans la poche de son jean avec un soupir, et en sortit deux billets de vingt dollars.

— Abe ne m'a pas remis de facture, mais ceci devrait suffire à couvrir mes dépenses.

Noah la regarda avec ahurissement, tandis que Sadie et Tony pouffaient de rire dans un bel ensemble.

— Où les avez-vous trouvés ?

Alana glissa un regard vers le fond de la salle.

— Je les ai gagnés contre Sam et Hector.

— Au billard ?

— Oui, je suis très forte, je les avais prévenus.

— C'est vrai, acquiesça Sadie avec une volubilité qui la rajeunissait de dix ans. Elle les a battus à plate couture, vous savez !

— Bon sang, Sadie, jusqu'à quand allez-vous nous bassiner les oreilles avec cette histoire ? s'indigna Sam du fond de la salle.

Sans s'émouvoir, cette dernière rangea deux chopes givrées à côté du pichet de bière sur le plateau.

— Jusqu'à ce que j'en aie assez, tiens.

Alana l'arrêta d'un geste.

— Laissez, je vais le faire. Vous ne devriez pas rester debout, ajouta-t-elle en désignant une chaise derrière le bar.

Une fois Sadie confortablement installée, elle s'empara du plateau qu'elle apporta aux deux joueurs.

Elle avait une façon très sexy de balancer les hanches, nota Noah, subjugué. A la façon dont il la regardait, Tony avait l'air très intéressé lui aussi. Noah se secoua et sa conscience professionnelle reprit le dessus. Bizarre que Gunderson ait embauché ce garçon en cette période tardive de l'année, songea-t-il. A sa connaissance, le fermier n'avait licencié personne récemment. Il est vrai que l'homme avait l'air complètement dans les vapes, sans doute en raison d'un excès de boisson plutôt que d'un surcroît de travail.

Quoi qu'il en soit, il se renseignerait auprès de Cole et Jesse qui en savaient peut-être davantage à propos de ce Tony. Il avait l'air sérieux, mais quelque chose chez lui le dérangeait. Après toutes ces années passées dans l'armée et la police de Chicago, il avait appris à écouter son instinct.

Du haut de son perchoir, Sadie s'appuya sur les mains et se pencha pour mieux voir.

— Elle n'a jamais dû être serveuse de sa vie, celle-là, elle est née pour commander, commenta-t-elle, telle une mère fière de son rejeton.

— C'est ma tournée, claironna Alana en posant le plateau sur une table. Ce fut un plaisir d'avoir fait votre connaissance, messieurs.

Sam joua son coup, loupa le trou et se redressa en pestant. Il rejeta ses longs cheveux blonds en arrière avant de lui bloquer le passage avec sa queue de billard.

— Vous ne partez pas déjà ?

Elle écarta le bâton de l'index.

— Si, comme vous voyez.

Il la gratifia d'un sourire effronté.

— Pas question. Vous allez nous donner une chance de nous refaire.

— Vous ne pouvez pas me battre. Vous risqueriez de perdre toute votre paye, si on continue.

Sam se renfrogna.

— On parie un dollar alors, proposa-t-il, mais Alana tournait déjà les talons en direction du bar.

— Une autre fois, peut-être.

— Allez, chérie, vous êtes sûre qu'on ne peut pas vous faire changer d'avis ?

Elle se retourna, piquée au vif, un éclat dangereux au fond des yeux. Visiblement, elle n'appréciait pas de se faire apostropher de la sorte.

— Tout à fait, répondit-elle sèchement.

Sans se démonter, Sam la dévora des yeux sans vergogne tandis qu'elle repartait vers le comptoir.

— Je devrais lui piquer jusqu'à son dernier sou, fit-elle entre ses dents. Combien pour le pichet ? demanda-t-elle ensuite à Sadie en tirant deux autres billets de vingt dollars de sa poche.

— Rien du tout, ma chérie.

Alana jeta les deux billets sur le comptoir avec un regard faussement outré.

— Trêve de plaisanterie, Sadie. J'espère que c'est suffisant.

— Ce sont peut-être des tarifs normaux à New York, mais ce serait la faillite si je pratiquais des prix pareils ici !

Alana laissa un billet et rempocha le second.

— D'accord, je garde un peu de liquide au cas où…

— Reprenez l'autre aussi. Considérez ces boissons comme une juste rémunération du travail que vous avez accompli pour moi.

Alana esquissa un sourire.

— Dans ce cas, gardez vos fesses vissées sur votre chaise le plus longtemps possible et nous serons quittes. Vous restez encore un petit moment ? reprit-elle à l'adresse de Tony.

Il hocha la tête.

— Vous la tiendrez à l'œil, d'accord ?

— Entendu.

Alana le remercia d'un sourire.

— Dites-moi, Sadie, Gretchen arrive à quelle heure déjà ?

— Dans deux heures environ. Ici, ça ne commence pas à bouger avant 16 heures.

Alana acquiesça avant de regarder Noah d'un air absent, à croire qu'elle avait complètement oublié sa présence.

— Je vais chercher mes courses et on y va ?

Il consulta sa montre avec ostentation.

— A vos ordres, mademoiselle, prenez tout votre temps.

Elle haussa les épaules d'un air détaché.

— Je peux rester ici si ça vous arrange, vous savez.

— Allez chercher vos affaires, je vous dis, et dépêchez-vous, s'il vous plaît…

Elle le fixa d'un regard lourd d'arrière-pensées.

— On ne peut pas discuter avec le shérif dans cette ville, à ce que je vois, soupira-t-elle.

La raison dictait à Noah de les planter là, elle et son insouciance… Il avait une montagne de paperasses sur son bureau et elle allait certainement trouver le temps long en attendant qu'il en vienne à bout. Seulement, il n'avait pas l'intention de la laisser disputer une nouvelle partie de billard avec Sam Miller, ni s'acoquiner avec un jeune cow-boy de chez Gunderson. Même si ses réticences s'expliquaient par le fait qu'il n'avait pas encore totalement confiance en elle, la raison essentielle était surtout d'ordre personnel, il ne pouvait le nier.

Tout en l'observant contourner le bar d'un pas allègre, il surprit le regard curieux de Sadie dardé sur lui. Il lui lança un bref coup d'œil auquel elle répondit par un petit sourire narquois. Il ignorait ce qu'elle avait en tête. Heureusement, elle n'était pas du genre à colporter des ragots, ce qui était une bonne chose, parce que avec les individus passablement éméchés avec qui elle passait les trois quarts de son temps, elle était aux premières loges.

Elle rompit le silence la première.

— Alors cette bière, Alana, vous la voulez ou je l'offre à Tony ?

— C'est gentil, mais non, merci.

— Il est tard, vous devez avoir faim, dit Noah en s'emparant des deux sacs qu'elle portait à bout de bras.

— Quoi ? On vient juste de prendre le petit déjeuner !

— Vous retardez ! C'était il y a cinq heures.

— Chez Marge ? proposa-t-elle alors sans paraître très enthousiasmée.

Tous les regards étaient fixés sur eux, il le sentait, mais il se garda de relever la tête pour s'en assurer. Il n'allait pas crier sur les toits qu'il préférait grignoter un sandwich sur le pouce à la maison.

— On verra.

— Revenez quand vous voulez, fit Sadie au moment où Alana passait la porte. Vous écouterez le juke-box et il ne sera plus question de faire le ménage, c'est juré !

— D'accord, si vous me promettez de prendre soin de vous.

— C'est moi le tyran ?

Le rire de Sadie se transforma en une toux convulsive.

— Elle a de la famille ? demanda Alana une fois qu'ils furent dans la rue.

— Plus maintenant. Elle est divorcée depuis des années, et sa fille vit quelque part dans l'Oregon. Pourquoi ?

Le soleil se cachait derrière les nuages. Il commençait à faire froid.

— Elle ne va pas très bien, et elle se néglige, ce qui n'arrange rien, répondit-elle en rabattant les manches de son T-shirt. En plus de sa toux chronique, elle a du diabète et une plaie à la jambe qui tarde à guérir.

Noah éprouvait une grande tendresse pour Sadie qui avait un cœur en or sous ses dehors bourrus, et ces nouvelles l'alarmèrent un peu.

— Vous savez si elle a consulté un médecin ?

— Elle a vu le Dr Heaton, enfin, c'est ce qu'elle prétend. Je l'ai aidée à changer son pansement et ce que j'ai vu dessous n'est pas joli-joli.

Il posa la main dans le creux de ses reins en arrivant en vue de la maison pour lui faire accélérer le pas.

— Heaton connaît son affaire. Quant à vous, je ne vous imaginais pas en infirmière.

— Moi non plus. Mais il se passe un tas de choses bizarres depuis mon arrivée dans votre petite ville. Nous allons déjeuner chez vous ?

— J'ai fait des courses tout à l'heure.

— Vous avez eu le temps ?

— Oui, j'ai fait un saut au ranch de Libby Perkins qui m'a offert du beurre frais et une miche de pain sortie du four. Au retour, j'ai acheté un peu de charcuterie au supermarché.

— Elle fait son propre pain ?

— Comme tout le monde ici.

— Je n'avais pas très faim, mais j'en ai l'eau à la bouche.

Au passage, il salua d'un signe de tête Gloria Healy, sa voisine, occupée à balayer le devant de sa porte qui n'en avait aucun besoin. Aux regards dévorés de curiosité qu'elle leur jeta, il supposa que, dans moins de deux minutes, toute la ville se livrerait aux conjectures les plus folles à leur sujet.

— Au fait, qu'a voulu dire Sadie en parlant de ménage tout à l'heure ?

— Je lui ai proposé de l'aider, mais je n'avais aucune idée de ce qui m'attendait. Autrement, je me serais sauvée à toutes jambes ! Il ne faudra pas que j'oublie d'augmenter ma femme de ménage à mon retour. Je n'aurais jamais pensé que c'était si dur…

— C'est gentil de lui avoir donné un coup de main.

— Je vais en faire des cauchemars toute la nuit.

Ils étaient arrivés devant le portail qu'il ouvrit avant de s'effacer pour la laisser passer.

— Vous exagérez.

— Vous comprendrez votre douleur quand je vous réveillerai à minuit en hurlant, dit-elle, pince-sans-rire.

Une minute plus tard, une fois la grille refermée, il résista à grand-peine à l'envie d'écraser ses lèvres sur les siennes.

— Dax pourrait vous tenir compagnie, si vous avez peur de dormir seule.

Elle l'enveloppa d'un regard intense, une veine battant follement à sa tempe, comme si elle lisait en lui à livre ouvert, puis elle éclata de rire en s'agrippant à son bras.

— Très drôle. Oh ! Ça, c'est du muscle, s'extasia-t-elle en palpant ses biceps du bout des doigts. Seriez-vous un adepte du body building, par hasard ?

— Je vous signale que ma voisine nous observe…

— Parfait !

— Vous ne perdez rien pour attendre.

— Dépêchons-nous alors, fit-elle en le précédant, la démarche exagérément chaloupée, avant de stopper sur le perron.

Il pouffa intérieurement. Gloria en ferait des gorges chaudes pendant des semaines, voire des mois ! Et dès qu'elle aurait terminé de raconter la scène en long en large et en travers au téléphone avec toutes les commères de la ville, il serait dûment fiancé à Alana, cela ne faisait pas un pli.

— Entrez. C'est ouvert…

Dans le vestibule, Alana voulut récupérer ses paquets, mais il les brandit au-dessus de sa tête, hors de sa portée.

— Je ne veux plus de câlins devant les voisins, c'est compris ?

— Et dans l'intimité ? susurra-t-elle d'une voix sensuelle en relevant le menton dans un geste de défi.

Quelle serait sa réaction, s'il lui arrachait son T-shirt et son jean pour lui montrer exactement ce qu'il avait envie de lui faire ? songea-t-il.

— Tenez, dit-il en lui remettant les sacs.

Elle les serra contre sa poitrine, l'air déçu.

— Vous arrive-t-il jamais d'être simplement vous-même et non le shérif Calder ?

Bonne question ! L'avantage de Chicago, au moins, était l'anonymat. Mais il savait à quoi s'attendre en revenant dans le Montana. Il l'avait fait pour ses parents, ses sœurs ayant assumé leur part du fardeau pendant la durée de ses études. C'était à présent son tour.

Il ôta son chapeau et se dirigea vers la cuisine.

— J'espère que vous aimez le jambon.

— Vos menottes pourraient peut-être nous servir à quelque chose tout à l'heure… Qu'en pensez-vous ?

Il s'évertua à repousser l'image d'Alana, ligotée aux montants de son lit.

— Ou à vous arrêter pour pari illégal ! répondit-il du tac au tac.

— Dans ce cas, vous devriez boucler la moitié de la ville, à mon avis.

— Dites plutôt tout le comté. Moutarde ou mayonnaise ?

Elle exhala un long soupir de frustration.

— Espèce de rabat-joie !

— Bon, moutarde alors…

— Je me préparerai mon sandwich moi-même, ne vous fatiguez pas.

Il l'entendit ôter ses chaussures, les ramasser et s'engager dans le couloir en direction de sa chambre. La femme déstabilisée, débarquée dans son bureau la veille, n'existait déjà plus. Il n'allait quand même pas laisser Dax partager son lit, si ?

9

C'était l'aube, mais le ciel était encore sombre. Rompu de fatigue, Noah se frotta la mâchoire envahie par une barbe naissante. S'il avait eu un tant soit peu de jugeote, il serait au lit au lieu de siroter un café dans la cuisine un dimanche matin, après une longue nuit de travail. Il allait se mettre aux abonnés absents le reste de la journée quoi qu'il advienne.

— Bonjour !

Levant les yeux, il aperçut Alana debout dans l'encadrement de la porte, à moitié endormie, les cheveux en broussaille, l'allure débraillée. Il ne l'avait pas entendue arriver.

Elle était vêtue d'un T-shirt crème trop grand qui lui arrivait à mi-cuisses, dévoilant ses longues jambes nues, et sous lequel elle ne portait visiblement pas de soutien-gorge.

Il sentit son sexe se réveiller instantanément. Finalement, il n'était peut-être pas aussi épuisé qu'il le croyait !

— Bonjour, dit-il, brisant le silence qui commençait à s'installer. Je ne vous ai pas réveillée, j'espère ?

— Pas du tout. J'ai été attirée par la bonne odeur du café, et j'ai supposé que vous aviez une machine programmable.

Son T-shirt remonta légèrement quand elle se pencha pour remonter ses chaussettes qui tombaient en accordéon sur ses chevilles, et il ne put s'empêcher de lorgner sa petite culotte rose largement échancrée.

— J'ai eu la main légère sur le café. Il n'est pas trop fort, ce matin.

— Vous faites ce que vous voulez, vous êtes chez vous.

— Bien sûr, mais vous êtes mon invitée.

Elle sourit et accepta la tasse qu'il lui offrait.

— Ne me dites pas que vous venez de rentrer !

— Si… Il y a une demi-heure environ.

— Vous avez travaillé non-stop depuis hier soir ?

— Oui.

Son genou heurta le sien sous la table quand elle s'assit en face de lui.

— Désolée, s'excusa-t-elle en s'écartant vivement. Il vous arrive souvent d'être appelé en pleine nuit ?

— Non, c'est plutôt rare, heureusement.

Elle avala une gorgée de café avec un plaisir non dissimulé.

— Je n'aurais jamais cru qu'on veillait si tard dans le coin. Il n'y a pas grand-chose à faire en dehors du pub, si ? Il ne s'est rien passé là-bas cette nuit, rassurez-moi ? ajouta-t-elle en lui jetant un regard inquiet par-dessus sa tasse.

— Pas que je sache. Mais Sadie est capable de gérer, s'il y a du grabuge.

Il la regarda essayer de discipliner ses cheveux emmêlés avec ses doigts, le regard perdu par la fenêtre. Quel imbécile il était ! Il voulait la voir au saut du lit, les yeux embrumés de sommeil, les traits détendus.

Il n'était pas dans son état normal. Il savait pourtant qu'il ne fallait jamais mélanger vie professionnelle et vie privée. Mais il avait le plus grand mal à ignorer l'attraction qu'elle exerçait sur lui, d'autant qu'elle ne faisait vraiment rien pour l'aider ! Il eut beau se faire violence, il ne put se retenir de loucher sur ses seins. Ses tétons pointaient sous le T-shirt, dont le tissu était si fin qu'il pouvait voir par transparence ses aréoles larges et brunes.

Elle heurta de nouveau sa jambe, interrompant brusquement la délicieuse rêverie où il imaginait leurs corps emmêlés…

— Encore un peu de café ?

Impossible de se lever devant elle à cause de son érection. Il poussa donc sa tasse dans sa direction.

— Volontiers, merci.

— Qu'est-ce que c'était que cette urgence, au fait ?

— Quelle urgence ?

— La nuit dernière.

— Oh… rien d'important…

Elle fit brusquement volte-face, partagée entre l'incompréhension et la colère.

— Rien d'important ? Mais vous êtes resté absent près de huit heures !

C'était donc cela. Elle pensait qu'il voulait l'éviter.

— Plusieurs selles de cheval ont disparu, mais je m'attends à les voir réapparaître d'un jour à l'autre.

— Un nouveau vol ?

— Je ne crois pas. Je pencherais plutôt pour un emprunt sans autorisation.

Elle hocha la tête sans conviction, persuadée apparemment qu'il ne lui disait pas toute la vérité.

— Et puis, une femme a signalé la disparition de son mari. Il l'a prévenue qu'il partait chercher des bêtes égarées. Ne le voyant pas rentrer à la tombée de la nuit, et comme son portable était éteint, elle m'a appelé pour me demander d'effectuer des recherches.

Elle plaça la tasse pleine devant lui.

— Donc, vous n'avez pas fermé l'œil de la nuit.

Il tressaillit en sentant sa main se poser sur son épaule.

— C'est ça.

— J'espère que vous allez pouvoir vous reposer aujourd'hui.

Elle était si proche qu'il sentit son cœur s'emballer dans sa poitrine. Il aurait voulu l'attirer sur ses genoux, enfouir son visage entre ses seins. L'entraîner dans son lit séance tenante. La tentation était très forte. Heureusement, elle retira sa main et retourna s'asseoir.

— C'est Roy qui est de service le dimanche. Un excellent prétexte qui lui évite de dîner chez ses beaux-parents.

Elle étreignit sa tasse à deux mains et lui sourit.

— C'est encourageant de voir que tout le monde est heureux en couple ici. Cela dit, vous avez l'air épuisé. Vous devriez dormir.

— Qu'allez-vous faire en attendant ?

— Je ne sais pas. J'ai lu un de vos livres jusqu'à minuit. Je vais peut-être m'accorder une petite sieste, moi aussi.

Un ange passa. Ils se regardèrent un long moment sans rien dire. Taquineries mises à part, il avait le sentiment que, s'il l'en priait, elle accepterait de le rejoindre dans son lit sans difficulté. Après toutes ces années passées à la tête du comté, il ne s'était jamais trouvé en pareille situation avec une femme. Les règles du jeu avaient toujours été clairement définies. Or sa relation avec Alana était pour le moins ambiguë, puisqu'il ne la regardait plus comme suspecte, mais comme une simple touriste dépouillée de ses bagages, à qui il donnait un coup de main. Pourquoi alors n'avait-il pas appelé Rachel pour lui demander de libérer une chambre au ranch ? De quel droit la privait-il de cette opportunité ?

— Je n'ai pas l'habitude de recevoir chez moi, finit-il par dire.

Elle se leva d'un bond.

— Désolée si ma présence vous dérange.

— Vous ne me dérangez absolument pas ! s'empressa-t-il de la détromper, voyant qu'elle s'apprêtait à tourner les talons. Ne partez pas. Vous m'avez mal compris. Votre compagnie m'est très agréable, au contraire. Dax ne me demande jamais comment s'est déroulée ma journée, lui…

Elle prit le parti de sourire pour montrer qu'elle n'était pas dupe.

— A propos, où est-il passé ?

— Il a filé au jardin quand je suis rentré. Il n'a pas reparu depuis.

Elle se campa à la fenêtre et regarda au-dehors. Le soleil n'était pas encore levé, de sorte qu'on n'y voyait guère.

Il regretta de l'avoir involontairement blessée, et chercha le moyen de la retenir.

— Quand avez-vous appris à jouer au billard ?

Elle se retourna, surprise.

— Quand j'étais à la fac. Pourquoi ?

— J'ai oublié de vous le demander, hier soir.

— Il y avait une table au sous-sol de la cité universitaire où je logeais. Une amie m'a appris à jouer et j'ai découvert que c'était un excellent remède contre le stress. J'y consacrais presque toutes mes soirées. Bref, j'y ai pris goût, et puis j'aime gagner.

— Je n'aurais jamais pensé que vous étiez un crack du billard.

— Et pourquoi pas ? Vous jouez aussi ?

— Autrefois oui. Moins maintenant.

— Et comment vous débrouillez-vous ?

Il vit une étincelle de défi s'allumer dans ses yeux.

— Vous voulez savoir si je suis assez bon pour me mesurer à vous ? Aucune idée. Je ne vous ai pas encore vue en action.

— Vous êtes plus fort que Sam et Hector ?

— Je crois, oui.

Elle se rassit en face de lui. Cette fois, elle ne s'écarta pas quand leurs jambes se frôlèrent.

— Ça vous dirait de disputer une partie avec moi ? suggéra-t-elle en se penchant en avant, son T-shirt moulant délicieusement ses seins.

— Où ça ?

— Au Watering Hole. Y aurait-il un autre endroit en ville ?

— Oui, au Sundance.

Elle le dévisagea d'un œil suspicieux.

— Pourquoi là-bas précisément ?

— Question d'intimité.

Elle se mit à rire.

— Vous craignez pour votre image ?

— Pas exactement, mais c'est plus prudent. Je n'aime pas m'afficher en public, même quand je ne suis pas en service.

— Je vois… Ce serait dur pour votre ego si on venait à savoir que vous ne faites pas le poids face à une fille, hein ?

— Quelle prétention ! répondit-il, piqué au vif. Sachez que ça ne me dérange pas, quoi que vous en pensiez. De toute façon, qui vivra verra !

— Nous devrions parier. Ce qui vous plaira.

— Ici, on ne rigole pas avec les paris. On joue de l'argent ou sa voiture. Or vous ne possédez ni l'un ni l'autre.

— C'est exact, et alors ?

Sa condescendance le hérissa.

— J'ai une idée. Je parie votre petite culotte rose que c'est moi qui vous battrai.

Elle accusa le coup. Puis, une seconde plus tard, un sourire provoquant aux lèvres, elle glissa une main sous son T-shirt, tout en se dandinant sur son siège.

— Je peux vous la donner tout de suite, si vous y tenez.

Elle n'allait quand même pas oser ! Si ? Décidément, cette femme était imprévisible !

Il s'exhorta au calme et se prépara à une silencieuse partie de bras de fer dont il avait le secret en espérant que son sexe qui tressautait de plus belle, comprimé dans son pantalon, ne le trahirait pas éhontément.

Leurs regards s'affrontèrent. Que voulait-il au juste ? La battre sur son propre terrain ou lui forcer la main ? S'il la laissait sortir ses griffes, elle reprendrait vite du poil de la bête. Or il la préférait fragile et vulnérable.

Il lui décocha son plus éblouissant sourire.

— A quoi jouez-vous ? demanda-t-elle, l'œil inquiet.

— A rien du tout, quelle idée !

Elle se pencha pour attraper quelque chose sous la table.

— Tenez…, dit-elle en lui jetant sa petite culotte.

Il rattrapa au vol le morceau de tissu rose qu'il brandit à bout de bras.

— « Dimanche » déchiffra-t-il dans un éclat de rire. Ça vient de chez Abe ?

Elle poussa un soupir excédé.

— Quand j'offre ma culotte à un homme, je n'imagine pas qu'il va éclater de rire !

Il en fit une boule dans le creux de sa main.

— A quoi vous attendiez-vous donc ?

Elle avala sa salive, le rouge aux joues.

— Vous m'avez pratiquement défiée de l'enlever. Je n'aime pas être mise au pied du mur.

Il recula sa chaise, se leva, gagna la porte du jardin et l'ouvrit.

— Voilà qui ne tombera pas dans l'oreille d'un sourd.

— Vous allez vous coucher ?

Il scruta le jardin encore noyé dans l'ombre. Aucune trace de son chien.

— Pas tout de suite.

Elle tendit la main.

— Vous voulez bien me la rendre, maintenant ?

Il revint sur ses pas et la saisit par le coude pour la faire se relever, ignorant son exclamation de surprise. Sans ses hauts talons, elle avait une bonne tête de moins que lui.

Il plongea son regard dans le sien.

— C'est ce que tu veux ? demanda-t-il en passant sans y songer au tutoiement.

Elle redressa le menton, se haussant sur la pointe des pieds.

— Oui, répondit-elle. Et sache qu'outre le billard, j'étais une adepte du kick-boxing quand j'étais étudiante.

Il l'attira plus près de lui.

— Tu ne portes pas de culotte ? Intéressant…

— Voilà une remarque indigne d'un shérif, gloussa-t-elle nerveusement.

— Où as-tu fait tes études ?

— A Yale.

Il aurait dû se douter qu'elle avait fréquenté l'une des universités les plus prestigieuses du pays.

— C'est là-bas que tu as appris à flirter comme ça ?

Elle se libéra et referma les bras autour de sa taille.

— Allons, Noah, détends-toi, dit-elle en promenant les mains sur ses fesses. Voyons voir… Boxer ou slip ? Tu me le dis ou dois-je le découvrir toute seule ?

— Débrouille-toi.

Elle battit des paupières et lui adressa une œillade enflammée, les lèvres entrouvertes.

Sans plus attendre, il glissa les mains sous son T-shirt et les referma sur ses seins ronds et fermes, incapable de maîtriser l'incendie qui l'envahissait. Un délicieux frisson le parcourut quand il sentit les tétons durs se presser au creux de ses paumes et qu'il perçut les battements désordonnés de son cœur.

De savoir qu'elle ne portait rien sous son fin vêtement l'électrisait. Il n'avait qu'à glisser ses mains un peu plus bas et… Il inclina la tête, posa sa bouche sur la sienne et se mit à mordiller délicatement ses lèvres frémissantes. Elle lâcha une plainte sourde qui se répercuta directement dans son bas-ventre, tandis qu'elle plaquait plus étroitement ses seins gonflés contre ses paumes, les doigts plantés dans son dos, jusqu'à ce que son érection palpite follement contre ses jambes.

Il abandonna alors un sein et fit courir sa main de son flanc à ses fesses rebondies qu'il se mit à pétrir avec délectation, frottant sans vergogne son membre dur contre sa chair si douce. Il rêvait de s'enfoncer dans ce fourreau humide et accueillant. Son désir devenait de plus en plus impérieux, sur le point d'atteindre le point de non-retour.

Ce fut alors qu'une stridulation déchira le silence.

Non, ce n'était pas possible !

La sonnerie, insistante, résonnait entre les murs jaune pâle. Ce n'était pas son portable, mais le téléphone fixe.

Il aurait voulu l'ignorer, arracher l'appareil de son support pour le faire taire, mais Alana recula d'un pas et se hâta de rajuster son T-shirt, les joues cramoisies, le regard éperdu.

Il consulta l'horloge au-dessus de la porte. Personne n'appelait si tôt un dimanche, sauf en cas d'urgence.

Il lui vola un dernier baiser avant d'attraper le combiné, interrompant la quatrième sonnerie.

— Shérif Calder, j'écoute.

La voix pâteuse de sa mère lui parvint à l'autre bout du fil. Il laissa échapper un soupir excédé et ferma les yeux. Elle avait bu ou, plus probablement, ne s'était pas encore couchée.

— Maman, il est 6 h 30 du matin !

Il glissa un œil vers Alana avec un sourire contraint.

Le téléphone de la cuisine était un vieux modèle, de sorte qu'il ne pouvait s'éloigner si la discussion s'envenimait. Mais il n'avait pas l'intention de s'éterniser.

— Je ne t'ai pas réveillé, mon fils, j'espère ?

— Non, je ne dormais pas.

— Je voulais te rappeler le dîner de ce soir.

Il se massa la nuque en tournant délibérément le dos à Alana, le seul moyen de protéger un tant soit peu l'intimité de cette conversation.

— J'ai prévenu papa hier que je ne pouvais pas venir. Il ne te l'a pas dit ?

— Si, mais je ne l'ai pas cru. Tu ne nous as jamais fait faux bond. J'ai fait quelque chose qui t'a déplu ?

— Non, maman, tu n'y es pour rien. J'ai juste un imprévu. Le boulot…

— Tout le monde sait où te trouver le dimanche soir en cas d'urgence.

Heureusement, elle n'avait pas l'air aussi ivre qu'il l'avait craint. Mais elle n'était pas aussi entêtée d'habitude.

— Je viendrai un autre jour. Mardi ou mercredi. Ça te va ?

— C'est la tradition, Noah. La famille est censée se réunir le jour du Seigneur. Tu sais combien c'est dur pour ton père et moi depuis le départ de tes sœurs, ajouta-t-elle d'une voix brisée.

En réalité, son père se moquait éperdument de ce qui se passait à la maison, et Noah ne pouvait guère l'en blâmer. Il aimait sa mère et en même temps, il la détestait quand elle buvait à en perdre la raison.

Il soupira et se retourna pour observer Alana. Debout devant la porte, elle contemplait le jardin dans la lumière naissante. Il profita de ce qu'elle lui tournait le dos pour laisser son regard s'attarder sur la courbe de son dos, ses longues jambes galbées.

— D'accord, maman, je vais me débrouiller pour me libérer. Mais j'ai une invitée. Puis-je l'emmener avec moi ?

Alana avait entendu, car il la vit tressaillir et se passer une main nerveuse dans les cheveux.

— Une femme ? répéta sa mère, très excitée. Je ne savais pas que tu fréquentais quelqu'un.

— C'est une amie… Elle n'habite pas ici. Disons que je lui donne un coup de main en ce moment.

— Bien sûr que tu peux l'emmener. Je vais faire une tarte. Tu connais ses goûts ?

Il regrettait déjà d'avoir lancé l'idée. La plupart du temps, c'était lui qui préparait le dîner.

— Ne te fatigue pas, maman, dit-il sur un ton lourd de sous-entendus.

— Ça ira, Noah, je t'assure.

Elle ignorait à quel point ses promesses fallacieuses avaient distendu les liens familiaux, songea-t-il avec amertume.

— Rien de compliqué pour le repas, d'accord ? Je t'aiderai en arrivant.

— Tu es un bon fils, tu sais ?

— Va te reposer maintenant. J'arriverai vers 17 heures.

Il raccrocha sans quitter Alana des yeux.

— Tu n'es pas obligée de venir, tu sais…

— Si, ça me fait plaisir.

Elle avait certainement une idée en tête, mais il n'avait pas envie d'approfondir la question. Curieux comme un coup de fil pouvait faire tout basculer. Quelques minutes plus tôt, il était sur le point de l'entraîner dans sa chambre et de l'allonger sur son lit. Et maintenant…

— Alana…

Elle posa un doigt sur ses lèvres.

— Chut ! Plus tard. Va te coucher maintenant.

Il voulut l'embrasser, mais elle le repoussa avec douceur.

Incroyable… Elle avait su d'instinct ce dont il avait besoin !

10

Le trac, Alana n'avait jamais su ce que c'était. Même à ses débuts. Elle brassait des idées pour attirer une riche clientèle et avait l'habitude de prendre la parole dans des séminaires rassemblant des centaines de participants. Pourtant, elle n'en menait pas large lorsque Noah gara son pick-up devant la modeste maison de brique de ses parents, que flanquait une vieille grange délabrée qui aurait eu bien besoin d'une remise en état et d'un coup de peinture.

— J'ai honte d'arriver chez tes parents dans ce T-shirt rouge hideux et en jean. Ce n'est pas une tenue pour dîner un dimanche soir ! Que vont-ils penser de moi ?

— Et moi donc, que devrais-je dire avec ma chemise en flanelle et mon jean tout usé ?

— Ce n'est pas pareil. Tu es leur fils.

— Et toi, l'amie de leur fils, c'est exactement la même chose. Avec ton chemisier de soie et ton pantalon haute couture, tu aurais mis ma mère très mal à l'aise et elle aurait regretté de ne pas avoir sorti la porcelaine de ma grand-mère.

Il coupa le moteur et se renversa sur son siège. Il avait l'air épuisé, même après avoir dormi sept heures d'affilée.

— Que vas-tu leur dire à mon sujet ?

— La vérité.

Oui, mais quelle version de la vérité ? se demanda-t-elle. Pour autant qu'elle sache, il était du genre bon samaritain, toujours prêt à aider les autres. Peut-être était-ce tout ce

qu'elle représentait pour lui : une âme en peine qu'il devait
secourir… Que s'imaginait-elle donc ? Qu'il l'invitait chez
ses parents pour une autre raison ? A croire que l'altitude
lui ramollissait le cerveau !

— Ils vont se demander ce qu'on fabrique dehors depuis
tout ce temps, dit-elle.

Il lui prit la main avec un sourire qui réchauffa son
regard aigue-marine.

— Non, mon père doit se trouver dans la remise ou dans
le pré, et ma mère dans la cuisine qui donne côté montagne. J'ai envie de t'embrasser, ajouta-t-il sans transition.

Elle sentit son cœur s'affoler dans sa poitrine.

— Qu'est-ce qu'il te prend ?

— Rien ne s'est passé comme prévu, aujourd'hui,
soupira-t-il, soudain rembruni.

— Pourquoi, tu avais d'autres projets ?

— C'était mon jour de congé, et en plus, ce matin,
j'avais une jolie femme à moitié nue dans ma cuisine…

— On pourrait parler d'autre chose ?

Il la dévisagea, l'air amusé.

— Tu as rougi.

— Arrête de dire des bêtises !

Mais elle savait qu'il disait vrai. C'était la deuxième fois
qu'elle piquait un fard en quarante-huit heures. Le climat
du Montana ne lui valait rien, pas la peine de chercher plus
loin ! Ils avaient tous les deux l'air d'ados sur la banquette
arrière d'une voiture, songea-t-elle en rougissant de plus
belle quand il se pencha pour déposer un baiser sur ses
lèvres. Un baiser si léger qu'il en fut affreusement frus-
trant ! S'il n'avait tenu qu'à elle, elle l'aurait convaincu
dans l'instant de faire demi-tour et de rentrer chez lui.

— Tu es un monstre, bredouilla-t-elle en s'écartant,
la respiration haletante. Allons-y maintenant, sinon tes
parents vont finir par s'impatienter.

Comme il ne réagissait pas, elle détourna la tête pour cacher son trouble et aperçut une silhouette du coin de l'œil.

— Noah, je crois bien que c'est ta mère, là dehors...

Il se pencha vers elle, un sourire incrédule aux lèvres.

— S'il te plaît, Noah, arrête, elle peut nous voir ! insista-t-elle.

Il glissa un regard par la vitre : la femme agitait à présent la main dans leur direction.

— Les vitres sont teintées, ne t'inquiète pas. Et quand bien même elle nous aurait vus, il n'y a pas de quoi en faire un plat. C'était un petit baiser de rien du tout.

— Oui, mais...

— Oh ! Tiens, voilà mon père qui accourt avec son fusil de chasse. Il va m'obliger à t'épouser, c'est sûr.

Elle risqua un œil paniqué vers la grange.

— Je plaisantais ! la rassura-t-il en sautant de voiture pour venir lui ouvrir galamment la portière. Je veux bien t'apporter à dîner ici, mais ça risque de faire jaser à la maison, reprit-il, voyant qu'elle ne bougeait pas.

Elle accepta alors la main secourable qu'il lui tendait pour l'aider à sortir du véhicule surélevé, entreprise autrement plus périlleuse que de descendre d'un taxi à New York.

— Tu es un vrai démon, fit-elle en défroissant son T-shirt avant de le suivre.

La mère de Noah les attendait devant la porte ouverte. Vêtue d'un jean et d'un pull bleu assorti à ses yeux, les cheveux blonds couleur sable soigneusement tirés en une queue-de-cheval, elle paraissait plus âgée que ne le laissaient penser son corps bien conservé et ses joues rosies.

— Bienvenue, vous deux, dit-elle avec une exclamation ravie.

Noah l'embrassa et s'effaça pour la laisser entrer.

— Bonsoir, maman. Après toi, il fait un peu frisquet, nous ferons les présentations à l'intérieur.

Mme Calder parut hésiter entre une poignée de main ou une chaleureuse accolade. Alana, qui détestait les embrassades, prit les devants et lui tendit la main.

— Alana Richardson. Enchantée de faire votre connaissance, madame.

— Appelez-moi Celia, je vous en prie… Noah, ne garde pas ton chapeau à la maison.

Noah ôta son Stetson qu'il accrocha à un portemanteau de chêne, à côté d'une horloge Comtoise.

— Excuse-moi. Où est papa ?

— Dans la remise, comme d'habitude. Il ne va pas tarder, je suis sûre qu'il vous a entendus arriver. Mais venez donc vous asseoir, faites comme chez vous, je vous en prie, proposa-t-elle à Alana en indiquant d'un geste le vieux canapé écossais installé en face d'une cheminée de brique flanquée de deux fauteuils marron rembourrés. Que puis-je vous offrir à boire ? Bière, café, vin, whisky…

— Du vin ? s'étonna Noah.

Sa mère lui jeta un bref regard, comme si elle s'adressait à un parfait ignorant.

— Mais oui, je garde quelques bouteilles en réserve pour les invités.

Il s'apprêtait à répondre, quand Alana le prit de vitesse.

— Du vin blanc pour moi, merci. Avez-vous besoin d'aide ?

Celia s'essuya nerveusement les mains à son pantalon, à croire qu'elle n'avait pas l'habitude de jouer les maîtresses de maison.

— Non, non, je reviens tout de suite.

Après son départ, Alana avisa un panier à tricot au pied de l'un des fauteuils et, à côté de l'autre, une pipe dans un cendrier posé sur une table basse.

Elle s'installa à l'extrême bord du canapé et fit signe à Noah de la rejoindre.

Il se laissa tomber à ses côtés, les jambes largement écartées, sans la toucher.

Elle se pencha vers lui.

— Ta mère est très gentille. Elle se donne beaucoup de mal pour nous.

— Que veux-tu dire ?

Elle battit des paupières, ne sachant que répondre. A dire vrai, il avait été avare de détails et elle ignorait à peu près tout de lui, sinon qu'il avait deux sœurs qui vivaient au loin avec leurs familles.

— J'ai l'impression que tes parents ne reçoivent pas beaucoup, je me trompe ?

— C'est vrai. Je vais voir comment ma mère s'en sort, si tu permets…

— Je sais dresser la table et servir à boire, mais c'est à peu près tout, j'en ai peur, se justifia-t-elle avec un petit rire gêné. Tu ne me crois pas ? ajouta-t-elle devant son regard sceptique. C'est pourtant vrai, je te promets ! Je suis tout juste capable de faire cuire un œuf.

— Ce sera à la bonne franquette, ce soir. Maman n'est pas un cordon-bleu elle non plus. Bon, je m'en vais lui donner un coup de main.

Elle s'étala sur le canapé, l'air réjoui.

— Je crois que ta mère va me plaire.

Un bras derrière son dos, il se pencha lentement vers elle, sans la quitter des yeux, quand un vacarme assourdissant le fit sursauter.

— Ça va, maman ? s'écria-t-il.

— Ça va, rien de cassé, répondit Celia du fond de la cuisine. J'ai juste fait tomber une casserole.

Il gagna la porte en deux enjambées, un pli inquiet au front.

— Ne bouge pas, je reviens.

Elle faillit le suivre, puis se ravisa. Quelque chose clochait, elle le sentait. On aurait dit qu'il était sur des charbons ardents depuis qu'il avait mis les pieds dans cette maison. A moins qu'elle ne soit le jouet de son imagination ?

Elle le connaissait à peine, après tout. Peut-être était-il simplement gêné de l'avoir emmenée chez ses parents, qui pourraient se faire des idées à leur propos. Elle-même aurait paniqué si elle avait dû présenter un homme à Eleanor.

Comme elle commençait à trouver le temps long, elle alla examiner un cadre photo mural. Elle sourit en reconnaissant Noah en lycéen, vêtu d'un maillot de football qui mettait en valeur ses pectoraux musclés. Un autre cliché le représentait en smoking et pochette, la mine crispée, comme s'il s'apprêtait à prendre ses jambes à son cou. Il y avait également deux femmes, probablement ses sœurs, avec les cheveux clairs de leur mère et d'admirables yeux bleu-vert, pareils à ceux de Noah. Et les enfants… Sans doute ses nièces… Un portrait de groupe attira son regard — une superbe blondinette au visage d'ange, aux longues boucles et aux grands yeux bleus, accompagnée de deux jumelles plus âgées, dotées d'une chevelure couleur de miel identique et du même regard azur. Les trois petites auraient pu jouer les stars sur papier glacé.

Noah reparut sur ses entrefaites, un verre de vin à la main. Il le lui tendit.

— Désolé d'avoir tardé, dit-il en suivant son regard fixé sur les photos.

Retournerait-il travailler après le dîner ? se demanda-t-elle en constatant qu'il ne s'était pas servi à boire.

— Ce sont tes nièces ?

Il s'avança pour regarder de plus près les portraits.

— Oui, elles sont mignonnes, tu ne trouves pas ?

— Vraiment magnifiques. Elles pourraient devenir mannequins si ta sœur le voulait. Quand a-t-elle déménagé ?

— Vicky est partie il y a six ans et Tina a suivi environ trois ans plus tard.

Il avait une drôle de façon de présenter les choses.

— Les petites ne sont donc pas nées ici ?

— Non, mais elles viennent nous voir une ou deux fois l'an. N'en parle surtout pas devant ma mère, d'accord ?

— Bien sûr que non. Elles doivent beaucoup lui manquer. C'est à toi de combler le vide, je suppose ?

— Pas exactement.

— Ah bon ? Tu ne veux pas d'enfants ? demanda-t-elle le cœur battant sans trop savoir pourquoi, suspendue à ses lèvres comme si sa vie en dépendait.

— Je n'ai jamais dit ça.

Elle sirota son verre en attendant qu'il s'explique.

— Je ne comprends pas, reprit-elle, comme il ne répondait pas. Tu veux des enfants, oui ou non ?

Elle le vit froncer les sourcils, une lueur de gaieté au fond de ses beaux yeux clairs. Il devait penser qu'elle était bien curieuse. Tant mieux si telle était son impression, d'autant qu'elle-même ne savait plus très bien où elle en était.

— J'aimerais bien en avoir un ou deux, mais je ne me marierai pas uniquement pour cette raison. Et toi ?

— Moi ? Jamais de la vie. Je ferais une très mauvaise mère.

— Pourquoi ça ?

Elle se sentit immédiatement sur la défensive. Aussi décida-t-elle de jouer à fond la carte de la franchise.

— Je n'ai aucune expérience des enfants et je suis terriblement égoïste. La simple pensée d'être responsable de quelqu'un d'autre me terrifie. Sans oublier que je suis une horrible carriériste et que je n'ai pas eu un bon exemple à suivre dans mon existence. Ai-je répondu à ta question ?

Au lieu de paraître dégoûté, déçu ou choqué, comme elle s'y attendait, il partit d'un grand rire qui la désarçonna.

— Parfaitement, c'est on ne peut plus clair !

— Que veux-tu dire ?

— Attends… J'ai entendu claquer la porte de derrière. Ce doit être mon père. Viens, je vais te le présenter… Ensuite, tu pourras me regarder préparer une purée de pommes de terre au jus de viande. Tu vois, tu n'auras pas perdu ta soirée !

Elle leva les yeux au ciel et vida son verre avant de le suivre dans la cuisine brillamment éclairée, avec ses rideaux à volants en vichy rose aux fenêtres et ses murs couleur beurre frais.

Celia s'activait devant ses fourneaux, tandis qu'un homme grand et élancé aux cheveux foncés, coupés ras, se lavait les mains dans l'évier. Il portait un jean et une chemise en flanelle verte délavés et des bottes étincelant de propreté.

— Salut, papa, voici Alana, fit Noah.

Son père ferma le robinet et secoua ses doigts avant de les essuyer dans un torchon à rayures accroché au mur, avec une nonchalance naturelle dont son fils avait apparemment hérité. Il la gratifia d'un sourire amical qui réchauffa ses yeux bleus et lui tendit la main.

— David Calder. Très heureux de vous connaître.

— Merci pour votre aimable invitation.

La douceur de son sourire lui fit chaud au cœur. Elle se serait attendue à autre chose de la part d'un fermier ayant vécu toute son existence dans ce coin de campagne reculée. Et puis, la vieille pipe qu'elle avait aperçue près du cendrier ne cadrait pas vraiment avec ce bel homme distingué. Elle nota sa paume rêche, ses traits burinés par le soleil et le vent. Pour un homme ayant franchi le cap de la soixantaine, il avait un visage relativement peu marqué et l'air plus jeune que sa femme. A la place de Celia, elle n'aurait pas apprécié du tout !

— Ai-je le temps de prendre une douche avant le dîner ? demanda-t-il à Noah.

Curieux qu'il s'adresse à son fils et non à sa femme, constata Alana, surprise.

— Bien sûr, papa, j'ai encore deux ou trois petites choses à faire.

— Et moi, je dois mettre la tarte au four, intervint Celia, les mains sur ses joues cramoisies.

Les deux hommes échangèrent un regard expressif, puis David quitta la cuisine pendant que Noah sortait des placards des bols, des fouets et d'autres ustensiles.

Alana posa son verre vide sur la table.

— Je peux t'aider ? lui demanda-t-elle.

— Surtout pas, vous êtes notre invitée ! protesta Celia en se retournant si brusquement qu'elle heurta du coude un carafon de verre qui oscilla en équilibre instable sur le plan de travail.

Vif comme l'éclair, Noah le rattrapa au vol avant qu'il ne se brise sur le sol.

Celia pressa une main sur son cœur.

— Merci, mon fils ! Tu sais qu'il appartenait à ton arrière-grand-mère.

Il fit oui de la tête, un petit sourire désabusé aux lèvres, comme s'il avait entendu cette rengaine des centaines de fois.

La préparation du dîner — dont Noah effectua le plus gros — se passa sans anicroche.

Une fois tout le monde assis autour de la table devant un poulet dont l'appétissant fumet embaumait la maison, Alana ne put s'empêcher de dévisager ses hôtes avec intérêt. Une foule de questions, auxquelles elle aurait bien voulu des réponses, se bousculaient dans sa tête.

La relation complexe et ambiguë entre la mère et le fils, notamment, l'intriguait au plus haut point. Sans oublier la figure du père, plein de retenue et de pudeur. Si Eleanor avait été présente, elle s'en serait donnée à cœur joie à passer toute la famille au crible.

D'une main qui tremblait légèrement, Celia attrapa son verre de vin, posé à droite de son assiette à laquelle elle avait à peine touché.

Elles étaient les seules à boire du vin à table et Alana bataillait pour l'empêcher de la resservir à tout bout de champ.

Noah avait avalé la moitié d'une bière en préparant la purée, un peu plus tôt. Quant à son père, il arrosait tranquillement son repas de café noir.

— Laissez-moi vous remercier, dit Alana, qui s'était efforcée de répondre sereinement à l'interrogatoire en règle que lui avait fait subir Celia depuis qu'ils étaient passés à table, une quarantaine de minutes, plus tôt. C'était délicieux. J'ai tellement mangé que je suis sur le point d'exploser.

— Vous aurez bien un peu de place pour le dessert. Une part de tarte aux pommes, ça vous tente ? C'est ma spécialité.

Elle semblait avoir perdu la vivacité qui l'animait à leur arrivée, et Alana se demandait ce qui, de la maladie, des médicaments ou de l'alcool, en était la cause.

Noah se tapota le ventre en terminant sa seconde assiette de poulet.

— Délicieux, merci, maman.

Assis en bout de table, David n'avait pratiquement pas desserré les dents de tout le repas. On aurait dit qu'il crevait d'envie de fumer une cigarette. Ou d'être ailleurs.

Une sourde tension pesait indéniablement. Tandis qu'il desservait, Alana surprit une mimique de Noah lui signifiant qu'il était temps de rentrer.

Son père se mordit la lèvre avec une douloureuse résignation, regardant sa femme porter un énième verre à ses lèvres. Puis il repoussa sa chaise, se leva et marmonna une excuse avant de s'éclipser.

Celia se tassa sur sa chaise.

Alana se mit à jouer avec sa serviette pour se donner une contenance. Ce n'était pas vraiment l'image d'Epinal à laquelle elle s'était attendue, mais elle n'allait pas laisser la soirée se terminer de cette façon. Ce serait trop affreux… pour Celia, pour David, pour Noah, bref, pour tout le monde…

Noah se matérialisa soudain dans l'encadrement de la porte séparant la cuisine et la salle à manger.

— Alana, tu voudrais venir m'aider à faire la vaisselle ? demanda-t-il avec un regard appuyé.

— Bien sûr. Mais j'aimerais bien goûter la tarte de ta mère d'abord.

11

Les épaules et le cou douloureusement contractés, Noah apporta à table la tarte, les assiettes à dessert et un pot de café frais. Il tentait de deviner à quoi pensait Alana. Impossible qu'elle n'ait pas remarqué que sa mère buvait trop. Il lui avait pourtant clairement fait comprendre qu'il était temps pour eux de lever l'ancre. Du moment que le dîner s'était terminé sans incident, pourquoi prolonger le supplice ?

Il y avait des années qu'il s'était réconcilié avec l'alcoolisme de sa mère, à qui il avait d'ailleurs pardonné. Quoique pas tout à fait… Il comprenait pourquoi son père avait pris ses distances sur le plan affectif. Ce qui ne traduisait pas forcément chez lui indifférence ou hostilité. Mais c'était le seul moyen de supporter la vie quotidienne avec une alcoolique. Son père aimait toujours sa mère, tout comme lui-même, il n'en doutait pas. Seulement, l'apparent désintérêt qu'il affichait était la parade qu'il avait trouvée pour ne pas sombrer dans la folie ou finir par la haïr. Noah avait lu plusieurs articles sur la question et discuté avec un bon nombre d'abstinents pour le savoir.

Lui-même s'était souvent trouvé à bout de patience, avec une énorme envie de la secouer pour lui ouvrir les yeux, l'avertir qu'elle passait à côté de ses petits-enfants. Dire qu'autrefois elle rêvait tant de devenir grand-mère et qu'aujourd'hui, elle était privée de leur présence ! Sa sœur avait préféré éloigner ses filles, car la situation devenait invivable pour tout le monde. A sa place, il aurait fait de même. Les enfants devaient toujours passer en priorité.

Pour une raison qui lui échappait, Alana semblait s'acharner à ignorer qu'il désirait partir au plus vite. Il en était profondément agacé, mais lui faire une scène aurait été parfaitement déplacé. Ils allaient avaler le dessert en vitesse et prendre congé ensuite le plus vite possible.

— Je n'ai rien oublié ? demanda-t-il en posant la tarte, le couteau, les assiettes et les fourchettes sur la table.

— Si, la pelle en argent pour servir, dit sa mère d'une voix étonnamment sobre.

Il loucha dans sa direction et surprit le petit sourire d'excuse et de gratitude qu'elle lui décocha en retour.

— Ah oui, je vais la chercher, fit-il, notant qu'elle avait repoussé son verre de vin pour se servir du café.

Il sentit une boule d'émotion lui étreindre la poitrine. Pendant une fraction de seconde, elle était redevenue la mère d'autrefois, celle qui applaudissait plus fort que les autres pendant ses matchs de football. Il était peut-être trop vieux pour cela, mais il aurait donné n'importe quoi pour retrouver l'heureuse insouciance de son enfance.

Lorsqu'il revint à la salle à manger, muni de la pelle à tarte, il trouva Alana en grande conversation avec sa mère. Elle semblait suspendue à ses lèvres. Depuis quand ne s'était-on pas adressé à Celia Calder avec autant de respect et de gentillesse ?

Elles furent même prises soudain d'un fou rire.

— Pourrais-tu découper pendant que je vais chercher papa ? demanda-t-il.

— Va voir dehors, il est probablement en train de fumer sa pipe, répondit-elle en tendant une main tremblante vers le couteau.

— Voulez-vous que je m'en occupe ? proposa Alana.

— Très volontiers, merci.

— Je vais essayer de ne pas me lécher les doigts, promis !

Avant de quitter la pièce, Noah eut le temps de surprendre le sourire radieux de sa mère dans lequel ne subsistait plus la moindre trace de gêne.

Il trouva effectivement son père sous la véranda. A son grand soulagement, il n'eut pas besoin d'insister pour le convaincre de le suivre et bientôt, chacun se retrouva attablé devant une grosse part de tarte.

— Votre mère est psychiatre, c'est bien ça ?

Noah n'en revenait pas d'entendre son père ; il n'avait pas prononcé trois mots depuis le début du repas.

La bouche pleine, Alana hocha la tête, puis posa sa fourchette en se tamponnant les lèvres avec sa serviette.

— Vous n'avez pas mentionné votre père.

— Je ne le connais pas. Il n'a jamais fait partie de ma vie.

Noah réprima un sourire devant l'air consterné de son père qui devait regretter son intervention maladroite.

— Tes parents sont divorcés ? demanda-t-il pour faire diversion.

Elle reprit sa fourchette et se concentra sur son assiette.

— Eleanor a fait appel à un donneur de sperme.

— Vous appelez votre mère par son prénom ? s'enquit Celia, interdite.

— Elle n'est pas ce que l'on pourrait appeler une figure maternelle conventionnelle.

Celia avait beau être un peu ivre, Noah ne doutait pas qu'elle ait perçu la pointe de sarcasme dans la réponse d'Alana. Quant à lui, le voile de tristesse qui brouillait son beau regard noisette ne lui avait pas échappé et il mesurait ce que ses airs désinvoltes cachaient de déception et de colère.

— J'ai été presque uniquement élevée par une nounou jusqu'à mon départ en pension. C'est délicieux, reprit-elle après un silence, en prélevant un autre morceau de son dessert. Je vous demanderais bien la recette, seulement je ne saurais pas comment faire.

Noah sourit, pendant que ses parents la fixaient avec un étonnement mal déguisé.

— Est-ce que… Eleanor… vit aussi à New York ? reprit sa mère.

— Oui, pas très loin de chez moi. On se voit pour déjeuner ou dîner au restaurant.

Il surprit le regard qu'ils échangèrent — fait rarissime en sa présence.

— Pensez-vous parfois à votre père biologique ?

— Jamais. Il a donné son sperme contre de l'argent, ce que, entre parenthèses, je ne lui reproche pas. Il n'avait pas l'intention d'être père. Certaines personnes devraient d'ailleurs s'en abstenir… Pardonnez-moi, conclut-elle, le rouge aux joues, je raconte n'importe quoi.

Celia lui caressa gentiment la main.

— Pas du tout. Vous êtes le rayon de soleil qui a illuminé notre soirée. C'est si agréable d'avoir quelqu'un à qui parler.

Noah fourra les deux derniers morceaux de sa part de tarte dans sa bouche, mastiqua rapidement, s'essuya les lèvres et laissa tomber sa serviette sur la table.

— Merci pour le dîner, maman, mais je dois y aller. Je voudrais passer voir Roy au bureau avant qu'il ne s'en aille.

— Oh ! fit-elle déçue. Quand repartez-vous, Alana ? J'espère que vous reviendrez vite nous voir.

Noah ne prit aucun engagement, se bornant à promettre qu'il téléphonerait dans le courant de la semaine.

Ils prirent rapidement congé entre deux embrassades, après que David eut proposé de faire la vaisselle pour qu'ils puissent reprendre la route au plus tôt. Ce n'était pas un prétexte pour se débarrasser d'eux, car il les raccompagna jusqu'à la voiture et les salua de la main quand ils démarrèrent.

Encore une première !

— Si tu es fâché parce que j'ai fait traîner le dîner en longueur, moi, je ne le regrette pas, déclara Alana après quelques minutes de silence, les yeux fixés sur la route obscure.

— Pourquoi serais-je fâché ?

— Je ne sais pas. Tes parents sont des gens charmants. J'aurais bien voulu rencontrer tes sœurs.

— Et mes nièces ?

— Je ne crois pas. Les enfants me terrorisent.

— Oui, moi c'est pareil. Je n'aimerais pas être à la place de leurs parents quand elles seront ados !

— Ados ? Tu retardes ! De nos jours, les filles de douze ans envoient déjà des textos aux garçons.

— Merci de m'enlever mes illusions.

— C'est la pure vérité. Inutile de se voiler la face.

Il rumina ses paroles pendant une petite minute.

— J'aurais dû te prévenir au sujet de ma mère.

— Et moi, j'aurais dû m'abstenir d'évoquer Eleanor.

— Non, au contraire, je te remercie pour ce que tu as fait.

— Ce que j'ai fait ?

— Tu as su écouter ma mère, lui changer les idées, tu nous as raconté ton enfance où tout n'a pas été rose, c'est le moins qu'on puisse dire. Je continue ? demanda-t-il devant son air stupéfait.

— Tu me flattes. Je n'aurais pas dû m'étendre sur le donneur de sperme. C'était trop personnel.

— On voit bien que tu viens de la grande ville !

— Pardon ?

— Tu appelles ça *s'étendre* ? Tu devrais passer un après-midi Chez Marge ou au pub de Sadie, tu n'en croirais pas tes oreilles.

— Quel rapport avec la grande ville ?

— Aucun. Ne fais pas attention.

Elle posa une main caressante sur sa cuisse.

— Les gens adorent les ragots où qu'ils soient. Je les entends à la cafétéria, pendant les pauses, au bureau. On ne peut même pas boire un café en paix. Ça me rend hystérique. Mais ce n'est pas ton cas et j'apprécie beaucoup ta discrétion.

La main tiède d'Alana sur sa jambe le déconcentrait.

— Je suis très mal placé pour te parler de ma mère. J'aimerais alléger un peu sa souffrance... Seulement, c'est impossible. Je ne peux que lui donner mon amour, c'est tout. Je suis heureux que tu ne te sois pas sentie trop mal à l'aise, ce soir.

Il sentit son sexe se tendre tandis qu'elle accentuait la pression de ses doigts. Ce n'était qu'un geste amical, pourtant il avait du mal à combattre le désir qui l'envahissait.

— Tu es un bon fils, Noah..., reprit-elle après un bref silence. Et ta mère est très sympathique. Mais je pense qu'elle se sent seule. Ses filles et ses petites-filles lui manquent...

— Je sais.

— Les histoires de famille sont parfois sacrément compliquées. Moi, par exemple, je ne supporte pas le ton condescendant que ma mère prend avec moi, ses regards impatients... Mais elle a beau être très forte pour déguiser ses sentiments, je ne suis pas dupe. Et je m'en veux beaucoup de t'avoir mis dans l'embarras en prolongeant la soirée.

— On ne l'aurait pas dit ! Tu n'as rien à envier à ta mère. Quelle habile dissimulatrice tu fais !

Elle déplaça légèrement sa main sur la jambe de Noah.

— C'est vrai. Je suis assez douée dans ce domaine. A force de m'entendre demander « pourquoi-tu-n'as-pas-de-père » quand j'étais petite, j'ai appris à me blinder.

— Moi non plus, quand j'étais ado, je n'aimais pas trop me montrer en compagnie de ma mère. Du coup, j'étais toujours fourré chez les McAllister.

— Est-ce pour cette raison que tu es parti vivre à Chicago ?

— Qui te l'a dit ? Sadie ?

— Oui, elle l'a mentionné. Ta mère aussi. Elle m'a expliqué que tu étais revenu au bercail après le départ de ta sœur aînée. Elle m'a également parlé de ses fausses couches.

Cette révélation le secoua. Il aurait pensé que sa mère avait oublié cette triste période de sa vie. Mais n'était-ce pas en partie pour cela qu'elle avait sombré dans l'alcool ?

— C'est vrai ? Elle t'en a parlé ?

— Oui, en précisant que tes sœurs avaient dix et quatorze ans et toi, presque treize quand elle était tombée de nouveau enceinte. Cette nouvelle a été un choc pour elle, ainsi que pour ton père.

Il ne connaissait que trop bien la suite de l'histoire : la joie mêlée de résignation, la première fausse couche, la seconde, et la longue descente en enfer qui avait suivi.

Elle détourna le regard vers la vitre obscure.

— Je suis désolée. Je ne sais pas pourquoi je t'ai parlé de tout ça. En fait non, ce n'est pas vrai. J'étais sur la défensive parce que j'ai cru que tu m'accusais de colporter des ragots. Alors j'ai maladroitement essayé de me justifier en t'expliquant comment j'avais obtenu ces informations.

Il sourit et posa une main caressante sur sa nuque.

— Viens là.

— Tu conduis, je te signale.

— J'ai envie de t'embrasser, dit-il, les yeux fixés sur la route, se préparant à prendre le prochain virage, deux kilomètres avant l'entrée de la ville.

— Un tout petit baiser alors, murmura-t-elle avec un soupir de regret en se collant contre lui.

Il faillit s'arrêter immédiatement sur le bas-côté pour lui montrer tout ce qu'il était possible de faire dans la cabine d'un pick-up, puis renonça.

— Tu as raison, il vaut mieux remettre à plus tard. J'adore quand tu ne portes pas de soutien-gorge, ajouta-t-il en laissant errer sa main libre à la naissance de ses seins.

— Heureusement que tes parents ne sont pas là pour t'entendre… On arrive bientôt ?

Il savoura la douceur de sa peau sous ses doigts, tous les sens enflammés. Il n'en pouvait plus. Son jean commençait à le serrer atrocement.

— Très bientôt, dit-il soulagé d'apercevoir les lumières de la station-service d'Earl, à l'entrée de Blackfoot.

— Et si on allait prendre des nouvelles de Sadie ?

— Pas question !

— Mais tu as dit que tu devais passer au bureau.

— J'ai menti.

— Shérif Calder… le mensonge est un vilain défaut, vous savez ?

Il caressa le globe ferme et rond de son sein à travers son T-shirt, et tressaillit de désir quand il en sentit le petit bouton durcir sous ses doigts.

— Ça t'ennuie si on rentre directement à la maison ?

— Pas vraiment…

Alana avait déjà échafaudé tout le scénario. Une fois la porte de chez Noah franchie, elle lui enlèverait sa chemise, quitte à la déchirer pour gagner du temps. Pas question de préliminaires. Un imprévu pourrait encore survenir, comme dans la matinée, et une fois de plus, rien ne se déroulerait comme elle l'avait escompté. Elle n'avait donc pas une minute à perdre.

Mais à peine avaient-ils passé la porte que Noah la refermait d'un coup de pied et s'emparait de sa bouche avec ardeur. Il n'avait pas tardé à reprendre le contrôle de la situation, constata-t-elle, secrètement ravie.

— Noah…

— Oui ?

— Tu devrais verrouiller la porte.

— D'accord.

— Maintenant, insista-t-elle tout contre sa bouche, sans cesser de l'embrasser. Imagine que quelqu'un arrive. Et puis tu pourrais aussi décrocher le téléphone et éteindre ton portable.

— Désolé, mais pas le portable… Je suis obligé de le laisser allumé.

Il s'interrompit, le temps de donner un tour de clé, puis recommença à lui mordiller les lèvres, à la goûter du bout de la langue avec gourmandise.

Il faufila les mains sous son T-shirt, soudain plus impatient, prit ses seins en coupe et se mit à agacer un de ses tétons, lui arrachant un petit cri rauque. Elle frissonna, se cambra dans ses bras, et il la plaqua plus étroitement contre lui. Pour ne pas être en reste, elle s'attaqua à sa chemise, mais elle n'avait pas assez de place pour bouger, gênée par son grand corps pressé contre le sien. Il en profita pour retrousser son T-shirt et se pencha pour tracer une pluie de baisers brûlants sur la zone de peau délicate entre ses seins. Incapable de résister davantage, il dégrafa son soutien-gorge, repoussa le fin coton et referma la bouche sur les pointes offertes, l'une après l'autre.

Alana tremblait de tout son corps et se mit à onduler des hanches, arc-boutée contre ses épaules, savourant ses muscles durs, qu'elle sentait rouler sous ses paumes à travers la chemise. Elle mourait d'envie de la lui arracher sans plus attendre.

Mais il ne paraissait pas décidé à la laisser prendre le contrôle de la situation. Il fit courir ses lèvres le long de sa mâchoire jusqu'au creux de son cou, et glissa les mains autour de sa taille pour défaire son jean. Ensuite, il l'entraîna vers la cuisine, heurtant du coude au passage le téléphone mural qui tomba sur le carrelage.

Brusquement, les aboiements furieux de Dax se mêlèrent de dehors au bruit strident de la tonalité.

Noah étouffa un juron.

— Pauvre bête, laisse-la entrer ! plaida-t-elle.

Il tira sur la fermeture à glissière de son pantalon.

— Tout à l'heure, murmura-t-il contre son oreille.

— On dirait que tu as un faible pour la cuisine ?

Il releva la tête, un petit sourire narquois étirant ses lèvres.

— Non, je gagne du temps. Mais il va se taire, l'animal !

Elle gémit de plaisir sous l'effet de son souffle chaud qui déclenchait de délicieux picotements dans tout son corps.

— Je ne crois pas qu'il va s'arrêter de sitôt. Tu enlèves ta chemise pendant que je vais le chercher ?

— Il va nous gêner, murmura Noah sans lâcher son mamelon, qu'il titilla doucement du bout des dents avant d'y enrouler la langue.

— On lui donnera un os pour l'occuper.

Elle tenta un mouvement tournant vers la porte du jardin, mais il ne relâcha pas son étreinte.

Elle qui était une femme réfléchie, habituée à régenter tout le monde, elle était comme envoûtée, incapable de protester, le souffle court. Probablement parce qu'elle n'avait pas la moindre intention de résister. Elle aurait voulu que l'instant dure toujours, que Noah n'arrête jamais de l'embrasser, que ses doigts experts continuent d'effleurer ses fesses à l'intérieur de son pantalon, ses lèvres de butiner ses seins comme s'il ne pouvait assouvir la faim qu'il avait d'elle. D'un autre côté, elle ne voyait aucun inconvénient à visiter la chambre à coucher.

Elle faufila une main entre eux deux pour palper la bosse qui déformait le devant de son pantalon.

Il gémit, la respiration saccadée.

Elle entreprit alors de le masser de sa paume par petits cercles concentriques, encouragée par les plaintes qui s'échappaient de sa gorge.

Puis s'interrompit, à regret.

— On devrait faire rentrer Dax avant qu'il n'alerte tout le quartier.

— C'est juste.

Elle fit un pas en direction de la porte, mais il la retint, saisissant son menton d'une main un peu calleuse, et lui donna un baiser fougueux, comme pour bien lui faire comprendre qu'il n'en avait pas fini avec elle.

Pendant les cinq minutes suivantes, toutes les portes furent verrouillées, Dax nourri et le téléphone remis sur son socle en mode silencieux. Cela fait, ils se précipitèrent dans la chambre, abandonnant dans le couloir souliers et bottes et Alana son jean.

La couette était encore rabattue du matin. Le linge de lit était assorti à la couleur du baldaquin.

A cette vue, la bouche d'Alana s'assécha, et elle sentit une boule de désir exploser dans son ventre. Elle tourna la tête, irrésistiblement attirée par ce que dévoilait la chemise entrouverte de Noah.

Il était superbe avec son ventre plat et ses pectoraux bien dessinés, mais sans ostentation, pas du tout le genre accroc au culturisme.

Elle l'attrapa par la chemise pour l'attirer à elle.

— Pourquoi devrais-je être moins habillée que toi ? Ce n'est pas juste.

— Parce que je suis plus persévérant.

— J'en doute.

— Ah oui ?

Il lui arracha son T-shirt en un tournemain, et une seconde plus tard, son soutien-gorge suivait le même chemin.

Un rire tremblant s'étrangla dans sa gorge devant le regard affamé qu'il darda sur elle.

Il sourit en reconnaissant la petite culotte rose et glissa une main sous l'élastique.

— Non, attends, protesta-t-elle en essayant de le repousser pour finir de le déshabiller.

Il plaqua un baiser incendiaire sur ses lèvres.

— Ah non, ça suffit ! grogna-t-il en la suivant, lorsqu'elle recula en direction du lit.

12

Elle plaqua les paumes sur son torse et le repoussa avec force pour lui montrer qu'elle ne plaisantait pas.

— Je t'enlève ton jean ou c'est toi qui t'en charges ? demanda-t-elle, les yeux rivés sur le renflement de son pantalon.

Elle l'observa pendant qu'il ôtait sa chemise, fascinée par les muscles saillants de ses pectoraux, son torse ferme, sans un poil de graisse. Elle mourait d'envie de le toucher, de promener ses doigts sur chaque parcelle de son corps en prenant tout son temps, puis de goûter sa peau du bout de la langue. L'expérience était totalement inédite. Pour elle, le sexe avait été jusqu'alors un simple besoin biologique à assouvir, au même titre que n'importe quelle activité physique. Mais il était certain qu'avec Noah, elle serait amenée à reconsidérer sérieusement la question !

Le désir enfla dans son ventre telle une vague brûlante, quand elle le vit descendre la fermeture de son pantalon. Elle se laissa basculer sur le grand lit, les jambes serrées, et recula en rampant sur les coudes et les talons sans le quitter des yeux tandis qu'il se débarrassait de son jean. Il portait un boxer noir. Elle n'en fut pas surprise, ne l'imaginant pas en adepte du slip échancré.

Il lança son jean sur la commode, la fixant d'un regard ardent.

— Retire ta culotte maintenant…

— Si tu enlèves ton caleçon d'abord.

Les yeux brillant d'anticipation, elle profita du spectacle tandis qu'il commençait à se baisser pour se débarrasser de son sous-vêtement.

Il ne lui répéta pas deux fois d'ôter sa petite culotte, mais se laissa choir à ses côtés et l'arracha sans façon dans un craquement sec.

Elle perçut son sourire sur sa peau quand il y posa les lèvres, embrassant, léchant, mordillant le petit carré de chair sensible au-dessus de sa toison soigneusement épilée, qu'il contempla d'un œil appréciateur. Elle sentit bientôt son haleine tiède dériver plus bas, attisant l'incendie entre ses cuisses. Il effleura ensuite la courbe de sa hanche, trouva son sein et, du pouce, puis de sa langue brûlante, il en taquina le téton durci.

Elle se cambra contre sa bouche, gémissant, jouissant des sensations que ses caresses suscitaient en elle. Lorsqu'il remua son bassin, plaquant son érection contre sa hanche, une nouvelle bouffée de chaleur irradia entre ses cuisses. D'instinct, elle planta ses doigts dans les muscles puissants de son bras en priant qu'il n'interrompe jamais ce délicieux supplice. Elle sentit la spirale du désir l'emporter irrésistiblement alors qu'ils n'en étaient qu'aux préliminaires. Encore une nouvelle expérience déroutante… D'ordinaire, sa jouissance, imprévisible et fragile, se faisait longuement attendre. Jamais un homme ne lui avait fait un tel effet. C'était incompréhensible !

Elle se tendit comme un arc impatient quand il lui écarta les cuisses pour y glisser la main, tout en poursuivant sa délicieuse torture sur ses seins.

— Préservatif ?

— Dans mon portefeuille, chuchota-t-il entre deux succions de sa langue magique, tandis que ses doigts agiles s'aventuraient là où elle en avait le plus envie.

— Pas dans la table de chevet ?

— Non, je n'invite jamais…

— Ne me dis pas que je suis la première ? s'écria-t-elle avec un sourire incrédule.

Un silence éloquent lui répondit.

Elle frissonna de plaisir lorsqu'il engloutit son mamelon qu'il se mit à agacer du bout des dents.

— Préservatif…, répéta-t-elle.

Il s'écarta et lui décocha un coup d'œil intrigué.

— Bien sûr. Ne t'inquiète pas…

— C'est juste que… il vaudrait mieux l'avoir sous la main, non ?

Un sourire amusé souleva le coin de ses lèvres tandis qu'il sautait du lit pour récupérer son jean.

Elle le regarda sortir son portefeuille, l'œil irrésistiblement attiré par l'érection impressionnante qu'il exhibait avec le plus grand naturel. Elle profita de ce répit pour détailler chaque centimètre de son corps magnifique, son beau visage, l'éclat de ses prunelles vertes luisant de désir…

Elle dut faire appel à toute sa volonté pour détourner la tête et s'activa à arranger les oreillers, histoire de se donner une contenance. La simple présence de Noah agissait sur elle comme une drogue, un aphrodisiaque qui risquait de la faire partir en vrille d'un simple regard.

Tout à coup, le matelas se creusa et elle sentit sa bouche déverser une pluie de baisers humides le long de son échine, jusqu'au creux de ses reins.

Une légère morsure lui arracha un halètement étranglé. Cette bouche était décidément dotée d'un pouvoir magique, sans parler de ces lèvres, cette langue… Cet homme était un vrai démon !

Les yeux clos, elle agrippa un coussin et succomba à la fulgurance de ses sensations, le laissant faire à sa guise.

Ses doigts experts s'aventurèrent entre ses cuisses, effleurant au passage son clitoris durci.

Elle serra instinctivement les jambes et essaya de tourner la tête pour le regarder, mais il l'en empêcha, refusant de déplacer sa main. Il laissa glisser une bouche gourmande le long de sa colonne vertébrale jusqu'à son épaule où il planta les dents, tandis qu'il enfonçait un doigt dans les replis de sa chair moite, lui arrachant une nouvelle plainte. Soudain, il la repoussa et la plaqua sans ménagement sur le matelas.

— Tu es tellement mouillée, murmura-t-il d'une voix rocailleuse.

Elle leva les yeux, fascinée par son regard assombri de désir. Il inclina la tête et pressa les lèvres sur la peau laiteuse de sa gorge, là où son pouls battait furieusement.

Ses mains tâtonnèrent et s'immiscèrent entre leurs deux corps soudés. Elle referma les doigts autour de son membre et entama une lente caresse le long de son érection, heureuse de la sentir palpiter contre sa paume.

Il déchira le petit sachet avec un bruit sec.

— Tu me tues ! gémit-il.

Elle redoubla ses caresses.

— Ce n'est pas le but recherché, pourtant !

Il lâcha un rire rauque, lui saisit le menton et l'embrassa à pleine bouche. Ses lèvres effleurèrent ensuite la peau tendre derrière son oreille, puis ses dents en mordillèrent le lobe.

— Mmm, tu as bon goût…

Elle en voulait plus. N'en pouvant plus d'attendre, elle écarta les jambes pour l'inciter à poursuivre son exploration.

Il enfila le préservatif et se positionna prestement entre ses cuisses. Mais il ne la pénétra pas. Le regard soudé au sien, il se borna à caresser d'un doigt sensuel ses chairs trempées de désir, comme pour lui montrer ce qu'il allait lui faire plus tard avec son sexe.

— Noah… maintenant… je t'en prie…

Il se pencha pour l'embrasser, puis nouant ses jambes autour de sa taille, il plongea en elle d'un puissant coup de reins.

Elle laissa échapper un râle de frustration quand il s'interrompit et se retira.

— Ne t'arrête pas…, murmura-t-elle d'une voix éraillée qu'elle ne reconnaissait pas.

Il s'enfonça de nouveau entre ses jambes, coulissant en elle de plus en plus vite et fort. Elle se cambra pour l'encourager et il lui donna ce qu'elle voulait, l'emplissant tout entière à chaque assaut, si profondément que la pièce se mit à tournoyer autour d'elle à un rythme vertigineux. Elle se noyait dans une mer de lave incandescente, le corps tremblant à l'unisson du sien. Il ne la quittait pas du regard, comme s'ils étaient seuls au monde, augmentant le tempo à chaque poussée jusqu'au point de non-retour. Puis, les yeux clos, il se figea soudain, tous ses muscles tendus, avant d'exploser dans les étoiles en l'entraînant au sommet de l'extase, dans un cri de volupté.

Elle éclata en sanglots, inexplicablement, et se lova contre lui tandis qu'il s'effondrait sur elle, la respiration haletante, le front pressé au creux de son épaule.

Noah avait envie d'entrebâiller la porte pour laisser pénétrer la lumière. Il voulait contempler le corps voluptueux endormi à ses côtés. Mais impossible sans la réveiller. Pendant son sommeil, Alana avait enroulé un bras autour de sa taille et calé sa tête dans son cou. En outre, il y avait le problème de Dax : s'il entendait du bruit et comprenait que la porte n'était pas verrouillée, il s'engouffrerait dans la chambre et leur sauterait dessus en moins de temps qu'il ne faut pour le dire.

Il préféra la laisser dormir. Elle avait bien besoin de repos ; il l'avait tenue éveillée jusqu'aux petites heures du matin. Et Dieu sait qu'il ne le regrettait pas ! Elle s'était montrée une partenaire fantastique, pleine de créativité, capable d'emmener n'importe quel homme au septième ciel. Jamais une femme ne lui avait fait perdre la tête à ce point. Elle lui rappelait son ancienne petite amie de Chicago, ambitieuse et égoïste, mais également capable de générosité ; sa gentillesse envers sa mère et Sadie en étant la meilleure preuve.

L'ambition n'avait rien de répréhensible, bien entendu. Lui-même n'avait pas l'intention de rester le shérif du comté de Salina jusqu'à la fin de ses jours. Son poste avait son utilité pour l'instant. Ses parents commençaient à vieillir et bientôt, son père ne pourrait plus repousser sa suggestion d'embaucher un ouvrier pour le seconder au ranch. La meilleure solution, cependant, serait pour eux de vendre la propriété et de prendre une retraite bien méritée, même s'il doutait que ses parents choisissent cette option.

Ils vivaient toujours dans l'illusion que l'un de leurs enfants assurerait la relève. Sa sœur aînée et son beau-frère seraient sans doute les plus à même de reprendre le ranch, voire de développer la petite exploitation qu'on laissait se dégrader depuis quelques années. Mais il ne se passerait rien tant que sa mère continuerait à boire de la sorte.

Alana remua dans son sommeil ; elle soupira et déplaça son bras qui atterrit sur son torse. Il ferma les yeux, se remémorant les images torrides de la nuit, lorsque, les cheveux en bataille, les joues et les pointes des seins rosies de plaisir, elle l'avait enfourché et avait joui pour la troisième fois.

Ses pensées vagabondèrent ainsi un moment, avant de se reporter sur le vol des bagages. Il espérait obtenir au plus vite des informations à ce sujet. Que devait-elle penser en effet d'un shérif incapable de retrouver une valise et un sac à main dans sa propre ville ? D'un autre côté, retrouver ses bagages signifierait son départ de chez lui. Dans l'état de torpeur béate où il se trouvait, il se laissait bercer par la douce illusion qu'elle s'attarderait tout de même auprès de lui. En tout cas, maintenant qu'il l'avait mise dans son lit, il n'était pas disposé à la laisser repartir de sitôt !

Elle n'était pas cette criminelle recherchée, il en avait maintenant l'intime conviction. Elle était simplement victime d'un fâcheux concours de circonstances. Par malchance, elle était tombée sur une fripouille qui avait eu le culot de lui voler ses affaires en pleine rue, au vu et au su de tout le monde.

Il changea de position avec un luxe de précautions. Il n'aurait pas dû, car il la sentit remuer contre lui. Il l'avait réveillée.

Elle ouvrit les yeux et releva la tête.

— Noah…, fit-elle d'une voix enrouée de sommeil.

— Chut…

— Quelle heure est-il ?

Il l'attira à lui et lui caressa les cheveux.

— Il est encore tôt. Rendors-toi.

Elle se pelotonna contre lui.

— Tu es en congé, aujourd'hui ?

— Malheureusement non, répondit-il en déposant un baiser sur sa tempe.

Elle effleura un de ses mamelons d'un doigt léger.

— Pourquoi ne dors-tu pas, surtout si tu dois travailler ?

— Je viens juste d'ouvrir l'œil.

— C'est ma faute, je prends toute la place, s'excusa-t-elle en s'écartant.

Il resserra sa prise.

— Ne bouge pas. Je vais essayer de dormir encore un peu.

— Promis ? susurra-t-elle en collant sa joue veloutée contre son torse.

— Promis.

Il sentit son souffle tiède caresser son mamelon et son sexe tressaillit instantanément. La tentation était forte de reprendre leurs étreintes, mais il ne se laisserait pas emporter. Pas besoin de consulter le réveil pour savoir qu'il devait se lever dans une demi-heure, même s'il faisait encore nuit noire à cette époque de l'année.

Il envisageait de finir plus tôt sa journée pour conduire Alana au Sundance, où il avait prévu une balade à cheval et quelques parties de billard. A condition que Rachel n'y voie pas d'objection, bien entendu. En acceptant ce poste, il savait qu'on s'attendrait à ce qu'il soit disponible vingt-quatre heures sur vingt-quatre, sept jours sur sept, et que certains exigeraient même de n'avoir affaire qu'à lui. Etre le shérif d'une petite ville de province, c'était aussi cela. Pourtant, cette semaine, ses administrés devraient s'adresser à ses adjoints, parce qu'il avait bien l'intention de passer le plus de temps possible en compagnie d'Alana.

Elle s'agita à ses côtés.

— Tu ne dors pas ? demanda-t-elle.

— Toi non plus, apparemment.

— On fait quoi alors ?

Enivré, il posa la main sur son sein et en caressa la pointe qui s'érigea aussitôt entre ses doigts. Lui-même était dans le même état, à en juger par son érection douloureuse.

— Tu as des idées ?

— Peut-être bien, gloussa-t-elle en glissant une main le long de son ventre plat.

— Oh ! Mince ! s'exclama-t-il soudain.

— Qu'est-ce qu'il y a ?

— On a utilisé le dernier préservatif.

— Tu n'en avais que trois ?

— Oui.

— Tu les achètes où d'habitude ?

— Pas chez Abe ni à la supérette, ça c'est sûr !

Elle eut un petit rire.

— Tout le monde en ville se doute que tu n'es plus puceau, tu ne crois pas ?

Il tendit le cou pour consulter le réveil à la faveur des premiers rayons filtrant à travers les stores. Pas possible ! Il était déjà 7 h 20 ?

— Tu as raison. Nous irons en prendre une boîte chez Abe tout à l'heure.

— Où te les procures-tu d'habitude ? insista-t-elle.

— Aucune idée. Ça fait déjà un petit moment que j'avais ceux-là…

Elle encercla son sexe dur de ses doigts, un sourire taquin aux lèvres.

— Ah bon ? J'ai peine à le croire avec toutes ces charmantes jeunes filles du Sundance qui te tournent autour ! Tu devrais lire les commentaires sur le site… Bas les pattes ! s'esclaffa-t-elle en se tortillant pour esquiver sa main baladeuse. Il ne faut jamais commencer ce que l'on ne peut pas finir.

Il enfouit la bouche dans le creux de son cou.

— On peut inventer des tas de choses sans préservatif, tu sais. Pardon si je t'ai fait mal, reprit-il en entendant son petit cri étouffé qui lui rappela ses joues mal rasées.

— Ne t'arrête surtout pas. Je ne suis pas une poupée de porcelaine.

— Désolé, mais c'est l'heure de me lever.

Elle se dévissa le cou pour loucher sur le réveil, exhibant ses seins sans retenue.

— Vraiment ? Mais c'est encore le milieu de la nuit !

Il passa la langue sur le doux renflement à la naissance de ses seins et une poussée de désir l'envahit quand il la sentit frémir sous sa caresse. A ce rythme, il ne pourrait jamais s'arracher du lit, ce qui risquait de contrecarrer ses projets pour la journée !

— Je rentrerai tôt, dit-il en relevant la tête à contrecœur. On pourrait aller au Sundance cet après-midi. Ça te dit ?

— Pourquoi ? Tu veux déjà te débarrasser de moi ?

Apparemment, elle avait des idées bien arrêtées pour la suite de ses vacances. Glissant une main sous sa nuque, il la gratifia d'un long baiser passionné qu'il rompit en sentant son sexe frétiller d'impatience.

— A ton avis ? J'aimerais que tu connaisses les McAllister. Ils sont comme ma deuxième famille. Et puis, j'ai un cheval en pension chez eux. Tu sais monter ?

Elle hocha la tête en traçant des arabesques sur sa poitrine du bout des doigts.

— Tu m'as bien dit qu'ils ont aussi une table de billard ?

— Tu es une vilaine petite coquine !

— Et peut-être que l'un de tes amis pourrait te prêter un ou deux préservatifs ?

— J'y ai pensé, figure-toi.

Du bout des lèvres, elle effleura son menton et remonta le long de sa mâchoire.

— J'aimerais bien te garder avec moi, mais je préfère que tu rentres tôt.

Il ferma les yeux en sentant sa langue brûlante dessiner des petits cercles autour de son mamelon, puis l'agacer du bout des dents. Il se sentit faiblir. Au fond, quelques minutes de plus ou de moins ne changeraient rien.

La sonnerie de son portable résonna dans le silence.

— Oh non ! maugréa-t-il.

— Remarque, on ne va pas se plaindre. Personne ne nous a interrompus, hier soir.

Il roula sur le côté pour attraper le téléphone, posé sur la table de chevet.

— Bonjour, Roy. Quoi de neuf ?

— Vous êtes seul, chef ? demanda son adjoint.

Etrange question, songea Noah, intrigué, en balançant les jambes hors du lit. Il esquissa un sourire d'excuse à l'adresse d'Alana et quitta la pièce.

— Le comté de Potter vient d'envoyer un fax. Ils ont arrêté le type que Moran recherchait aux environs de Billings.

Noah fit halte devant la porte des toilettes pour intercepter Dax qui se ruait sur lui du fond du couloir.

— Très bien. Vous m'appelez juste pour ça ?

— Ecoutez, chef… La femme est toujours introuvable, mais le gars a confirmé qu'ils se sont séparés jeudi soir après une dispute. Il l'a abandonnée sur une aire de repos avec son sac à main pour tout bagage, et l'a dénoncée pour obtenir la clémence du tribunal. Le hic, c'est qu'il est pratiquement certain qu'elle se dirigeait vers chez nous.

13

Cette nouvelle fit à Noah l'effet d'un coup de massue sur la tête, mais il parvint à se ressaisir. Alana était au-dessus de tout soupçon, il n'avait aucun doute sur ce point, mais il devait suivre le règlement.

— D'accord, dit-il. Il faudra rester vigilant au cas où elle se montrerait dans le coin.

— Chef…, poursuivit Roy avec réticence. Vous devriez peut-être envisager le fait qu'elle soit déjà là.

Noah se frotta la joue, pleinement conscient du sous-entendu. Toute la ville savait-elle déjà qu'il y avait quelque chose entre Alana et lui ? Evidemment que tout le monde était au courant ! Et tous allaient se faire un plaisir de bavarder à tort et à travers ! Il devait terminer cette enquête au plus vite. Il n'avait pas le choix.

Il n'avait cependant aucun doute en ce qui concernait Alana. Sa présence à Blackfoot était le fruit du hasard, tout comme celle des dizaines de touristes qui affluaient au Sundance. Quant à la disparition de ses bagages… Ce n'était pas le premier incident de ce genre. Il y avait eu plusieurs affaires de vols dans le comté, ces derniers temps… Restait à savoir comment les faits avaient pu se dérouler en pleine ville sans que personne ne voie rien. Cela n'avait aucun sens.

— Chef, vous êtes toujours là ?

Noah attrapa Dax par le collier et l'entraîna dans la cuisine.

— Oui. J'essaie de faire sortir mon chien. Avez-vous parlé à Gus ou Danny ?

— Seulement à Gus. Jusque-là, aucune des personnes interrogées ne se rappelle avoir vu quoi que ce soit ni remarqué une femme seule dont le comportement pourrait être suspect. Les hôtes du Sundance arrivent généralement à plusieurs à la fois.

— Elle pourrait ne pas être seule. Cette femme est une aventurière. Nous ne pouvons pas écarter la possibilité qu'elle ait séduit un autre pigeon.

Une alarme se déclencha alors dans sa tête à l'idée qu'il pourrait bien être lui-même le pigeon. Non, impossible… Son sixième sens ne le trompait jamais.

— Dites-moi, Roy, a-t-on une photo ?

— Moran n'a rien mentionné, je vais m'informer.

Noah raccrocha et batailla pour flanquer Dax dehors. Le chien réclamait sa nourriture, mais il devrait attendre. Son maître avait plus urgent à faire dans l'immédiat.

Il jeta un coup d'œil à la pendule murale, calcula l'heure qu'il était à New York et consulta l'annuaire téléphonique sur son téléphone. Il fit les cent pas en attendant la connexion. Pourvu qu'Alana possède une ligne fixe à son nom ! Elle avait évoqué une femme de ménage. Mais même en admettant que personne ne décroche, sa voix sur le répondeur constituerait une preuve suffisante.

Ouf, il y avait bien une Alana Richardson à Manhattan. Au bout de la quatrième sonnerie, alors qu'il se préparait à être dirigé vers la boîte vocale, on décrocha.

Il mit une main en cornet sur le combiné.

— Alana Richardson, s'il vous plaît.

— Elle n'est pas là, répondit une voix de femme, sans doute la domestique. Puis-je prendre un message ?

— Sera-t-elle bientôt de retour ?

— Mme Richardson est absente jusqu'à la fin de la semaine. Elle se trouve aux Caraïbes.

— En êtes-vous sûre ? insista-t-il, plus brutalement qu'il ne l'aurait voulu.

— Puis-je savoir qui est à l'appareil ? demanda froidement son interlocutrice.

Il comprit qu'il n'en tirerait plus rien.

— Il n'y a pas de message, merci, fit-il en raccrochant.

En vacances aux Caraïbes...

Il joua un instant avec l'idée qu'on avait pu usurper son identité, mais cela ne collait pas vraiment, même si l'hypothèse n'était pas à exclure. Il devait y avoir une explication rationnelle. Il y avait aussi l'éventualité que la suspecte ait évité Blackfoot Falls. Il allait demander à Gus, son second adjoint, de s'y coller. Et où avaient bien pu passer ces fichus bagages ? Les retrouver mettrait fin à cet insupportable suspense !

Alana en escroc ? Non, ça ne collait vraiment pas... La veille au soir, encore, au cours du dîner avec ses parents... la conversation sur le chemin du retour, ensuite... l'intimité partagée au lit... Non, elle n'avait pas pu simuler. Il devait garder l'esprit ouvert, même si les faits paraissaient, à première vue, accablants. En tout cas, il était plus déterminé que jamais à aller au fond des choses. Il jouissait d'une certaine notoriété à Chicago. Il aurait pu prendre rapidement du galon, s'il l'avait voulu, et il était aussi un très bon shérif. Son instinct ne l'avait jamais trahi.

Il tendit l'oreille. Aucun bruit en provenance de la chambre... Alana devait s'être rendormie. L'imaginer nue dans son lit lui brouillait l'esprit. Il devait quitter la maison d'urgence et clarifier ses idées avant d'agir.

Son café attendrait. Il le prendrait au bureau. Il allait passer rapidement sous la douche et il lui laisserait un mot avant de partir. Il se sentait incapable de garder son sang-froid en sa présence.

Il remplit le bol de Dax et le posa devant la porte. Après quoi, il rappela Roy.

— J'ai oublié un détail. Je pars dans vingt minutes et j'aimerais qu'on surveille ma maison pendant mon absence. Pourriez-vous vous en charger ? Vous vous planquerez au coin de la rue, pas dans une voiture de police, mais dans votre propre véhicule. Et si Alana sort, vous la suivrez.

— Vous voulez que je la file ?

— Exactement. Soyez discret surtout !

— Bien sûr, chef.

— Vous saurez tenir votre langue ?

— A qui voulez-vous que j'en parle ?

— A personne justement, pas même à Gus ni à Danny, du moins pour l'instant.

— Oui, chef, promit Roy, sans doute flatté de la confiance qu'il lui accordait, ce qui était le but recherché. Où pourrais-je vous joindre ?

— Sur mon portable s'il y a quelque chose à signaler.

— Bien, chef. Je vais chercher mon pick-up tout de suite. Euh… je fais quoi si elle essaie de quitter la ville ?

— Vous m'appelez d'abord et vous l'arrêtez ensuite.

— Je l'arrête ? D'accord, fit Roy d'une voix incertaine avant de raccrocher.

Le soleil tentait vaillamment de s'infiltrer à travers les stores. Alana tendit la main de l'autre côté du lit et trouva les draps froids. Noah était parti. Hébétée, elle fit un effort pour soulever la tête, fixa le cadran digital du réveil et n'en crut pas ses yeux. 10 h 30 ! Elle n'avait jamais fait la grasse matinée de sa vie, pas même quand elle était enfant. Sa mère ne l'aurait jamais permis.

Noah lui avait probablement laissé un mot. Elle se dépêcha

de sortir du lit et inspecta le dessus de la commode avant d'enfiler un T-shirt. Elle gagna ensuite le couloir et fit une halte aux toilettes. Le sol en linoléum était froid sous ses pieds nus. Elle faillit retourner dans la chambre chercher ses chaussures, supposant que le carrelage de la cuisine serait également glacé. Mais elle était trop obnubilée par ce message pour perdre une seule seconde.

Une feuille trônait en effet sur le plan de travail de la cuisine, à côté de la cafetière. Un numéro de portable y était soigneusement inscrit au-dessus de la signature. Elle considéra ces lignes impersonnelles avec un petit pincement au cœur. A quoi s'attendait-elle d'autre ? Noah l'avait avertie qu'il rentrerait tôt pour l'emmener au Sundance dans l'après-midi. C'était déjà beaucoup. Que voulait-elle de plus ?

Elle fut tentée de l'appeler pour le simple plaisir d'entendre sa voix. La raison finit par l'emporter et elle s'en abstint.

Elle d'ordinaire si maîtresse d'elle-même en toute occasion, du moins en apparence, avait complètement perdu la tête durant la nuit. Décidément, cet homme l'excitait au plus haut point. Elle était littéralement sous le charme. Il aurait pu lui demander de sauter du pont de Brooklyn qu'elle lui aurait obéi aveuglément ! Et voilà que, au lieu de se reprocher sa faiblesse, elle comptait les heures en attendant de le revoir.

Oh ! Et puis flûte ! Elle était en vacances après tout — des vacances bien plus excitantes qu'un séjour au ranch. Elle avait bien le droit de s'accorder un peu de fantaisie... Bon sang, voilà un homme qui savait embrasser ! Sans parler de ses autres talents... Sans doute que de retour à son bureau, elle aurait tout oublié et, que d'ici un mois, elle se souviendrait à peine de son nom, mais en attendant, elle était bien décidée à profiter au maximum de ce séjour dans le Montana.

Elle nota que la cafetière était prête et qu'elle n'avait qu'à presser le bouton de mise en marche. Le café commençait à couler quand elle entendit Dax gratter à la porte. Elle lui ouvrit, et il tomba en arrêt devant le pot de biscuits qu'il fixa avec de grands yeux suppliants.

Elle éclata de rire.

— Rien qu'un seul, d'accord ?

Il attrapa au vol la friandise qu'elle lui tendait et repartit, la queue frétillante. Elle sortit une tasse du placard et regarda le café qui n'en finissait pas de couler dans la verseuse. Et si elle prenait une douche en attendant ? Au fond, elle n'était pas pressée, n'ayant pas grand-chose à faire en dehors de passer à la banque. Et peut-être aussi de faire un saut au Watering Hole saluer Sadie.

Elle était toujours tentée d'appeler Noah pour lui demander vers quelle heure il pensait rentrer. Ainsi, elle pourrait préparer à dîner et ils auraient le temps de manger sur le pouce avant de partir au Sundance. Elle se mit à rire doucement. Faire la cuisine ? Elle ? Voilà qui risquait fort de tuer dans l'œuf un flirt pourtant bien engagé !

Elle se rappela alors qu'elle n'avait pas trop mal réussi une quiche, un jour, quand elle était étudiante. Connaissant Noah, elle se dit qu'il apprécierait sûrement le geste, même si le résultat n'était pas spectaculaire. Elle ouvrit le réfrigérateur et vérifia que la plupart des ingrédients nécessaires s'y trouvaient. Elle pourrait se procurer le reste après son passage à la banque. Dommage que Noah ne puisse l'accompagner, car l'agence locale n'ayant pas l'habitude d'effectuer des virements, il y aurait sans doute un long délai d'attente.

Cela décidé, elle se doucha, s'habilla rapidement, avala son café en deux gorgées et hésita à emprunter les vingt dollars que Noah avait déposés sur la commode à son intention. Il lui en restait vingt autres gagnés au billard, mais si la banque ne lui remettait pas immédiatement les fonds, mieux valait prendre ses précautions. Elle les fourra donc dans sa poche, quitta la maison et se dirigea vers le centre-ville.

Noah s'accroupit à l'endroit où la clôture de Cy Heber avait été sectionnée et inspecta les traces de pneus sur le chemin de terre. Aucune bête ne manquait à l'appel car, alerté par un bruit suspect très tôt ce matin-là, le vieil homme s'était précipité dehors avec son fusil de chasse. En tout cas, il avait raison, on s'était bien introduit chez lui avec de mauvaises intentions.

— Est-ce que vous avez embauché quelqu'un récemment ? demanda Noah en se relevant.

— Non. Je ne peux pas me le permettre. Voulez-vous du café, shérif ? Shirley vient juste d'en préparer.

— Oui, merci, et laissez ce fusil à l'intérieur, s'il vous plaît…

Cy leva la main en signe d'assentiment et se dirigea en clopinant vers la petite maison en bardeau.

Il avait rendu Noah un peu nerveux en agitant sa Winchester dans tous les sens, bien qu'ayant de bonnes raisons d'être vigilant : sa femme et lui vivaient dans une ferme isolée, à l'est de Blackfoot Falls. Mais paradoxalement, cette tentative de vol était déconcertante. Seul un familier de la région pouvait savoir que les Heber habitaient là. D'autant qu'ils ne possédaient qu'un maigre troupeau.

Son portable sonna et le numéro de son adjoint s'afficha.

— Désolé, chef. Je l'ai perdue.

— Ce qui veut dire… ?

— J'ai fait exactement ce que vous m'aviez dit. J'étais planqué dans ma voiture quand je l'ai vue quitter votre domicile et se diriger vers la banque. J'ai fait le guet pendant je ne sais combien de temps et ne la voyant pas ressortir, je suis entré dans l'agence. Selon Herman, elle lui a demandé de joindre sa banque à New York. Le type à l'autre bout du fil l'a tout de suite identifiée et lui a expédié l'argent. Une grosse somme.

Elle était donc bien qui elle prétendait être... Bonne nouvelle...

Noah se détendit.

— Après, elle est partie sans dire où elle allait, reprit Roy. J'ai surveillé la porte tout le temps. Je n'ai même pas ouvert le supplément sport du journal, c'est vous dire !

— Faites donc un saut au pub, elle est peut-être allée voir Sadie, suggéra Noah. Et rappelez-moi sans faute.

Il rangeait son portable dans sa poche quand il se ravisa et téléphona chez lui. Pas de réponse, mais il s'y attendait. Il était soulagé de savoir que la démarche d'Alana à la banque avait abouti. Pourtant, la réponse de la femme de ménage le turlupinait encore...

Cy reparut, une tasse dans chaque main, et Noah se concentra sur la conversation, même si ses pensées retournaient sans cesse vers Alana et Roy. Pourquoi ce dernier tardait-il tellement à le rappeler ? Quoi qu'il en soit, il ne rechigna pas à mettre la main à la pâte, quand Cy lui demanda son aide pour réparer la clôture. Le travail passait en priorité.

Une pâte brisée toute prête aurait vraiment simplifié les choses...

Malheureusement, la supérette n'en avait plus en stock.

— Ce n'est pas bien sorcier à faire soi-même, lui avait dit la gérante, une gamine d'une vingtaine d'années au sourire condescendant.

Pas bien sorcier... Pas bien sorcier...

Alana en était à sa deuxième tentative. Avec un soupir, elle essuya d'un revers de main son front maculé de farine et se remit à l'ouvrage. Elle était trop perfectionniste, décida-t-elle en inclinant la tête pour contempler son œuvre. Tant pis si la boule était de guingois ! De toute façon, elle serait cachée par la garniture. Quant à la bordure à festons, qui était le triste imbécile qui l'avait inventée ?

Ragaillardie, elle versa le mélange d'œufs, d'épinards et de champignons dans le moule. Cela fait, elle ouvrit le four préchauffé et y déposa la quiche. Au même moment, elle entendit Dax aboyer dans le jardin. Elle regrettait de l'avoir mis dehors par ce froid, mais il était constamment dans ses jambes. Elle régla la minuterie, saisit une friandise dans le pot et se dirigea vers la porte.

C'était le milieu de l'après-midi. L'air était frais et le ciel sans nuage dans un décor de montagnes coiffées de neige. Elle s'efforça d'imaginer le paysage recouvert d'un épais manteau immaculé. A peine s'était-elle installée à la table du jardin que Dax fila à la porte de la cuisine en aboyant. Quelqu'un avait frappé ? Elle n'avait pourtant pas entendu le bruit d'un moteur. C'était peut-être Noah qui rentrait plus tôt que prévu.

Son pouls s'accéléra. Elle se redressa et trébucha sur ses hauts talons. Elle devait absolument s'acheter des chaussures plus adaptées, songea-t-elle fugitivement, commençant à désespérer de retrouver ses bagages un jour.

Elle bloqua l'entrée pour empêcher le chien d'entrer et ouvrit lentement la porte. Un silence oppressant, qui lui fit froid dans le dos fut tout ce qu'elle trouva. Elle laissa alors Dax la précéder et le suivit avec circonspection. Il bondit vers le salon et ses aboiements stoppèrent aussitôt.

— Noah ?

Pas de réponse.

Elle pénétra dans la pièce en se tordant le cou pour voir si la voiture était garée devant le perron.

Et tout à coup, il se matérialisa devant elle. Elle porta une main à sa gorge avec un petit rire nerveux.

— Tu m'as fait une de ces peurs !

— Tu es allée à la banque ? Tu repars quand ?

— Pourquoi demandes-tu ça ?

— Parce qu'une femme comme toi n'a rien en commun avec le shérif d'un bled perdu au fin fond du Montana.

Il la regardait avec une intensité troublante, sans sourire ni même l'embrasser. Croyait-il vraiment qu'elle s'en irait à la seconde où elle aurait récupéré son argent ? Ce manque d'assurance ne lui ressemblait pas. Elle aurait pourtant cru que la nuit qu'ils avaient passée ensemble aurait signifié quelque chose pour lui…

Une pensée subite la frappa. Il venait de sortir de sa chambre. Il avait probablement remarqué que l'argent posé sur la commode avait disparu.

— Ecoute, je vais recevoir mon virement cet après-midi, demain matin au plus tard. Je te rembourserai aussitôt après. J'avais besoin d'argent pour faire quelques courses à la supérette, tu comprends ? Je débarrasse le plancher dès que possible, ajouta-t-elle, la voix cassée.

Il voulut lui saisir la main, mais elle se défendit et s'échappa. Elle détestait se donner en spectacle. Elle n'avait qu'une envie : fuir. Elle allait s'enfermer dans sa chambre jusqu'à ce que la banque appelle. Ensuite, elle se sauverait en douce par la fenêtre et le problème serait définitivement réglé.

Il la rattrapa et l'enlaça étroitement.

— Alana, attends !

Elle tenta de s'arracher à son étreinte, mais il resserra l'étau de ses bras.

— Lâche-moi !

— Non, je veux qu'on parle.

— Je vais hurler, je te préviens.

Il pressa ses lèvres au creux de son cou et promena sa langue derrière son oreille.

— Tu n'oseras pas.

— Bien sûr que si, fit-elle, raide comme un piquet.

Il lâcha prise, mais elle ne s'écarta pas, comme si toute volonté l'avait désertée.

— Pardonne-moi, mais j'ai eu une rude journée…, chuchota-t-il contre ses lèvres. Et sache que tu peux m'emprunter tout l'argent que tu voudr… Ça sent le brûlé, non ?

— Le brûlé ? répéta-t-elle, les yeux écarquillés, avant de se souvenir de ses velléités culinaires et de détaler vers la cuisine.

Elle s'empara d'un torchon et ouvrit le four. Un nuage de fumée âcre envahit alors la pièce. Elle recula en toussant et en agitant frénétiquement les mains pour tenter de la dissiper.

Noah se hâta d'éteindre le four et repoussa la porte du pied.

— Ça va ? demanda-t-il d'un air soucieux en refermant les bras autour de sa taille.

— C'est une quiche. Enfin ce qu'il en reste. Le dîner est fichu !

— Une quiche ?

— Désolée, mais c'est tout ce que je sais faire.

Il réprima un sourire.

— Bon…, on va déjà sortir le plat et on avisera quand le four aura refroidi.

Joignant le geste à la parole, il ramassa le torchon, ouvrit l'abattant et fronça les sourcils devant le tas informe au fond du moule.

— Une quiche, ça ? Tu es sûre ?

Alana se pencha pour examiner l'intérieur du four avant de se redresser, horrifiée.

— J'ai dû mettre trop de crème, ou alors, j'ai oublié les

œufs. Je croyais pourtant les avoir ajoutés… Quel désastre ! Je paierai quelqu'un pour le décaper, ne t'inquiète pas.

— C'est un modèle autonettoyant.

Elle le fixa d'un air malheureux, les joues cramoisies.

— Je suis une directrice de publicité très capable, je t'assure. Certaines de mes pubs sont même passées à la télévision ! L'homme en polo qui monte à cheval, les rasoirs et les athlètes torse nu, tu vois ? Mais ça, ce n'est pas mon truc…, acheva-t-elle avec un geste circulaire qui désignait la cuisine tout entière.

Il coinça une mèche de cheveux derrière son oreille, essuyant au passage un peu de farine qui maculait son front. Elle était si jolie avec ses joues rosies et ses yeux couleur noisette !

— Dire que j'avais une folle envie de te faire l'amour en arrivant, mais là, je ne sais plus… Une femme qui ne sait pas préparer une quiche ? Non, vraiment… c'est rédhibitoire !

Elle lui décocha un sourire espiègle.

— Ne me dis pas que tu es rentré rien que pour ça. Je ne te croirais pas.

— Mettrais-tu ma parole en doute, chérie ?

Elle plaqua les mains sur ses épaules.

— Arrête de m'appeler chérie !

— Désolé. Je ne le ferai plus. Enfin, j'essayerai…

Elle se colla plus étroitement contre lui, le visage enfoui dans le creux de son cou.

— Tu sens la fumée.

— Tu ne sens pas la rose, toi non plus !

— On va prendre une douche ?

Voyant qu'il ne répondait pas, elle comprit et fit bonne figure, malgré sa déception.

— Tu dois retourner travailler, c'est ça ?

Il glissa les bras autour de sa taille et la souleva de terre.

— Je suis navré, mais je dois rédiger un rapport urgent, dit-il en caressant ses lèvres des siennes.

A peine un quart d'heure plus tôt, il était encore dévoré par le doute, certain qu'elle avait quitté la ville au nez et à la barbe de son adjoint, non parce qu'elle était une intrigante, mais parce qu'elle n'avait plus aucune raison de rester.

Et voilà qu'il retombait sous son charme ! Qu'il prenait feu, même… Il la désirait comme jamais il n'avait désiré aucune femme. Non, il ne laisserait pas passer cette chance, même s'il n'y avait pas de lendemain.

14

Une fois la fonction autonettoyante du four enclenchée, Alana n'eut plus grand-chose à faire sinon ressasser dans sa tête — telle une adolescente énamourée — chaque mot qu'avait prononcé Noah avant de repartir au travail. Elle n'était vraiment pas dans son état normal ! Jamais un homme ne lui avait fait un tel effet. Et surtout pas un petit shérif dans un trou perdu du bout du monde !

Un effet de l'eau, de l'air ou de l'altitude, probablement...

Sortir de cette maison au plus vite pour se changer les idées, voilà ce qu'elle allait faire. Elle irait d'abord à la banque s'enquérir de son virement, puis au Watering Hole saluer Sadie et elle en profiterait aussi pour s'offrir le cosmo dont elle rêvait depuis le premier jour.

Dax ponctua son départ avec force aboiements, ce qui dut mettre le quartier en émoi. Elle s'en moquait. Pourquoi continuer à se cacher à présent que leur relation n'était plus un secret pour personne ?

Comment Noah avait-il pu réintégrer une communauté aussi étriquée après avoir connu le confortable anonymat de Chicago ? Voilà qui dépassait son entendement.

Elle dirigea ses pas vers le centre-ville et se rendit directement à la banque, sans faire un détour par le bureau du shérif, malgré son envie.

Elle n'avait pas fait trois pas qu'elle entendit dans son dos une voix qui lui parut familière.

— Vous êtes encore là ? Ah oui, c'est vrai, j'ai entendu

dire que vous squattiez chez Calder. A mon avis, le Sundance devrait s'appeler Le Bordel.

Elle pivota sur ses hauts talons, estomaquée par la crudité du propos. Gunderson, bien sûr, elle aurait reconnu sa voix de fouine entre mille !

— Pardon ?

— Vous m'avez parfaitement entendu.

Il avait l'air très imbibé. Il était adossé à un énorme pick-up à l'intérieur duquel elle crut reconnaître Tony, assis sur le siège passager.

Elle n'eut pas à se poser la question bien longtemps, car le jeune homme descendit du véhicule, suivi d'un grand baraqué à l'allure d'un joueur de football américain. Tous deux s'approchèrent de leur patron qu'ils entourèrent, tels deux gardes du corps roulant des mécaniques.

— C'est une accusation purement gratuite ! s'insurgea-t-elle.

— J'ai des preuves. Et puis, je vous ai vue sortir de chez lui.

— Ah vraiment ? Vous êtes capable de me repérer à l'autre bout de la rue, mais vous ne remarquez pas le voyou qui vole mes bagages sous votre nez ?

Gunderson s'essuya les lèvres d'un revers de main.

— Vous avez inventé cette histoire de toutes pièces.

Non mais quelle brute épaisse !

— Vous êtes un menteur, monsieur Gunderson, et vous le savez, lui assena-t-elle sans se démonter.

— Comment osez-vous me traiter de menteur ? Attention à ce que vous dites !

— C'est une menace ?

Il ouvrait la bouche pour rétorquer, quand la voix de Noah l'interrompit.

— Que se passe-t-il, Gunderson ?

Alana sentit l'étau qui enserrait sa gorge se relâcher.

Elle avait beau faire la faraude, elle n'en menait pas large face aux trois hommes.

— Rentrez chez vous, poursuivit Noah en s'approchant. Vous n'avez pas l'air dans votre assiette.

Gunderson semblait prêt à lui sauter dessus, toutes griffes dehors, mais il se ravisa et indiqua d'un geste à ses sbires qu'il était temps de vider les lieux. Les deux armoires à glace réagirent au quart de tour, et tous trois remontèrent dans le pick-up qui démarra sur les chapeaux de roues.

— Que s'est-il passé, tu peux m'expliquer ? demanda Noah quand ils se retrouvèrent seuls.

— Ivre ou pas, ce type est mufle ! Personne ne m'a jamais parlé comme il l'a fait.

— Qu'est-ce qu'il t'a dit ?

Puisque Noah n'avait rien entendu de précis, elle préféra ne pas entrer dans les détails.

— Il s'est répandu en calomnies sur le ranch des McAllister et leurs hôtes. Et il a juré ses Grands dieux qu'il n'a rien remarqué quand on m'a dérobé mes bagages. C'est impossible. Il était juste en face de moi !

Il lui prit le bras.

— Rentrons à la maison, nous serons mieux pour parler.

— Mais tu l'as interrogé, non ? Tu m'avais promis que tu allais le faire.

— Je t'ai dit que je m'en occuperais, répondit-il d'un ton sec.

Elle refoula la colère qui la gagnait.

— Il a menti sur toute la ligne !

— Alana, je n'ai aucune preuve. C'est ta parole contre la sienne.

Elle le fixait, les yeux brillant de rage, le regard accusateur, comme s'il était d'une incompétence crasse, ce qui était injuste.

Il se secoua. Il n'allait quand même pas la laisser lui faire une scène devant tout le monde !

— Rentrons, insista-t-il. Nous en discuterons calmement autour d'un café. Peut-être y a-t-il un détail que nous avons négligé et qui a son importance.

Elle lâcha prise.

— D'accord. De toute façon, je n'avais rien de particulier à faire.

Noah sortit alors son portable pour appeler Roy qu'il pria de prendre le relais pendant son absence. Après quoi, ils se mirent en route, parcourant le court trajet qui les séparait de la maison dans un silence pesant. On aurait dit qu'un gouffre se creusait entre eux à chaque pas. Noah éprouvait des sentiments pour le moins mitigés. Il ressentait un certain malaise à l'idée de ne pas avoir anticipé ses réactions afin d'éviter l'incident qui venait de se produire. Mais il ne pouvait pas non plus se défendre d'admirer la force de caractère d'Alana. Cette femme était un véritable ovni, capable de déplacer des montagnes ! Preuve en était la façon dont elle avait surmonté le traumatisme résultant de la perte de ses affaires. Blackfoot Falls n'était certainement pas assez vaste pour Alana Richardson et il doutait que New York le soit davantage.

Comment, dans ces conditions, pourrait-elle se contenter d'un petit policier de rien du tout comme lui ? Que représentait-il à ses yeux, sinon un flirt de vacances qu'elle aurait vite oublié aussitôt qu'elle aurait tourné les talons ? Cette idée lui faisait mal, même s'il n'avait jamais pensé établir avec elle une relation durable.

Une fois arrivés, ils s'installèrent directement dans la cuisine.

— On reprend tout depuis le début, tu veux bien ? dit-il en préparant le café.

Elle s'assit à la table, les bras croisés.

— Je n'ai rien à ajouter.

Il lui lança un regard surpris.

— Pourquoi ?

Elle soutint son regard, l'air farouche.

— Sa parole contre la mienne, je te cite. Je t'ai déjà tout raconté. Le vol s'est produit en moins d'une minute. Je n'ai omis aucun détail. Et on n'avancera pas tant que tu n'auras pas trouvé de témoin. D'ici là, j'aurai récupéré mon argent à la banque, j'aurai remplacé mes papiers, sauté dans un avion et je serai rentrée chez moi. Voilà… Quant à mon algarade avec Gunderson, je n'avais pas l'intention de marcher sur tes plates-bandes, désolée.

— Alana…

Elle respira un grand coup et le fixa avec un léger sourire.

— Finalement, à quelque chose malheur est bon…

— C'est-à-dire ?

— Si je n'avais pas perdu mes bagages, je ne t'aurais peut-être jamais rencontré.

Il laissa son regard vagabonder sur ses seins à travers son T-shirt. Des images torrides se bousculaient dans sa tête. Il mourait d'envie de la déshabiller, de lui faire l'amour séance tenante. Il lui prit alors le bras, l'entraîna dans le salon et, sans attendre, se débarrassa de sa chemise qu'il envoya valser sur le canapé avant de s'attaquer à son jean.

— Tu es si belle…, murmura-t-il d'une voix profonde.

Alana cligna les yeux, stupéfaite. Elle ne le reconnaissait plus. Il avait l'air parfaitement détendu et déterminé à la fois. Et il lui accordait à présent toute son attention, à croire qu'elle était le centre du monde. Dire qu'elle avait presque dû le supplier, la nuit précédente !

— Qu'est-ce qui te prend, Noah ?

— Disons qu'en dehors d'un ou deux nuages noirs, la journée s'annonce belle…

Elle indiqua la fenêtre du menton.

— Tout le quartier va en profiter, j'en ai peur.

Elle le regarda tirer les rideaux avec une nonchalance étudiée et décida subitement d'oublier d'être raisonnable. Pas question de gâcher le peu de temps qui lui restait à passer avec cet homme, sinon, elle pourrait bien le regretter toute sa vie ! Elle admira les contours bien dessinés de ses pectoraux, son dos musclé contrastant avec ses hanches étroites, la fine toison qui descendait jusqu'à son nombril, ses fesses dures… Il était splendide !

— Un bon prétexte pour ne pas déguster ma quiche, avoue-le ! fit-elle, provocante.

En deux enjambées, il fut devant elle et glissa un doigt sous son menton pour l'obliger à le regarder.

— Exactement, parce que là, j'ai faim d'autre chose…

Excitée par l'attente, elle ne bougea pas, la bouche sèche, le cœur battant follement dans sa poitrine, une onde de chaleur déferlant entre ses cuisses moites. Puis, se haussant sur la pointe des pieds, elle mordilla le bout de son menton râpeux, faisant courir mille frissons délicieux dans tout son corps.

Il cueillit un doux baiser sur ses lèvres entrouvertes, y insinua une langue gourmande qu'il enroula sensuellement autour de la sienne, tout en lui défaisant son jean d'une main fébrile. Elle se déhancha pour s'en libérer et l'enjamba lorsqu'il tomba à terre. Son T-shirt suivit bientôt.

Il glissa alors la main sous l'élastique de sa petite culotte. Elle s'agrippa à ses épaules, serrant instinctivement les genoux mais, déjà, les doigts de Noah taquinaient son petit bouton gonflé de désir.

— Tu es toute mouillée, murmura-t-il d'une voix rauque. Enlève ton soutien-gorge.

Elle fit docilement glisser le sous-vêtement de ses épaules et frémit lorsqu'il introduisit deux doigts dans son intimité ruisselante. Elle se cambra contre sa main pour se coller plus encore contre lui, alors que sa bouche écrasait la sienne avec voracité. Elle sentit ses genoux faiblir, et pria pour que ses caresses ne s'arrêtent jamais. Mais il se retira pour la soulever de terre et la porter sur le canapé.

Il la déposa délicatement sur le cuir frais avant de la recouvrir de son corps, jouant avec ses seins, l'un après l'autre, tout en lui ôtant sa culotte de sa main libre.

Elle mourait d'envie de sentir sa peau nue épouser la sienne, l'accueillir en elle, mais une question pratique lui occupa soudain l'esprit.

— Noah, tu as des préservatifs ?

— Non…, mais je prendrai des précautions, ne t'inquiète pas.

— J'ai tellement envie de toi…

Il ne répondit pas, mais promena ses doigts sur sa hanche, le long de sa jambe, puis encerclant sa cheville, il la porta à ses lèvres et y déposa une nuée de petits baisers avant de remonter vers son genou. Sa bouche brûlante courut ensuite sur la peau sensible à l'intérieur de ses cuisses, puis s'arrêta sur son sexe palpitant. Le feu qui couvait dans ses veines se ranima, déclenchant des bouffées de désir dans son ventre. Elle tenta de refermer les jambes pour maîtriser l'incendie qu'elle sentait grandir en elle, mais lorsque sa langue vint s'immiscer dans ses replis secrets, avant de poursuivre son exploration plus avant, ses dernières résistances l'abandonnèrent.

Il releva la tête et l'épingla de son regard bleu-vert magnifique.

— Laisse-toi aller. Fais-moi confiance.

— Je ne suis pas inquiète, murmura-t-elle avec un petit sourire timide.

Comment lui avouer qu'elle n'avait encore jamais réagi de façon aussi physique avec un homme ?

Elle se perdit dans les eaux vertes de ses prunelles, ensorcelée par son beau visage. Même vêtu d'un jean élimé, cet homme était un concentré de sensualité incroyable ! Rien à voir avec ses partenaires occasionnels au look BCBG, à l'élégance policée que leur conférait la richesse. Avec eux, le sexe n'était qu'une simple activité physique entre deux personnes civilisées. Rien de très excitant.

Alors que Noah respirait l'assurance virile, la force et la tendresse, qu'il n'hésitait pas à prendre et à donner ce qu'il voulait… Elle qui détestait pourtant perdre le contrôle des événements, elle s'abandonna à ses lèvres douces qui revinrent se loger entre ses jambes.

Sa bouche happa son clitoris, le massa, le lécha, le suça, le cajola, le mordilla, puis sa langue prit le relais et s'enfonça jusqu'au plus profond de son être.

— A quoi penses-tu, Alana ?

Les brumes qui recouvraient son esprit l'empêchèrent de répondre.

Noah referma ses mains sur les seins qu'il se mit à pétrir avec ferveur, triturant les pointes offertes de ses doigts de magicien.

Une boule incandescente dans le ventre, elle se tordit sous ses caresses, pantelante, le corps agité de tressaillements incontrôlés au rythme de sa langue qui s'activait sans relâche au centre de son plaisir. Une décharge électrique la traversa. Arc-boutée au canapé, chancelant au bord du gouffre, elle sentit une vague immense sur le point de la submerger. Instinctivement, elle plaqua les mains sur le torse de Noah pour le repousser, mais il resserra l'étreinte autour de ses hanches. Alors, ivre de volupté, elle se laissa aller sur la déferlante qui l'emportait au sommet de l'extase en criant de bonheur.

A bout de souffle, il releva la tête, la bouche humide, les narines dilatées, son regard vert assombri de désir.

Son torse, luisant d'une mince pellicule de sueur, montait et descendait au rythme de sa respiration saccadée. Elle aurait tant voulu se perdre en lui !

— Viens, murmura-t-elle, en lui ouvrant les bras.

— Non.

Elle laissa errer son regard sur la bosse qui déformait son pantalon.

— Fais-moi confiance, dit-elle, répétant ses propres mots.

Il lui prit la main et lui embrassa les doigts.

— On va chercher des préservatifs ?

Elle se redressa et, de sa main libre, entreprit de masser délicatement son membre à travers le tissu.

— Tout à l'heure.

— Alana, arrête…

— Enlève ton pantalon.

Il lui coula un regard sous ses paupières mi-closes.

— Alana…

— S'il te plaît.

Il finit par céder et fit glisser son jean sur les hanches, libérant son sexe qui se dressa glorieusement dans sa paume accueillante.

Adossé au mur lambrissé de la salle de billard, Trace McAllister porta la bouteille de bière à ses lèvres.

— Tu vas prendre une raclée, Calder !

— Tu parles ! Dis plutôt que je l'ai laissée gagner la première partie.

Cole et Rachel éclatèrent de rire. Le frère et la sœur ne pouvaient avoir l'air plus différent. Les cheveux foncés et les yeux sombres de l'un contrastaient avec la peau claire, l'épaisse crinière auburn et le regard vert de l'autre.

Trace, lui, avait les cheveux couleur de sable mouillé de son frère et les yeux clairs de sa sœur.

Alana n'avait pas encore rencontré Jesse, le troisième

des frères McAllister, ni leur mère, mais elle avait l'intuition qu'ils lui plairaient autant que ces trois-là. D'ailleurs, un quart d'heure à peine après son arrivée au Sundance, elle avait l'impression de les connaître depuis toujours. Tout le monde s'était mis en quatre pour la mettre à l'aise. Rachel s'était confondue en plates excuses pour sa bévue, au moment de la réservation.

Comme elle s'y attendait, son arrivée au ranch n'était pas passée inaperçue. Trois jeunes femmes bavardaient sous le porche avec des saisonniers au moment où Noah avait garé son pick-up devant la grande maison, et elle s'était réjouie de leur stupéfaction lorsqu'elles les avaient vus approcher main dans la main.

Pour l'heure, elle regardait Noah préparer son coup à la table de billard en espérant sincèrement qu'il remporterait cette partie. Le laisser gagner n'était guère envisageable : il s'en apercevrait et quelque chose lui disait qu'il n'apprécierait pas.

Confortablement installée sur le canapé en cuir noir près de la cheminée, Rachel observait également Noah, concentré sur sa sixième boule.

— Désolée de vous quitter, mais je dois m'occuper de nos invitées, dit-elle soudain en se levant. Au fait, je ne vous ai pas demandé si vous aviez déjeuné.

— Oui, nous avons eu de la quiche, répondit Noah, un éclat diabolique au fond des yeux.

Trace lui lança un regard éberlué, tandis que Cole se frottait la nuque en dissimulant un sourire.

— Il reste du rôti, je vous l'emballe ? suggéra Rachel, fine mouche, en se dirigeant vers la porte.

— Merci, répondit Noah qui manqua le trou et pesta entre ses dents.

Alana se glissa derrière lui pour préparer son prochain coup.

— Ça va saigner, mon vieux ! lança-t-elle en lui pelotant les fesses au passage.

Si elle remarqua les regards de connivence que Noah échangea alors avec Cole et Trace, elle ne s'en formalisa pas, sachant que les deux frères étaient ses meilleurs amis.

D'autant qu'il fallait ménager Cole, à cause des préservatifs, raison pour laquelle elle s'était décidée à accompagner Noah au ranch. Mais elle ne le regrettait pas de l'avoir fait. Les McAllister, sa deuxième famille comme Noah disait, étaient des gens adorables qui l'avaient accueillie à bras ouverts. Dommage qu'elle n'ait pas de tels amis à New York ! D'un autre côté, elle ne pouvait s'en prendre qu'à elle-même, vu qu'elle consacrait tout son temps à sa carrière.

La présence de Noah dans son dos, tandis qu'elle se penchait pour jouer son dernier coup, la déconcentra. Il lui décocha son sourire le plus innocent quand, se retournant, elle surprit le regard lascif qu'il fixait sur elle.

— J'espère que vous allez lui mettre une déculottée, intervint Trace. Il me bat deux fois sur trois, et pourtant, je ne suis pas nul.

Deux fois sur trois ? Noah était-il en train de la mener en bateau en prétendant qu'il était un joueur juste passable ? Il n'avait peut-être pas dit son dernier mot, après tout, et elle allait devoir s'accrocher, si elle voulait l'emporter.

Sur ces entrefaites, une jolie brune passa la tête dans l'entrebâillement de la porte et gratifia Trace d'un sourire éblouissant.

— Ah, tu es là ! Je pensais bien avoir entendu ta voix. On y va ?

Au regard ahuri qu'il lui lança, il était clair que Trace avait complètement oublié leur rendez-vous.

— J'arrive ! Zut ! murmura-t-il dans sa barbe quand

elle eut tourné le dos. Ravi d'avoir fait votre connaissance, Alana…

— Il fait toujours la nouba ? demanda Noah à Cole après son départ.

— Il s'est un peu calmé. Espérons que Rachel aura la bonne idée de fermer pendant l'hiver, ça lui fera des vacances !

— Comme à vous tous, si tu veux mon avis. Au moins, toi, tu as eu la chance de rencontrer Jamie. Elle revient pour les fêtes ou tu pars la rejoindre à Los Angeles ?

Cole ne répondit pas, sans doute gêné de s'épancher en présence d'une étrangère.

Alana le comprit et fit mine de s'absorber dans son prochain coup, qu'elle rata d'un cheveu. Elle aurait bien voulu savoir qui était cette Jamie. Elle décida qu'elle demanderait à Noah plus tard, quand ils seraient seuls, même si cela ne la concernait pas. Leur relation était une relation sans lendemain. Ce qui s'est passé dans le Montana resterait dans le Montana. Point.

Elle tenta de refouler l'émotion qui l'étrangla subitement à cette perspective et s'écarta pour laisser Noah jouer à son tour.

Il gagna la partie haut la main et lui décocha un clin d'œil triomphal, lourd de sous-entendus.

15

En fin de matinée, le mercredi suivant, comme Noah était retenu au bureau, Alana en profita pour faire un saut au Watering Hole. Elle avait promis à Sadie de lui donner un coup de main pour accrocher les dernières décorations d'Halloween pendant les heures de fermeture du pub.

— Bonjour, Alana ! Entrez vite avant que les ivrognes de service ne m'obligent à ouvrir plus tôt !

Alana jeta un coup d'œil par-dessus son épaule.

— Qui ça ?

Sadie s'empressa de verrouiller la porte derrière elle.

— Avery et son pote. Je ne supporte plus de voir sa vieille guimbarde sillonner les rues à longueur de journée ! En plus, il nous casse les oreilles avec ses jérémiades depuis que le Sundance est ouvert au public. Au fait, vous avez fait une petite virée là-bas avec Noah lundi dernier, à ce qu'il paraît ?

Apparemment, le moulin à rumeurs n'en finissait pas de tourner ! Heureusement que Sadie ne semblait pas avoir eu vent de son altercation avec Gunderson, sinon, elle n'aurait pas manqué de mettre la question sur le tapis.

— C'est vrai. J'ai rencontré les McAllister, sauf Jesse et leur mère. Ils sont formidables. Ça va mieux, on dirait ? J'ai remarqué que vous marchiez presque normalement.

Sadie se laissa lourdement tomber sur un tabouret devant un carton de décorations, posé sur le comptoir.

— Oui, j'ai vu le médecin aujourd'hui. Il pense qu'il y

a encore de l'espoir. A propos, on m'a dit que vous étiez venue prendre de mes nouvelles, lundi. Merci, c'est très gentil à vous. Figurez-vous que j'avais pris un jour de repos. Vous voyez, j'ai suivi vos conseils !

Alana se percha sur un siège à côté d'elle.

— Tant mieux, je suis bien contente que ça ait payé. Cela dit, vous vous y prenez un peu tard, non ? Halloween tombe après-demain…

— J'ai failli ne rien faire du tout. Si les clients ont soif, ils viendront, de toute façon. Que j'aie drapé du papier crépon au comptoir et suspendu des fantômes ringards au plafond ou non.

— Pourquoi avez-vous changé d'avis, alors ?

— J'ai discuté avec Marge, la patronne du petit restaurant d'en face… Vous voyez qui c'est, n'est-ce pas ? D'après elle, je manque d'ambition. Il semblerait que Clyde et Eli Roscoe, les voisins du Sundance, envisagent de lui emboîter le pas. Marge pense qu'on devrait donner un coup de jeune à la ville. Que ça éviterait que les garçons emmènent les filles à Kalispell ou ailleurs…

— Vous voulez dire que les autres ranchs songeraient à une activité hôtelière, eux aussi ?

— Non, pas tout à fait. Ce sont en majorité des éleveurs. Mais la plupart possèdent de grandes maisons ou des granges qu'ils n'utilisent plus. Ils pourraient les transformer en gîtes. La région a beaucoup souffert avec le cours du maïs qui s'est effondré. Les gens sont prêts à faire n'importe quoi pour s'en sortir. Même si Avery Phelps et sa clique n'arrêtent pas de brailler que les étrangers ne nous apportent que des ennuis.

— C'est vrai ?

Sadie sortit un rouleau de papier crépon noir du carton et agita une main potelée.

— Bien sûr que non ! J'ai pitié du bonhomme. Il est

perdu depuis la mort de sa femme… Comme s'il en avait fait cas de son vivant, entre parenthèses… Bref, il passe son temps à boire et à nous pourrir la vie. C'est pour cette raison qu'il s'est acoquiné avec Gunderson. Avant, ils se détestaient et aujourd'hui, ils sont comme cul et chemise rien que pour enquiquiner les McAllister.

Alana buvait ses paroles.

— A propos de Gunderson, on dirait qu'il terrorise tout le monde ici, je ne comprends pas pourquoi.

Sadie fouilla à l'intérieur du carton et fit de grands moulinets avec les bras pour disperser la poussière.

— Ce vieux chameau est l'homme le plus riche de la région. Ce n'est certainement pas lui qui a volé vos affaires. Mais tel que je le connais, comme il a supposé que vous alliez au Sundance, il aura tenu sa langue, histoire de les embêter. Voilà quarante ans qu'il harcèle les McAllister pour qu'ils lui cèdent une parcelle. On se demande bien pourquoi, d'ailleurs, vu que ce n'est pas la terre qui lui manque. Ils auraient fini par craquer, si vous voulez mon avis, mais il n'en a plus été question du moment que l'idée de Rachel, d'ouvrir le ranch aux touristes, a renfloué les finances.

— J'ignorais qu'ils avaient traversé une si mauvaise passe.

— En tout cas, qu'on le veuille ou non, le sens de la débrouillardise de Rachel a profité à tout le monde ici.

Alana jeta un rapide coup d'œil circulaire à la salle. Le plancher rustique et les tabourets bancals auraient eu bien besoin d'être retapés et rénovés.

— Dans ce cas, il va falloir trouver le moyen d'attirer les touristes ici aussi.

Sadie lui lança un regard intrigué.

— Comment ça ?

Alana se leva et déambula autour des tables.

— En ne leur donnant plus de raison de se rendre à Kalispell ou ailleurs, pardi ! Vous avez pas mal de place ici. Qui possède le local d'à côté ?

— Moi.

— Formidable !

Elle sonda la cloison.

— Ce n'est pas de la brique là derrière, si ?

— Je ne vous suis pas…

— Que diriez-vous de transformer le Watering Hole en saloon d'époque ? Il suffirait de pas grand-chose. Le but est bien d'attirer les touristes, d'accord ? Je suis une machine à idées, Sadie, c'est mon métier. Alors si je peux vous aider…

Sadie pencha la tête et la dévisagea avec perplexité.

— Pourquoi feriez-vous ça ? Vous êtes en vacances, et déjà qu'elles ne sont pas franchement réussies !

— Je n'ai pas grand-chose à faire pendant que Noah travaille. Ça me fera passer le temps.

— Jusqu'à quand pensez-vous rester ? Nous sommes déjà mercredi.

Alana se livra alors à un rapide calcul mental. Plus que trois jours avant de rentrer à New York… Son bel enthousiasme en fut douché. Plus que trois petits jours avec Noah !

— C'est jouable, affirma-t-elle cependant en se secouant pour chasser ses idées noires.

Son changement d'humeur n'échappa pas à l'œil sagace de son amie.

— Il va vous manquer, pas vrai ?

— Evidemment, rétorqua Alana qui n'avait aucune envie de s'étendre sur ce sujet. Pour en revenir à nos moutons, est-ce que cette idée de saloon d'époque vous plaît ? Je pense que ça pourrait séduire les touristes.

— C'est une idée géniale, mais j'ai peur de ne pas avoir les moyens.

— Ça ne coûterait pas grand-chose. Vous devez avoir tout un bric-à-brac au garage ou au grenier dont on pourrait se servir. Peut-être de vieilles enseignes de bois. Ou alors… Attendez ! Les ranchs des environs sont assez anciens, non ?

— Oui, ils appartiennent aux mêmes familles depuis des générations.

— Je vous parie qu'ils ont des tas de vieilleries dont ils ne se servent plus !

Sadie l'enveloppa d'un regard pensif.

— Je crois avoir conservé l'enseigne de barbier de mon grand-père dans l'arrière-salle…

Alana embrassa la salle du regard pour évaluer la place disponible. L'endroit, assez vaste, ne comportait que quelques rares tables et chaises. Deux affiches publicitaires de rodéo et une autre annonçant la foire du comté occupaient les murs.

Elle désigna un espace vacant dans un angle.

— On pourrait peut-être installer un jeu de hasard par là. En toute légalité, bien entendu, pour ne pas défriser le shérif.

— Qu'est-ce qu'elles ont, mes frisettes, mademoiselle Richardson ?

Elle sursauta et pivota sur ses talons pour découvrir Noah, planté sur le seuil, un tendre sourire aux lèvres.

Elle se sentit rougir.

— D'où sors-tu ? Je ne t'ai pas entendu rentrer.

Sadie faillit s'étouffer de rire.

— Il a frappé et je l'ai laissé entrer. Vous étiez si occupée à tirer des plans sur la comète que vous ne vous en êtes même pas aperçue.

— Tu as quelque chose contre les frisettes ? répondit-elle

à Noah avec un petit sourire moqueur. Ça t'irait très bien à mon avis. Enfin moi, pour ce que j'en dis…

Il secoua la tête l'air faussement outragé avant de s'adresser à Sadie.

— Qu'est-ce qu'elle manigance ? Pourriez-vous m'expliquer ?

— Cette fille déborde d'idées, c'est pas croyable ! Seulement, je ne sais pas comment elle réussira à tout faire avant son départ.

Alana croisa le regard de Noah et sentit son ventre se nouer. Dire que d'ici à trois jours à peine, elle devrait lui faire ses adieux. Comment aurait-elle le courage de…

Elle se détourna pour ne pas flancher.

— Je parie que Gretchen et Sheila accepteraient de se travestir en Saloon Girls, suggéra-t-elle. Et si vous savez coudre, vous pourriez même confectionner des costumes d'époque pour les clientes du Sundance. Des soirées à thème, tiens, voilà une idée…

— Arrêtez, ma tête va éclater ! s'écria Sadie. Voyons d'abord ce que votre ami ici présent est venu vous dire.

Alana loucha vers Noah. Il n'avait pas l'air vexé ni mal à l'aise ni… rien du tout, en somme. Sans doute avait-il l'habitude des remarques incongrues de Sadie.

Il recoiffa son chapeau.

— Je retourne au bureau un moment. Je venais te demander si tu voulais déjeuner avec moi. Mais si tu as autre chose à faire, ce n'est pas grave.

— Et comment, qu'elle va déjeuner avec vous ! trancha Sadie. Nous étions en train de réfléchir à la décoration de la salle, il n'y a rien qui urge.

Noah regarda Alana droit dans les yeux, le visage indéchiffrable.

— Ah oui ? Ses idées concernant le Watering Hole m'intéressent au plus haut point.

Cet homme pouvait se refermer comme une huître quand ça l'arrangeait, songea-t-elle, agacée.

— J'ai des idées pour la ville tout entière, si tu veux le savoir.

— Dommage que vous ne restiez pas plus longtemps, intervint Sadie. Je parie que Marge, Abe et Louise aimeraient bien vous consulter aussi. Louise possède l'atelier de couture au bout de la rue. Elle serait sûrement très intéressée par votre idée de costumes d'époque.

— J'irai la voir, bien sûr. Et Abe et Marge, aussi, s'ils veulent.

Sadie échangea avec Noah un regard d'intelligence.

— A ce rythme, il ne lui restera pas beaucoup de temps à vous consacrer, shérif !

En guise de réponse, Noah se borna à esquisser un sourire qui se voulait assuré.

Sadie alla chercher une agrafeuse sous le comptoir.

— On devrait la convaincre de partir un peu plus tard, pourquoi pas ?

— Je pourrais peut-être revenir dans quelques semaines, je vais voir, s'entendit-elle répondre.

Noah resta silencieux.

Elle osait à peine regarder dans sa direction, craignant de distinguer un signe d'agacement ou d'effroi sur son visage. Qu'est-ce qu'il lui avait pris de faire cette proposition ? se demanda-t-elle, sidérée. C'était stupide, mais elle n'avait pas pu s'en empêcher. Elle qui voulait à tout prix éviter de gâcher le peu de temps qui restait avant son départ, c'était réussi !

D'autant qu'elle aurait du travail par-dessus la tête à son retour à New York. Alors prendre un long week-end, voire une semaine entière, pour revenir, était tout simplement inenvisageable. A moins que…

Non… Inutile de se faire des illusions… Ils s'étaient bien

gardés de parler d'avenir, ayant tous deux compris qu'il ne pouvait s'agir entre eux que d'une relation à court terme.

— Je brûle les étapes, je sais, se hâta-t-elle d'ajouter avec une désinvolture feinte. J'ai parfois tendance à m'emballer. Mon avis n'intéressera personne, si ça se trouve.

— Détrompe-toi, objecta Noah. Les gens ont du mal à joindre les deux bouts, en ce moment. Et vu le succès du Sundance, je pense qu'ils seront ouverts à toutes les suggestions.

Elle s'efforça de dissimuler sa déception. Elle aurait espéré de sa part un point de vue plus personnel.

— Oui, mais je ne garantis pas le résultat.

Il lui sourit, rivant son regard au sien.

— Je voulais juste dire que si tu es prête à tendre la perche, ne t'étonne pas qu'on la saisisse.

Alana se sentit fondre. Son sourire avait un charme fou, mais associé à son regard, il en devenait irrésistible. Heureusement qu'ils n'étaient pas en relation professionnelle ! Elle avait beau être à cheval sur les principes, il aurait fait fondre toutes ses réticences.

— Bien sûr, il y aura toujours les ronchons, dit Sadie, mettant son grain de sel. Ou pire, des imbéciles comme Avery, Gunderson et consorts, qui croient que les touristes sont des suppôts du diable. Heureusement que la plupart des gens s'en moquent éperdument !

— Mesdames, je vous laisse, le devoir m'appelle, déclara alors Noah, mais au lieu de se diriger vers la porte, il s'avança vers Alana. Je serai seul, précisa-t-il. Tu peux venir quand tu veux.

Il repoussa son chapeau en arrière, puis pencha la tête pour l'embrasser goulûment sur la bouche.

Devant Sadie !

Elle rompit le baiser et s'éclaircit discrètement la gorge.

— J'arrive dans un petit moment, murmura-t-elle.

Sadie éclata d'un rire caverneux qui se transforma en quinte de toux.

— Eh bien, ma chérie, après ça, moi, à votre place, je le traînerais dans l'arrière-salle sur-le-champ !

Quelqu'un frappa alors à la porte.

Noah fit signe à Sadie de ne pas se déranger.

— Je m'en occupe… Alana refermera derrière moi. Quand dois-je leur dire de revenir ?

Sadie fronça les sourcils avec humeur.

— Dans une heure. Je parie que c'est Avery. Ce type est bon pour une cure de désintoxication, si vous voulez mon avis ! Voyons voir comment il va s'en sortir avec le shérif, ajouta-t-elle tout émoustillée.

Noah ouvrit la porte et se retrouva nez à nez avec un vieux bonhomme maigre comme un échalas, flottant dans sa salopette trop grande, le poing en l'air, prêt à frapper de nouveau.

Il fit un pas en arrière et pointa un index accusateur.

— Qu'est-ce que vous fabriquez ici, vous ?

— Le bar ouvre dans une heure, Avery.

Le vieil homme lança à Sadie un regard de reproche. Puis, apercevant Alana, il pinça les lèvres et s'apprêtait visiblement à faire un commentaire, mais Noah lui coupa le sifflet en tirant la porte derrière lui.

Sadie consulta l'immense horloge murale au-dessus des alcools qui garnissaient les étagères.

— Vous voulez bien donner un tour de clé ?

Alana s'exécuta et revint vers le comptoir.

— C'est lui, le fameux Avery ?

— Oui. On va avoir la paix pendant une bonne heure maintenant.

— Parfait. Parce que nous avons du pain sur la planche. Avez-vous une échelle quelque part ?

— Ecoutez-moi, Alana, ce serait dommage que vous

gaspilliez le temps que vous pourriez passer avec Noah. Gretchen viendra m'aider tout à l'heure.

Alana ramassa le carton de décorations.

— Franchement, Sadie, vous trouvez que j'ai l'air d'une femme qui se laisse mener en bateau par les hommes ?

— Non, évidemment.

Alana jeta un coup d'œil à l'horloge.

Elle avait cinquante-huit minutes chrono !

Assis à son bureau, Noah contempla avec consternation la pile de papiers posée devant lui. S'il n'avait pas été aussi obsédé par Alana, il aurait pu expédier la moitié des rapports dans la journée. Mais ce qu'elle avait dit le laissait tout retourné. Elle pensait donc revenir ? Il avait failli aborder le sujet avec elle par deux fois déjà, mais s'était dégonflé. Inutile de gâcher le peu de temps qu'il leur restait en risquant de la mettre dans l'embarras, ou risquer de donner une réponse qu'il n'aimerait pas entendre.

Chez Sadie, pourtant, elle avait l'air sincère, mais il savait bien comment cela se passait : dès qu'elle aurait repris le cours de sa vie à New York, elle aurait tôt fait de l'oublier, et les autres avec lui.

Bien sûr, le sexe était fabuleux avec elle, mais leur relation ne s'y limitait pas. Il avait découvert une facette de sa personnalité qu'il appréciait énormément. Elle savait écouter. Il lui avait confié son ressenti vis-à-vis de sa mère, comme il n'avait jamais osé le faire avec personne. Loin de le juger, elle avait paru le comprendre et respecter l'apparent détachement affectif qu'il s'imposait.

Il devrait plutôt se soucier de l'opinion des habitants de Blackfoot à propos de sa relation avec elle ! Et notamment de la désinvolture avec laquelle il l'avait invitée sous son toit. Ironie du sort, aurait-elle été l'escroc recherché que cela lui aurait facilité la tâche. Il l'aurait arrêtée et tout le monde aurait pensé qu'il avait donné de sa personne pour défendre l'ordre et la sécurité publique. Mais depuis que leur relation s'était approfondie, il se moquait éperdument du qu'en-dira-t-on. Sa vie privée ne regardait que lui. Un point c'est tout.

Il entendit la porte du bureau s'ouvrir et son cœur s'emballa. Il releva la tête. Alana se tenait devant lui, les joues rosies, les yeux brillants, les cheveux noués en une queue-de-cheval tout ébouriffée. Où était passée la femme sophistiquée et autoritaire qui avait franchi ce même seuil, à peine cinq jours plus tôt ?

Elle considéra le désordre de son bureau.

— Je suis en avance ? Je peux revenir, si tu veux…

Il abandonna son stylo.

— Viens là et baisse les stores en passant.

Elle lui décocha une œillade langoureuse avant de s'approcher sans se presser, en balançant les hanches.

— Des mots, toujours des mots, hein ? On pourrait rentrer à la maison pour déjeuner, qu'en penses-tu ?

Des images de la nuit précédente s'emparèrent aussitôt de son esprit. Sa main épousant ses courbes nues, douces, exquises, adorables…

— Tu me rends fou, murmura-t-il, brûlant déjà de désir.

Elle s'appuya sur le coin du bureau et se pencha vers lui pour l'embrasser. Il lui rendit son baiser, caressant ses lèvres qu'il entrouvrit de sa langue, effleurant d'un doigt léger la pointe d'un sein dressé à travers le mince tissu de son T-shirt et de son soutien-gorge.

Elle fit un pas en arrière.

— Tu vois, c'est toi qui as commencé !

Il glissa un œil par la fenêtre pour s'assurer qu'il n'y avait personne. Que lui arrivait-il ?

— Tu as raison. Tu as faim ?

— Ça dépend…

Il consulta sa montre, les nerfs à vif.

— Je suis de service pendant quatre heures encore.

Au regard plein de désir qu'elle laissa errer sur son torse, il sentit aussitôt sa température grimper et son sexe se tendre.

— Tu n'as donc jamais de vacances ? soupira-t-elle.

Il connaissait le nombre exact de ses jours de congé. La nuit précédente, incapable de trouver le sommeil, il avait envisagé de fractionner ses trois semaines et demie autour des jours fériés. Ce qui lui permettrait plusieurs allers-retours à New York.

Il la prit par la main.

— A quoi aimerais-tu que je les passe ?

Alana le dévisagea un long moment, comme si elle disséquait chacun de ses mots pour en comprendre le sens caché. Il n'aurait pu être plus explicite. De toute façon, il n'avait plus rien à perdre.

— Tu te souviens de ce que j'ai dit, chez Sadie ? Tu voudrais que je revienne ?

— Je ne veux pas que tu partes.

— C'est vrai ? bredouilla-t-elle, les lèvres tremblantes.

En trois enjambées, elle contourna la table et se jeta dans ses bras. Il la serra contre lui, s'enivrant du délicat parfum de vanille de ses cheveux, de sa peau douce et tiède. Il s'était déjà habitué à la retrouver le soir chez lui. La semaine suivante promettait d'être un enfer sans elle !

Elle plongea son regard dans le sien.

— J'aimerais tellement rester plus longtemps, Noah, mais j'ai des engagements professionnels que je ne peux pas remettre.

Il joua avec une boucle de cheveux égarée sur son front.

— Je comprends, même si ça ne me plaît pas pour autant.

— Je reviendrai, mais tu peux venir me voir à New York toi aussi.

La porte s'entrouvrit à cet instant en grinçant, l'empêchant de répondre. A peine eurent-ils le temps de s'écarter l'un de l'autre que Roy faisait son apparition.

Il retira son chapeau et s'essuya le front d'un revers de manche.

— Bonjour ! Quelle chaleur pour une fin octobre ! Je meurs d'envie d'une bière bien fraîche.

Noah réprima un sourire. C'était la façon dont son adjoint lui faisait comprendre qu'il voulait rentrer plus tôt. Il n'obtiendrait pas gain de cause aujourd'hui, en tout cas.

— Gus n'est pas avec vous ?

Roy accrocha son chapeau au portemanteau et lissa les rares cheveux qui lui restaient sur le crâne.

— Non. Il s'est rendu au Double R. Avery Phelps a eu un petit accrochage avec un saisonnier et apparemment, ça a dégénéré.

— Qu'est-ce que Phelps fabriquait là-bas ? Il était devant le Watering Hole, il y a moins d'une heure.

— Je ne sais pas, mais il avait un comportement encore plus bizarre que d'habitude. Concernant ce qui s'est passé, mademoiselle Richardson, j'étais sûr que ce n'était pas vous, enchaîna-t-il en ouvrant un dossier posé sur la pile.

Elle ouvrit de grands yeux perplexes.

— Mais de quoi parlez-vous ?

Noah sentit son cœur rater un battement. Il ne lui avait rien dit concernant le couple en cavale, et maintenant, elle allait lui demander des comptes, c'était certain.

Il leva le bras au-dessus de sa tête pour attirer l'attention de Roy.

Trop tard, hélas…

16

Alana dévisagea alternativement les deux hommes.

— Et vous avez cru que c'était moi ?

— C'est à cause de la description envoyée par le shérif Moran… Il faut reconnaître que…, se justifia Roy avant de s'interrompre en posant un regard inquiet sur Noah. Euh… les histoires du bureau, il vaut mieux ne pas trop en parler, vous savez, conclut-il en manifestant un subit intérêt pour les autres dossiers posés devant lui.

Elle n'insista pas. Inutile de le mettre dans une situation inconfortable face à son chef. Elle demanderait des explications à Noah plus tard.

— Bon, je file voir comment Gus s'en sort, reprit Roy en attrapant son chapeau. Avery est d'une humeur de chien, à ce qu'il paraît.

Dès qu'ils furent seuls, Alana reporta son attention sur Noah. La ligne dure de ses lèvres n'augurait rien de bon. Elle avait l'intuition qu'elle n'allait pas aimer ce qu'il avait à lui dire.

— Alors ?

— Assieds-toi d'abord, lui demanda-t-il en s'installant de nouveau derrière son bureau.

Elle s'exécuta, mal à l'aise.

— Ce n'est pas grand-chose, ne t'en fais pas…

— D'accord, je t'écoute.

— Voilà… Vendredi dernier, juste avant ton arrivée, j'ai reçu un fax d'un collègue nous prévenant de la présence d'un couple d'escrocs en cavale. Ils opéraient dans le sud de l'Etat et soulageaient des retraités de leurs économies. C'était donc logique qu'ils se dirigent vers le nord, en direction du Canada. Nous sommes à moins de deux heures de la frontière.

— Tu as bien dit un couple ?

— Oui. Ils prétendaient être mariés… Vrai ou faux, cela ne changeait rien. Par la suite, nous avons appris qu'ils s'étaient séparés. Plus exactement, que l'homme avait laissé tomber sa partenaire. Là-dessus, tu as débarqué sans bagages ni papiers. Nous n'avions pas le portrait de la femme, juste une description qui te correspondait parfaitement.

Elle l'écoutait avec une attention soutenue, s'efforçant d'assembler les pièces du puzzle.

— Et tu as cru que c'était moi ?

— J'ai envisagé cette possibilité, oui.

— Mais tu avais pourtant vérifié que j'avais bien une réservation au Sundance.

— Pour deux personnes censées être arrivées la veille.

— Concernant la réservation, l'erreur vient de Rachel. Quant à mon retard, j'ai raté mon vol, je te l'avais dit.

Il ramassa son Stetson et s'en coiffa.

— Ça n'a plus d'importance à présent. Avant que nous allions chez les McAllister, j'ai appris que la femme avait été appréhendée. On va déjeuner ?

Elle ne bougea pas. Elle n'irait nulle part tant qu'elle n'aurait pas obtenu les réponses à toutes ses questions. Elle se remémora son arrivée. Parmi toutes les femmes hôtes du Sundance, c'était elle qu'il avait choisie. Elle en avait été surprise, puis flattée… Dire qu'elle avait flirté sans vergogne, qu'elle l'avait provoqué en se pavanant dans son T-shirt d'emprunt sans soutien-gorge ! Qu'elle s'était pratiquement jetée à son cou !

Elle s'était conduite comme la dernière des imbéciles.

Elle ravala son humiliation et le fixa, une lueur de défi dans les yeux.

— Pourquoi m'as-tu emmenée chez toi, Noah ?

A son regard sombre, sa mine renfrognée, il était clair qu'il détestait le tour que prenait cette conversation.

— Pour garder un œil sur toi, répondit-il en la regardant en face.

— Donc… tu te méfiais ? fit-elle, la voix brisée par l'émotion.

Il hésita à répondre, et ôta son chapeau. Un bon point pour lui : un lâche l'aurait baissé sur ses yeux.

— Disons plutôt que tu m'intéressais. Attends, je vais te montrer quelque chose…

Elle le regarda feuilleter le contenu d'une chemise, profitant du bref répit qui lui était accordé pour se ressaisir. Elle avait peut-être tendance à dramatiser. Il était sincère, après tout, et ils avaient accompli du chemin depuis cette première nuit. Toutefois, loin de se sentir réconfortée à cette pensée, elle aurait voulu rentrer sous terre de honte.

Il lui tendit une feuille.

— Jette un coup d'œil là-dessus.

Elle obéit en frissonnant. La description lui correspondait exactement, elle ne pouvait le nier.

— Tu l'as reçue juste avant mon arrivée, c'est bien ça ?

Il hocha la tête.

— Cheveux bruns, yeux noisette, grande, élancée, séduisante, la petite trentaine…

— La petite trentaine ? releva-t-elle avec un faible sourire.

Il récupéra le document qu'il jeta sur son bureau avant de la prendre dans ses bras.

— La trentaine, ce n'est pas si mal. Je n'ai pas encore de canne, que je sache ! Maintenant, si au lieu de « séduisante », on avait écrit « super canon », j'aurais été forcé de t'arrêter.

— N'exagère pas !

Il tira affectueusement sur sa queue-de-cheval.

— Je ne t'ai pas menti, Alana. Mais j'admets que si Roy n'avait pas ouvert sa grande bouche, je ne t'aurais peut-être jamais parlé du fax.

La blessure était toujours cuisante malgré ses explications. Elle détourna la tête lorsqu'il tenta de l'embrasser.

— Quand as-tu su que ce n'était pas moi ?

Il desserra son étreinte, rejeta la tête en arrière et l'enveloppa d'un regard intense.

— Dimanche soir. La soirée chez mes parents a dissipé les derniers doutes. J'aurais voulu te le dire plus tôt, mais je faisais mon boulot.

Peut-être devrait-elle baisser la garde, maintenant qu'il avait eu l'honnêteté de tout lui avouer ? Mais lui avait-il vraiment tout dit ?

— Je comprends…

— Tu réfléchis trop, dit-il, changeant brusquement d'humeur. Et puis, tu ne m'as pas facilité la tâche. Quand je t'ai proposé d'appeler quelqu'un, tu es restée dans le vague. A ta place, n'importe qui aurait sauté sur l'occasion.

Elle lâcha un soupir douloureux.

— Je n'ai dit à personne que je venais ici. C'est trop long à t'expliquer, ajouta-t-elle, lisant l'incompréhension dans son regard. Je n'ose imaginer ce que tu as dû penser de mon attitude la première nuit que j'ai passée chez toi. J'ai honte, je t'assure.

Il se frotta la joue avec un grognement indistinct.

— C'est moi qui devrais en être gêné. Tu étais censée passer du bon temps dans un ranch et voilà que, moins d'une heure après ton arrivée, j'ai chamboulé tes plans. J'aurais dû garder mes distances. J'ai commis une faute professionnelle. Mais je tendais vers un seul but, t'attirer dans mon lit.

Le poids qui l'écrasait s'allégea. Elle qui, d'habitude, n'appréciait guère de se laisser manipuler, était prête à faire une exception.

— C'est assez humiliant, je trouve, de descendre de son piédestal jusqu'à perdre toute estime de soi, reprit-il d'un air grave.

Elle resta sans voix. Dire qu'elle regrettait cette conversation était au-dessous de la vérité. Pourquoi s'était-elle acharnée à obtenir des réponses qui, somme toute, n'avaient aucune importance ? Elle s'était peut-être senti blessée, mortifiée, mais bon, ce n'était pas la fin du monde !

— Noah, tu ne parles pas sérieusement ?

Il la fixa pendant un long moment, comme pour lui rappeler qu'elle ne le connaissait pas assez pour se permettre un quelconque jugement.

— J'étais un sacré bon flic à Chicago. J'aurais pu devenir le plus jeune inspecteur de la brigade criminelle. Quant à mon boulot de shérif, j'y ai mis beaucoup de conscience et de fierté. Jusqu'à vendredi dernier… où j'ai tout gâché…

Elle lui tendit la main, mais il l'ignora. Elle avait visiblement touché un point sensible. Un policier lambda c'était une chose, mais un inspecteur de la criminelle… Comment avait-il pu laisser passer une pareille chance ?

— C'est faux, puisque je ne suis pas la crapule que tu croyais, argua-t-elle.

— Oui, mais le hic, c'est que je l'ignorais. En tout cas, je n'étais pas sûr. Ce qui ne m'a pas empêché de sauter le pas.

— Tu oublies le fameux instinct des flics, non ? C'est comme ça que tu as su que je n'étais pas coupable ?

— Tu en connais beaucoup de flics, toi ? fit-il avec un petit sourire amusé.

— Je regarde la télévision de temps en temps.

Il bondit se leva d'un bond, un vrai sourire illuminant enfin son visage.

— Bon, on arrête de tourner en rond ! Tu viens déjeuner oui ou non ?

— Chicago te manque ?

Il fit le tour de la table et lui prit le bras pour l'inciter à se lever.

— Pas vraiment. Le boulot, oui, parfois, mais je ne suis pas fan de la grande ville. On va Chez Marge ou à la maison ?

Elle se contenterait de cette réponse, même si elle en avait espéré une autre. Au moins, il avait retrouvé sa bonne humeur. Dommage qu'il doute de lui, mais ce n'était pas le moment de revenir sur la question.

— Voyons voir… Si je comprends bien, j'ai le choix entre Chez Marge ou ta chambre à coucher… euh… je veux dire la cuisine…

Elle vit dans son regard un défilé d'émotions contra-dictoires.

— Tu es une femme étonnante, Alana, dit-il en l'enla-çant. Tu ne peux pas savoir comme je t'admire.

Ses paroles la laissèrent interloquée. *Étonnante* ? Elle ne s'attendait pas à un tel qualificatif.

— En tout cas, moi, je n'ai jamais rencontré un homme aussi infatué de sa personne !

Il l'attira plus près et l'embrassa sur le sommet du crâne, respirant le délicat parfum de ses cheveux.

— Je veux que tu reviennes, murmura-t-il. Même si je comprends qu'ici, ce n'est pas ton monde et que ça ne le sera jamais.

A sa grande honte, elle ne trouva rien à répondre.

Ils ne parvinrent jamais à destination. Apparemment, personne ne pouvait se passer des services du shérif, ce jour-là. Noah eut beau lui jurer ses Grands dieux que c'était exceptionnel, elle commençait à croire que le sort s'acharnait contre elle.

Elle ne devait peut-être pas en faire une affaire personnelle, mais pourquoi le monde entier se liguait-il pour lui gâcher ses vacances ? Pourtant, elle ne désirait pas grand-chose : juste passer les trois jours restants dans une bulle avec lui. Jusqu'à présent, ils avaient soigneusement évité d'évoquer l'avenir. A juste titre, d'ailleurs. Mais tant de questions se bousculaient dans sa tête, maintenant, qu'elle avait du mal à se concentrer sur une tâche aussi simple que, par exemple, accrocher des sorcières en papier aux branches de l'orme, dans le petit square du centre-ville.

A peine en avait-elle eu terminé avec le bar de Sadie qu'elle avait été sollicitée par les sœurs Lemon — des jumelles d'un certain âge qui passaient leur vie à se chamailler. Qu'elles aient pu décorer Main Street pratiquement seules tenait du prodige.

Ce jour-là, elles avaient décidé de remplacer par des sorcières les fantômes d'Halloween arrachés par le vent. Alana ne les voyait pas grimper à l'arbre, même si elle doutait qu'aucune n'ait eu l'intention de s'y risquer.

Mabel, la plus maniaque des deux, désigna du doigt la figurine en papier qui pendouillait à la plus haute branche.

— Voyez si elle est bien attachée.

— Pas la peine de la vérifier. C'est bon, déclara Alana.

Une main sur la hanche, Mabel leva vers elle son visage parcheminé, plissé en une moue désapprobatrice.

— Désolée, ma chère, mais je pense que Mabel a raison, susurra alors Miriam par-dessous l'ombrelle rose vif censée la protéger du soleil.

Merveilleux ! Elles étaient enfin d'accord sur quelque chose ! songea Alana qui sentait l'impatience la gagner. Elle décida cependant d'obtempérer sans discuter pour en finir au plus vite. Ainsi, elle aurait le temps de se faire belle en attendant Noah qui serait enfin libre dans une heure. Elle devait être affreuse avec ses cheveux en bataille et son T-shirt collé au dos par la sueur !

Parvenue au dernier barreau de l'échelle branlante que les deux sœurs s'étaient procurée, elle les vit tourner brusquement la tête vers le sud de la ville. Suivant leurs regards, elle aperçut alors une grosse cylindrée étincelante qui descendait lentement la rue. Médiocrement intéressée, elle sauta de l'échelle, remerciant mentalement Rachel qui avait eu la bonne idée de lui prêter des baskets, le soir du billard. Elles étaient autrement plus confortables que ses hauts talons avec lesquels elle se tordait régulièrement les pieds sur les pavés inégaux de la ville !

— Pourriez-vous me dire où je dois ranger l'échelle ? demanda-t-elle à Mabel.

Mais cette dernière ne lui prêta aucune attention. Médusée, les yeux rivés sur la Cadillac, elle demanda :

— Qui est-ce ? On n'a jamais vu cette voiture ici.

Alana regarda mieux, gagnée par la curiosité des deux vieilles dames. Et, de surprise, elle faillit laisser tomber l'échelle à laquelle elle s'accrocha, comme un noyé à son sauveteur.

Tirée à quatre épingles dans un tailleur noir du dernier chic, Eleanor sortit de la voiture stationnée au bord du trottoir, côté conducteur. Son regard erra sur les vitrines, glissa sur Alana avant de passer à un groupe de jeunes gens rassemblés devant le pub, puis revint sur elle.

Alana fourra sans ménagement l'échelle dans les mains de Mabel et, dans le même élan, défit sa queue-de-cheval, secoua ses cheveux et défroissa son T-shirt. Qu'est-ce que sa mère faisait ici ? Comment avait-elle su où la retrouver ?

Eleanor était trop loin pour qu'Alana distingue son visage, mais c'était sans importance. Sa mère devait être aussi secouée qu'elle. Encore que sans doute pas puisqu'elle s'attendait à la voir.

— Vous la connaissez ? demanda Mabel sans obtenir de réponse.

Depuis les cow-boys massés devant chez Sadie jusqu'aux lycéens qui sortaient de l'école, tous les regards étaient à présent fixés sur la nouvelle venue.

Rien d'étonnant à cela. Eleanor attirait l'attention avec ses cheveux blonds relevés en un chignon sophistiqué, son tailleur confectionné sur mesure à Hong Kong et ses escarpins à talons hauts qui avaient dû coûter plus cher que le vieux pick-up bleu garé derrière elle.

C'était complètement fou ! Un cauchemar, une hallucination ! L'estomac noué par une angoisse insupportable, Alana se força à avancer. Sa mère n'avait pas bougé d'un pouce. Ce qui était prévisible. Après tout, ce n'était pas elle la fautive.

Elle s'approcha le plus près possible, à l'abri des oreilles indiscrètes.

— Qu'est-ce que tu fais ici, Eleanor ?

Un vague dégoût se peignit sur le visage habituellement imperturbable de sa mère.

— J'étais malade d'inquiétude ! As-tu idée du nombre de messages que j'ai laissés sur ta boîte vocale ?

— Je t'ai envoyé un mot avant mon départ.

Eleanor leva un sourcil parfaitement dessiné.

— C'est vrai. Et tu as menti à propos de ta destination ! Nous n'avons pas besoin d'avoir cette conversation ici, poursuivit-elle en reculant d'un pas, après un rapide coup d'œil au bar. Où se trouve ton hôtel ?

Alana promena un rapide regard alentour. Les sœurs Lemon s'approchaient, remorquant l'échelle derrière elles. Où trouver un endroit tranquille pour discuter, même s'il n'y avait rien à dire puisqu'elle ne lui devait aucune explication. Elle se mordit la lèvre pour ne pas lui crier de repartir comme elle était venue.

Eleanor détailla son T-shirt et son jean.

— Tu as vu comment tu es habillée ?

— On m'a volé mes bagages !

Sa mère entrouvrit la bouche et un éclair de compréhension passa dans son regard noisette.

— Monte dans la voiture. On va à l'hôtel.

Alana sentit un frisson de panique lui parcourir l'échine et s'exhorta au calme. Sa mère n'allait quand même pas faire un scandale en pleine ville !

— Je suis navrée, mais tu as fait tout ce chemin pour rien. Il n'y a pas d'hôtel à Blackfoot Falls. En repartant tout de suite, tu pourras en trouver un sur la route avant la tombée de la nuit.

Eleanor la fixa, incrédule.

— Que t'est-il arrivé, Alana ?

— Rien. Tout va bien.

— Laisse-moi t'aider. Maintenant, tu vas monter en voiture, s'il te plaît, et me dire où tu es descendue. Ensuite, nous verrons.

Alana respira à fond, luttant contre l'envie irraisonnée de s'enfuir en courant. Elle aurait beau dire et beau faire, cela finirait mal. Mais elle pouvait encore limiter les dégâts.

— Je loge dans un ranch.

— Un quoi ?

— Un ranch. Tu ne sais pas ce que c'est ?

Alana frissonna à la vue du regard acéré de sa mère où elle crut déceler une pointe d'hostilité jusqu'alors inconnue.

— Très bien, concéda Eleanor. C'est loin d'ici ?

Alana réfléchit alors à toute vitesse. Elle devait absolument appeler Rachel, lui expliquer brièvement la situation et réserver deux chambres. Seulement pour cette nuit…

— Comment m'as-tu trouvée ? demanda-t-elle, traversée d'un soupçon horrible.

— Je te répète que cette discussion peut attendre.

— Tu m'as localisée grâce à mon téléphone portable, c'est ça ? reprit-elle, l'estomac retourné à l'idée que, cette fois, sa mère avait dépassé les bornes.

Eleanor ouvrit la portière d'un geste impatient.

— Voyons, c'est ridicule !

Alana la cloua du regard.

— Un vieux fou a répondu la dernière fois que je t'ai appelée, expliqua-t-elle. Il m'a dit qu'il habitait à Blackfoot Falls, dans le Montana, voilà. Maintenant, pour l'amour du ciel, tu vas monter, oui ou non ?

Brusquement, elle s'interrompit et inclina la tête, les yeux rivés sur un point invisible derrière Alana. Laquelle fit brusquement volte-face pour se retrouver nez à nez avec la haute silhouette de Noah.

Il salua Eleanor en touchant le bord de son chapeau.

— Bonjour, madame, fit-il d'une voix posée, puis il ajouta, l'air légèrement inquiet : tout va bien, Alana ?

Elle ouvrit la bouche pour répondre, mais sa mère la devança.

— Vous êtes le shérif, je présume ? Qu'avez-vous à dire au sujet du vol des bagages de ma fille ?

— Eleanor, arrête… Le shérif Calder m'a beaucoup aidée. C'est d'ailleurs grâce à lui que j'ai pu loger au Sundance Ranch…

Elle s'éclaircit la gorge, jetant un regard appuyé dans sa direction, en quête d'un peu de soutien. Mais il la regardait, le visage de bois. Sa mère et lui, quel duo, vraiment ! C'était à se demander lequel des deux était le plus doué dans l'art de déguiser ses sentiments !

Seulement, elle n'était pas dupe et elle devinait ce qu'il ressentait en ce moment précis. Il était blessé, amer. Elle l'avait présenté comme « le shérif Calder », le représentant de l'ordre du comté, un simple fonctionnaire, rien de plus. En outre, elle avait menti en prétextant qu'elle résidait au ranch, comme si elle avait honte d'avouer la vérité. Pourvu qu'il comprenne son attitude, maintenant qu'il savait que cette femme était sa mère !

Elle l'espérait de toutes ses forces.

Noah sortit un stylo et un petit bloc-notes de la poche de sa chemise.

— Je vous ai entendue dire qu'un homme vous a répondu au téléphone, madame Richardson. Y aurait-il un détail dans sa voix ou ses paroles qui pourraient nous aider à l'identifier ?

Alana n'écouta pas la réponse de sa mère. Elle le dévorait des yeux, le cœur glacé d'effroi. Il n'avait pas compris… Il était furieux et blessé, et elle ne pouvait rien faire pour l'amadouer, pas tant qu'Eleanor n'aurait pas débarrassé le plancher.

17

Noah escorta Alana jusqu'à son bureau sans mot dire. Il sentait dans son dos le regard aigu d'Eleanor, qui les épiait, c'était certain, assise au volant de sa voiture. L'attitude d'Alana envers elle était tout bonnement sidérante ! Les relations parents-enfants étaient certes compliquées, mais la faiblesse que manifestait Alana à l'égard de sa mère était incompréhensible. Surtout après qu'il l'avait vue tenir tête à Gunderson. La femme forte qu'il croyait connaître ressemblait à une adolescente en pleine rébellion, se démenant pour couper le cordon, tiraillée par les contradictions et les incertitudes.

— Tu es en colère, et j'en suis profondément désolée, déclara-t-elle, une fois la porte refermée derrière eux.

— Je ne suis pas en colère. Et maintenant, veux-tu appeler Rachel ou préfères-tu que je m'en charge ?

Ses épaules s'affaissèrent et elle jeta un regard désemparé vers la fenêtre.

— Ecoute… je ne pouvais pas lui révéler que j'habitais chez toi, parce que… Crois-moi, c'est la meilleure solution. Je vais passer la nuit avec elle au Sundance. Elle s'en ira demain matin et je reviendrai en ville tout de suite après.

— Tu n'as pas besoin de te justifier, répondit-il aigrement, luttant contre la colère et la frustration qu'il sentait poindre en lui.

Il leur restait si peu de temps…

— Voilà le numéro du Sundance.

Elle le saisit par le bras, levant vers lui des yeux pleins de détresse.

— Noah… embrasse-moi.

Attendri, il prit son visage entre ses mains et, du bout des doigts, il écarta les mèches qui retombaient sur ses joues empourprées avant de caresser ses lèvres des siennes.

Elle lâcha un soupir et s'écarta.

— J'appellerai Rachel moi-même. Au fait, est-ce que ce que t'a dit ma mère t'éclaire sur celui qui a embarqué mes bagages ?

— Peut-être…

Elle ne posa pas d'autre question, ce dont il lui sut gré : il n'avait pas l'intention d'accuser qui que ce soit sans preuve.

Et si c'était la dernière fois qu'il la voyait ? se demanda-t-il subitement avec un pincement au cœur. Elle serait capable de céder à la volonté d'Eleanor et de reprendre l'avion dès le lendemain matin.

Non, elle ne s'en irait pas sans lui dire au revoir. Pour le reste, il ne se berçait pas d'illusions : il ne l'imaginait pas déballer toute l'histoire à sa mère pour justifier sa décision de ne pas repartir avec elle.

Il chassa vite ces mornes pensées de son esprit pour se concentrer sur son objectif immédiat : retrouver les bagages d'Alana. Il décida d'abord de faire un saut chez Sadie. Personne n'avait vu Avery depuis qu'il lui avait interdit l'accès du pub, un peu plus tôt dans l'après-midi. C'était aussi bien. Mieux valait l'affronter chez lui plutôt qu'en public. Il n'avait aucun doute sur sa culpabilité. Le vieil homme, aigri par la solitude et l'alcool, avait saisi la première occasion de se venger sur une innocente victime.

Il sortit du bureau, monta dans son pick-up et quitta le centre-ville. Bientôt, il engagea son véhicule sur le chemin de gravier défoncé qui menait à la baraque délabrée d'Avery. L'endroit paraissait désert. Il finit par repérer sa guimbarde rouillée, stationnée devant la remise. Il se gara non loin, descendit de voiture et promena ses regards autour de lui. La maison aurait eu besoin d'une sérieuse remise en état ; on aurait dit qu'elle allait s'écrouler d'une minute à l'autre sur la tête de son propriétaire, ses poules et sa dernière vache.

Il n'eut pas le temps de frapper à la porte qu'Avery ouvrait en se frottant les yeux bouffis de sommeil. Il s'arrêta sur le porche en chaussettes, cracha par terre et remonta d'un coup sec une des bretelles de sa salopette, qui avait glissé sur son épaule décharnée.

— Que faites-vous ici ? demanda-t-il du ton irascible qui lui était coutumier. Vous avez emmené cette pouliche avec vous ? ajouta-t-il avec un petit rire sournois, le cou tendu vers le pick-up. Ou alors elle vous a déjà largué ? Celle-là, c'est un vrai pur-sang, Calder, vous auriez dû le savoir.

Noah ne se démonta pas.

— Vous voulez bien me laisser entrer ? dit-il en avançant d'un pas.

Avery lui jeta un coup d'œil soupçonneux et recula.

— C'est une propriété privée.

— Vous avez une objection à me montrer ce que vous gardez là-dedans ?

— Bien sûr que oui !

— Vous n'auriez pas, par hasard, quelque chose qui ne vous appartiendrait pas ? poursuivit Noah en lisant la peur dans les petits yeux noirs qui le fixaient. Comme une valise et un sac, par exemple ?

Le bonhomme se déplaça pour bloquer la porte.

— Je ne sais pas de quoi vous parlez.

— Il y a une dame en ville qui soutient le contraire. Il semblerait qu'elle ait eu une intéressante conversation au téléphone avec vous. Un téléphone qui ne vous appartient pas…

Le visage d'Avery s'illumina.

— Elle est ici ? Elle est jolie ?

Noah poussa un soupir excédé.

— Ecartez-vous, Phelps.

L'autre secoua la tête en clignant des yeux.

— Vous n'avez pas le droit !

— Je vous le demande gentiment. De toute façon, je finirai par entrer d'une manière ou d'une autre, vous comprenez ?

Avery leva son menton grisonnant avec une vigueur renouvelée.

— Vous avez besoin d'un mandat de perquisition, shérif.

Noah ôta son chapeau et le fit tourner entre ses doigts, histoire de reprendre son calme. Il respira profondément avant de lever les yeux vers le visage béat d'Avery.

— Si vous me forcez à obtenir un mandat, je vous attache au pare-chocs de ma voiture et je vous ramène en ville.

Les indications que Rachel lui avait données pour se rendre au Sundance étaient précises, et si Eleanor nourrissait quelques soupçons concernant le séjour de sa fille au Sundance, elle les garda pour elle pendant le trajet qui s'effectua dans un silence presque complet. L'esprit trop agité pour réfléchir, Alana s'en félicita.

Le ranch affichait complet et Rachel leur avait aimablement offert une chambre dans l'aile familiale. Au départ, Alana avait été horrifiée à l'idée de la partager avec sa mère. Rachel, pleine de ressources, lui avait alors proposé le canapé du salon pour la nuit. L'idée était géniale… Autrement, Eleanor aurait immédiatement compris qu'elle ne résidait pas au ranch. Alors que là, au moment de se séparer en fin de soirée, elle supposerait tout naturellement qu'Alana se retirait dans sa propre chambre, et le tour serait joué !

Le soleil se couchait quand elles arrivèrent au ranch. Deux projecteurs éclairaient la vaste demeure et les remises. La façade de trois étages était percée d'innombrables fenêtres — chose curieuse dans une région si froide en hiver — offrant une vue imprenable sur les montagnes Rocheuses à l'horizon.

Rachel, un grand sourire aux lèvres, apparut sur le perron au moment où Eleanor se garait à côté de plusieurs véhicules de location.

— Bonsoir, fit Alana en descendant de voiture et merci articula-t-elle à mi-voix par-dessus le toit de la Cadillac, pendant que sa mère récupérait son sac et ouvrait la portière.

Eleanor, qui voulait éviter de souiller ses escarpins sur la terre battue de l'esplanade, prit tout son temps pour gagner l'entrée.

Rongeant son frein, Alana attendit qu'elle les rejoigne afin de faire les présentations.

— Alana vous a sans doute prévenue que nous n'avons plus de chambre disponible, dit Rachel. Je vous ai installée à l'étage réservé à la famille. J'espère que vous vous y sentirez à votre aise.

Eleanor jeta un œil critique à la maison et lui offrit le sourire affable qu'elle réservait aux portiers et au personnel.

— Je suis sûre que ce sera très bien.

— Nous allons bientôt servir le dîner, voulez-vous vous joindre à nous ?

— Je préfère monter d'abord dans ma chambre, rétorqua Eleanor. Je prendrai une légère collation plus tard.

Croisant le regard surpris de Rachel, Alana sentit le rouge lui monter aux joues.

— Nous ne sommes pas au Ritz, Eleanor… Ici, il faut se conformer aux heures des repas.

— On s'arrangera, ne vous inquiétez pas, promit Rachel avec tact. Venez, je vous emmène vous installer.

— Quelqu'un pourra-t-il se charger de mon bagage ?

Un petit sac de voyage Louis Vuitton était posé sur la banquette arrière.

— Je vais le chercher, s'empressa-t-elle de dire, court-circuitant Rachel.

Eleanor paraissait déroutée. Comment une personne aussi intelligente pouvait-elle être si bornée dès qu'elle était hors de son élément ? songea Alana, agacée.

Elément qui était aussi le sien, cela dit, jusqu'à ce qu'elle saute dans l'inconnu, à peine cinq jours auparavant.

Rachel tourna soudain la tête, la tirant de ses réflexions.

— Oh ! Voilà Noah qui arrive !

Alana sentit son cœur tambouriner dans sa poitrine en reconnaissant la voiture qui remontait l'allée.

— Sommes-nous obligées de patienter dehors ? demanda Eleanor. Je ne pense pas qu'il soit venu pour nous voir.

— Entre, si tu veux, suggéra Alana un peu trop vite. Je vais l'attendre. Il a peut-être du nouveau à propos de mes bagages…

Eleanor lui jeta un regard scrutateur.

— Tu as raison. Nous allons bien voir.

Alana savait qu'il était inutile de discuter. Eleanor, fine mouche, devait déjà se douter de quelque chose. Le problème n'était pas là, d'ailleurs. Le problème, c'était qu'à son âge, elle soit toujours aussi intimidée par sa mère… Consciente du regard curieux de Rachel posé sur elle, elle serra les poings et se domina de son mieux pour essayer de sauver les apparences.

Les trois femmes attendirent donc en silence pendant que Noah se garait à quelques mètres de là. Alana crut voir un passager dans la cabine, mais les vitres teintées l'empêchaient de distinguer son visage.

Il descendit, ouvrit la portière arrière et reparut les bras chargés de bagages.

Laissant échapper un petit cri de joie, Alana dégringola l'escalier et faillit se jeter à son cou. Elle se souvint à temps de la présence de sa mère, et se hâta de battre en retraite.

— Tu les as trouvés ! Je n'y croyais plus. Tout est là ?

— C'est à toi de me le dire, répondit-il en lui tendant son sac et la mallette contenant son ordinateur. Je peux porter la valise dans l'entrée, si tu veux.

Alana ajusta son sac sur l'épaule et s'empara de son ordinateur portable. Elle sentait le regard de sa mère lui brûler la nuque.

— Merci, ce n'est pas nécessaire, elle a des roulettes, répondit-elle mal à l'aise.

— Qui est dans la voiture ? demanda Rachel à point nommé.

Noah se retourna et jeta un regard écœuré vers son passager.

— Avery. Je dois le conduire au bureau et commencer à remplir la paperasse pour l'inculper.

— Mais la preuve est là, non ? fit Alana en désignant ses bagages. Je ne peux pas les garder…

Noah haussa les épaules avec désinvolture.

— Légalement, tu as raison. Mais ne t'inquiète pas. Je vais me débrouiller.

Sur ces entrefaites, la portière du pick-up s'ouvrit. Avery en sortit et contourna le véhicule sur ses jambes arquées. Son regard s'illumina quand il aperçut Eleanor. Il cracha dans sa main et lissa les rares cheveux qu'il avait sur le crâne.

— Avery, qu'est-ce que je vous ai dit ? gronda Noah. Remontez immédiatement en voiture si vous ne voulez pas que je vous passe les menottes !

— J'aimerais m'excuser auprès de Mlle Alana, shérif. Je

ne voulais pas lui faire de mal. Vous êtes encore plus jolie en vrai qu'au téléphone, ajouta-t-il en souriant à Eleanor.

Alana ne put réprimer un petit rire.

Sa mère se raidit en exhalant un soupir de dégoût.

— J'aimerais entrer maintenant, tu viens ? lança-t-elle à sa fille sur un ton sans réplique, ignorant superbement Avery, Noah et Rachel.

Alana tendit la main vers la poignée de sa valise que Noah n'avait pas lâchée.

— Je m'en charge, merci pour tout, dit-elle, espérant ardemment qu'elle aurait l'occasion de s'expliquer avec lui plus tard. A demain !

Son cœur se serra tandis qu'elle lisait la déception et l'incrédulité sur son visage.

Eleanor déplia son peignoir de soie qu'elle posa sur le lit recouvert d'une couette en patchwork, laquelle avait suscité de sa part un commentaire désobligeant, heureusement pas devant Rachel.

— Je me demande comment tu t'es débrouillée pour rester coincée ici aussi longtemps, dit-elle. Tu aurais dû m'appeler tout de suite.

Alana emporta la mallette de toilette dans la salle de bains attenante, qui, elle non plus, n'avait pas eu l'heur de plaire à sa mère.

— Pourquoi ne m'as-tu pas appelée, Alana ? Ce shérif… euh… je ne sais plus son nom… il ne t'a pas proposé de passer un coup de téléphone ? Il m'a paru pourtant coopératif.

Alana n'était pas dupe. L'apparente indifférence de sa mère ne la trompait pas. Elle avait bien sûr senti l'étincelle qui passait entre Noah et elle, et, l'air de rien, elle partait à la pêche aux informations. Mais Alana était trop hébétée pour réagir. Elle ne pensait qu'à la déception qu'elle venait de causer à Noah. Et elle s'en voulait atrocement.

C'était étrange comme à Blackfoot Falls les faiblesses d'Eleanor paraissaient si flagrantes ! Caricaturales, même… Dans son univers, elle était une véritable star. Il lui suffisait de sourire pour que tout le monde soit à ses pieds. Mais dans le monde réel, elle était terriblement intolérante, extrêmement critique, un monstre d'égoïsme et d'indifférence.

Alana, toujours plantée dans la salle de bains, était incapable de se regarder dans la glace.

— Et quand vas-tu te décider à retirer ces affreux vêtements ? questionna sa mère sur le même ton. J'imagine que tu aimerais tout laver et nettoyer d'abord, mais tu trouveras sûrement dans ta valise quelque chose à te mettre sur le dos.

Alana finit par contempler son reflet dans le miroir. Ce qu'elle vit lui fit mal. Elle avait tout faux. Eleanor ne l'avait pas couverte de honte, elle y avait plongé toute seule. Elle pouvait toujours attribuer son comportement puéril à l'arrivée inopinée d'Eleanor, mais elle se leurrait elle-même.

Elle était tout aussi coupable que le fan-club de sa mère, ces groupies hystériques qui la vénéraient comme une idole dispensée de compassion et de la politesse la plus élémentaire. Lui avait-elle jamais résisté ? Non. Au contraire, elle avait passé sa vie à fuir, esquiver, se venger mesquinement par un comportement passif-agressif. Elle ne s'était jamais vraiment battue, ne s'était jamais vraiment opposée. Mieux valait suivre la voie de la moindre résistance, tel était son mantra.

Même Pam avait vu clair. Elle avait tout de suite compris qu'elle était incapable de dire non à sa mère. Pourquoi lui était-il si facile d'affronter des inconnus alors qu'elle était sans résistance face à Eleanor ?

Noah, par exemple, l'avait invitée à dîner chez ses parents sans jamais mentionner l'alcoolisme de sa mère. Apparemment, ce n'était pas un problème pour lui. Il vivait sa vie et laissait sa mère vivre la sienne.

Eleanor ronchonnait encore à propos d'elle ne savait quoi, mais elle n'écoutait plus. Il était temps pour elle de se battre pour ce qu'elle voulait faire de sa vie et pas question de laisser sa mère l'en empêcher !

— Maman, tu sauras retourner à l'aéroport toute seule, n'est-ce pas ? dit-elle en sortant de la salle de bains.

Eleanor la regarda d'un air ahuri.

— Pardon ?

Alana sourit et l'embrassa sur la joue.

— Je te verrai à New York.

— Qu'est-ce que tu racontes ?

— Bon voyage !

Elle gagna la porte. Elle allait récupérer ses bagages et prier Rachel de la conduire en ville.

Déprimé plus qu'irrité, Noah claqua la porte qui séparait son bureau de la cellule où Avery s'égosillait depuis deux heures. Le bonhomme n'avait pas arrêté de récriminer depuis qu'ils avaient quitté le Sundance. Noah savait qu'il se ferait taper sur les doigts par le juge pour avoir escamoté les preuves du vol, mais il avait voulu revoir Alana, surtout pour se rassurer. Grave erreur ! Il ne doutait plus à présent qu'elle partirait le lendemain. Elle ne s'arrêterait en ville que pour signer une déclaration contre Avery avant de prendre congé en évoquant sans doute un improbable voyage de retour.

Que faire, que dire, pour que les choses se passent autrement ? Qu'avait-il à lui offrir ? Il n'était pas prêt à déménager à New York, or sa vie à elle était là-bas, pas à Blackfoot Falls, ni dans n'importe quel autre bled perdu du même acabit. Et puis, ils se connaissaient à peine.

Il s'assit à son bureau et entreprit de masser ses tempes douloureuses. Dire qu'il croyait la comprendre ! Ils avaient partagé tant de choses, ils s'accordaient si bien… Mais elle avait agi étrangement en présence d'Eleanor. La différence entre la femme qui avait remis Gunderson à sa place et celle qui se liquéfiait en présence de sa mère était criante. Il ne l'aurait jamais cru, s'il ne l'avait vu de ses propres yeux.

Alana avait une personnalité attachante, pourtant. Elle était généreuse ; il en voulait pour preuve son attitude avec Sadie et sa mère à lui… Elle était dotée d'un esprit ouvert, d'une intelligence vive. Il s'était noué entre eux un lien indicible, inexplicable, et pourtant quelque chose dans leur relation lui échappait. Peut-être un jour… s'ils passaient plus de temps ensemble…

Rentrer chez lui promettait d'être une rude épreuve. Il trouverait la maison vide. Alana ne serait plus là pour le questionner sur sa journée, lui parler de ses projets concernant le Watering Hole de Sadie. Elle ne se hausserait pas sur la pointe des pieds pour l'embrasser, des étoiles plein les yeux.

Il respira à fond et tenta de se concentrer sur le rapport concernant Avery, qu'il n'avait pas terminé. Peine perdue… Il reposa son stylo et se renversa sur sa chaise. Il lui fallait agir, se changer les idées. Retourner au Sundance pour parler à Alana entre quatre yeux, par exemple ?

Et lui dire quoi ?

Brusquement, la porte s'ouvrit. Alana apparut dans l'encadrement, vêtue d'un pantalon noir sur mesure et d'un pull à col roulé rouge, son sac en bandoulière sur l'épaule.

— Coucou ! J'espérais bien te trouver ici, dit-elle avec un petit sourire, en refermant la porte derrière elle.

— Si je m'attendais à te voir !

— C'est une surprise.

Elle prit une chaise et s'assit en face de lui. Comme le vendredi précédent, songea-t-il. Probablement parce qu'elle ressemblait de nouveau à la femme si mystérieuse, si envoûtante qu'il avait outrepassé les règles pour la conquérir.

Il sentit son cœur cogner à grands coups dans sa poitrine. Il voulait tellement que ce ne soit pas un adieu. Cette idée le révoltait.

Alana considéra le rapport posé sur le bureau.

— Je ne veux plus porter plainte contre Avery, déclara-t-elle en triturant la courroie de son sac à main.

Il la regarda avec stupeur.

— Il a commis un vol, peu importent ses motivations. Personne ne te blâmera si tu le fais. Légalement, il doit répondre de ses actes.

— Ecoute, en ce qui me concerne, disons qu'il s'agit d'un malentendu. Je ne vais pas engager de poursuites contre lui.

Un malentendu ? N'était-ce pas plutôt un prétexte pour lui éviter d'assister au procès ? songea-t-il, le moral plus bas encore.

— Tu n'auras pas besoin de revenir témoigner, si c'est ce qui t'inquiète. Avery a avoué qu'il essayait de nuire au Sundance.

— Mais, j'ai bien l'intention de revenir, au contraire ! Et alors, j'aimerais retrouver la ville et ses habitants dans le même état. Je suis d'accord avec Avery. Je ne veux pas voir de touristes comme Eleanor tout saccager sur leur passage. Ou des gens comme moi. Enfin moi, c'est différent parce que je reviendrai de toute façon, acheva-t-elle avec un sourire radieux.

Noah se détendit.

— Ta mère t'a accompagnée ?

Elle se raidit imperceptiblement.

— Je lui ai dit de retourner d'où elle venait à la première heure demain matin. C'est Rachel qui m'a déposée.

Il se leva d'un bond.

— Ah bon ? Et tu dors où ce soir ?

Elle se leva à son tour.

— Euh… j'ai entendu parler d'un beau shérif qui accueille les brebis égarées sous son toit…

Il lui prit la main et l'attira à lui. Son corps tiède et voluptueux pressé contre le sien dénoua les dernières tensions.

Elle se pendit à son cou avec un sourire charmeur.

— De toute façon, j'ai laissé mes affaires chez toi.

— Oui, mais tu as récupéré tes bagages.

Elle lui planta un baiser fougueux sur les lèvres.

— Parlons-en ! Je n'ai rien à me mettre pour le festival d'automne, vendredi prochain ! Je ne sais vraiment pas où cette histoire va nous mener…, enchaîna-t-elle après une brève hésitation. Tes idées seront les bienvenues.

Il laissa ses mains courir le long de son dos.

— Moi non plus, mais je suis prêt à tout faire pour trouver une solution.

— Ça voudra dire de multiples allers et retours pour nous deux.

— C'est un problème pour toi ?

— Le problème serait de ne jamais te revoir, Noah.

Il plongea son regard vert dans le sien.

— Tu es la meilleure chose qui soit jamais arrivée à Blackfoot Falls, murmura-t-il.

— Tu veux que je revienne pour t'aider à administrer la ville, c'est ça ?

— Je me fiche de la ville. Je veux que tu reviennes pour moi, un point c'est tout.

Elle approcha ses lèvres des siennes et il l'embrassa. Encore et encore…

Si vous avez aimé ce roman, retrouvez dès le 1ᵉʳ novembre les aventures d'une nouvelle pensionnaire du Sundance, Shea, *dans la collection* Passions Extrêmes !

Venez découvrir les lauréats du concours
« **Nouveaux talents Harlequin** »
au sein d'un recueil exceptionnel !

– Disponible à partir du 15 septembre 2013 –

Laissez-vous séduire par
4 plumes françaises de talent !

6,90 €
LE VOLUME

Alice au bois dormant d'Hélène Philippe
Lorsqu'elle découvre Simon sur le pas de sa porte, Alice a le sentiment que son univers est sur le point de basculer. Depuis qu'elle a renoncé à l'amour, elle vit dans une maison coupée du monde, avec pour seuls confidents une poignée d'anonymes sur Internet dont elle n'attend rien. Parmi eux, Simon, avec qui la correspondance est devenue, au fil des mois, d'une rare intensité. Et le voilà qui fait irruption, sans prévenir, dans sa réalité...

Sous le gui d'Angéla Morelli
Quand Julie se retrouve coincée dans le hall de son immeuble, c'est Nicolas, son nouveau voisin, qui vient à son secours. Une aide providentielle, qui la trouble infiniment, car Nicolas éveille en elle des émotions qu'elle croyait disparues à jamais, depuis qu'elle a perdu son mari, trois ans plus tôt. Aussi décide-t-elle de suivre son instinct, et de lui proposer de passer le réveillon de Noël chez elle...

L'esclave et l'héritière d'Anne Rossi
En montant à bord de l'Agoué, Zulie sent l'excitation la gagner. Si elle réussit à mener à bien l'expédition qu'elle s'apprête à conduire, elle prouvera à ceux qui en doutaient qu'elle est bien la digne héritière de sa mère. Elle est bien décidée à se concentrer sur son but, et uniquement sur lui. Sauf que, très vite, la présence à bord de l'homme de main de sa mère suscite en elle un trouble insupportable, qui risque de compromettre ses ambitions...

Passion sous contrat d'Emily Blaine
Quand elle apprend qu'elle va désormais être l'assistante du séduisant Alexandre Kennedy, le grand patron, Sarah voit d'abord cela comme une bénédiction. Mais, très vite, il exige d'elle une disponibilité de tous les instants, et la soumet à une pression infernale. Pourtant, Sarah ne peut s'empêcher de se demander si cette façade dure et catégorique ne cacherait pas un tout autre homme...

Passions

— Le 1er novembre —

Correction:

Passions n°429

Des fiançailles, un trésor - Cat Schield
Série : «Les secrets de Waverly's»
Quand le séduisant Roark Black, marchand d'art chez Waverly's, fait irruption dans sa vie, Elizabeth frémit. De rage, d'abord : comment ose-t-il lui proposer qu'elle se fasse passer pour sa fiancée pendant six mois ? D'émotion, ensuite : pourquoi se laisse-t-elle autant troubler par cet homme si incroyablement viril ? Seulement, la voilà piégée... Car elle a désespérément besoin de l'importante somme dont Roark accompagne cette sulfureuse proposition.

Le plus beau Noël d'April - Karen Templeton
Jusqu'à sa rencontre avec Patrick Shawnessy, April était bien décidée à se concentrer sur son avenir professionnel et à se tenir à l'abri de toute relation amoureuse. Pourtant, depuis qu'il travaille pour elle comme paysagiste, elle n'en est plus du tout sûre. Comment ne pas tomber sous le charme de cet homme fort et solitaire, père d'une adorable petite fille ? Et, en effet, sous le regard brûlant et mystérieux de Patrick, elle n'a plus qu'une envie : se laisser aller à l'aimer. Hélas, il semble tout faire pour l'éviter. Comme s'il parvenait à ignorer, lui, l'air qui crépite entre eux dès qu'ils se croisent...

Passions n°430

Une irrésistible surprise - Christine Rimmer
Une véritable princesse au fin fond du Montana ? Si Arabella s'est aventurée à Elk Creek, c'est qu'elle doit rencontrer Preston McCade pour lui annoncer une nouvelle qui risque de bouleverser sa vie. Mais à peine arrive-t-elle au ranch qu'elle tombe sous le charme de ce cow-boy si séduisant : sa virilité, son sourire, son air prévenant, tout en lui la grise. Seulement voilà, un monde les sépare et, surtout, elle sait qu'elle va bientôt devoir retourner au château familial de Montedoro. Ce serait donc une folie de succomber à la passion et de tomber amoureuse d'un homme qu'elle est sûre de perdre aussitôt...

Trop près d'un Westmoreland... - Brenda Jackson
Alpha n'est pas du genre à mélanger vie professionnelle et vie privée. Pourtant, elle doit bien le reconnaître, Riley Westmoreland a beau être son employeur, il est aussi l'homme le plus attirant qu'elle ait jamais rencontré ! Aimantée par ses regards brûlants, elle sent bien qu'il la désire et qu'il est prêt à tout pour la conquérir. Au point qu'elle finit par oublier toute raison et par céder à la tentation : après tout, pourquoi se priverait-elle du plaisir de lui offrir une nuit, une seule ?

Le retour du cheikh - Olivia Gates

Série : «Les princes d'Azmahar»

Depuis qu'il a revu Lujayn, Jalal Aal Shalaan, prince d'Azmahar, est obsédé par le souvenir de l'enivrante passion qui leur avait fait perdre la raison, quelques années auparavant. Pourquoi diable est-elle revenue, alors que, à l'époque, elle l'avait abandonné sans aucune explication ? Résolu à trouver la clé du mystère, Jalal décide de se rapprocher de la femme qui le hante depuis si longtemps. Si près que la flamme de la passion se rallume entre eux. Si près qu'il découvre le secret qu'elle lui cache : un enfant. Le sien...

Une troublante attirance - RaeAnne Thayne

Alors que Caidy tente de consacrer toute son énergie à son ranch, le séduisant Ben Caldwell s'installe dans le voisinage avec ses deux enfants... et le mur qu'elle avait érigé autour d'elle vole en éclats ! Bientôt, elle doit se rendre à l'évidence : cet homme éveille en elle des sensations qu'elle n'avait jamais ressenties auparavant. Et, elle le voit bien, les étincelles de désir dansent dans les yeux de Ben à chacune de leurs rencontres... Et si c'était là une chance de retrouver le bonheur ? Face au regard brûlant de Ben, Caidy a soudain très envie de le croire...

Les yeux du destin - Allison Leigh

Saga : «Le destin des Fortune»

Depuis le jour où une puissante tornade s'est abattue sur la petite ville du Texas où elle vit, Emily n'est plus la même. Certes, elle s'est remise du choc et de ses blessures, mais le souvenir de l'homme qui l'a sauvée des décombres la hante. Comment oublier ses mains fortes, ses douces paroles ? Et surtout son regard magnétique, qui l'a ramenée à la vie ? Emily le sent, elle doit retrouver son mystérieux sauveteur : car ses yeux d'un bleu éclatant ont éveillé en elle le plus troublant des désirs...

Une attraction impossible - Sara Orwig

Désemparée, Emma ne sait comment se comporter en présence de Zach Delaney, son nouvel employeur, dont le regard magnétique lui fait perdre tous ses moyens. Comment pourrait-elle se concentrer, avec cette tension électrique qui flotte dans l'air, entre eux ? Voilà qui n'était pas prévu... et qui pourrait compromettre son poste. A fortiori si, comme elle le pressent, elle risque de ne pas pouvoir résister longtemps au désir insensé qu'il lui inspire...

Sous le charme de son ennemi - Tessa Radley

Quand Ella se retrouve à devoir élever le bébé de sa sœur, sa vie s'en trouve complètement bouleversée. Elle qui a toujours placé sa carrière avant tout, elle qui n'a jamais voulu être mère ! Mais le vrai problème est encore à venir, comprend-elle le jour où le puissant et ténébreux Yevgeny Volkovoy surgit dans sa vie pour réclamer l'enfant, dont il est l'oncle paternel. Incapable d'envisager un instant de se séparer de ce bébé qu'elle aime plus que tout au monde, Ella se prépare à lutter de toutes ses forces contre cet homme arrogant et bien trop sûr de lui. Même s'il est aussi le plus séduisant qu'elle ait jamais rencontré et qu'il éveille en elle des sentiments bien trop troublants...

Un ensorcelant baiser - Nancy Robards Thompson

Le jour où Rob Macintyre lui propose un poste au sein de son entreprise, Peppe décontenancée, hésite. Depuis leur rencontre explosive, quelques semaines plus tôt, le souvenir de cet homme terriblement sexy la hante sans relâche. De même que celui de leur baiser passionné, dont l'enivrante intensité lui donne toujours des frissons... Mais elle en est sûre : travailler pour cet homme serait la pire des idées. Comment pourrait-elle ne pas succomber au désir brûlant qui la pousse vers lui ? Pourtant, elle a désespérément besoin d'un travail...

L'amant du Montana - Debbi Rawlins

Lorsqu'elle s'est réfugiée dans le Montana pour échapper à l'effervescence des fêtes de Noël, Shea n'imaginait pas que ce séjour inclurait une tempête de neige et une nuit dans une cabane glaciale avec le très sexy Jesse McAllister. Une nuit qui promet d'être une véritable torture car, si Jesse ne cache pas le désir qu'elle lui inspire, Shea s'est quant à elle promis de rester à l'écart des hommes qui ne peuvent lui offrir que des expériences décevantes. Et si, cette fois, tout était différent ? Comment expliquer, sinon, cette envie irrésistible de sentir les mains de Jesse sur sa peau ? Pourrait-il être l'amant qui éveiller son corps aux délices – à tous les délices – de l'amour ?

Plaisirs défendus - Cara Summers

Jonah Stone. Un corps de rêve, des yeux bleu acier... s'il est le plus merveilleux des amants, il représente aussi le fruit défendu, Cilla le sait. Car, s'il y a une règle sur laquelle elle n'a jamais transigé, c'est bien de ne pas mélanger travail et plaisir. Or, désormais Jonah est son client. Un client qui a sérieusement besoin d'elle, à en juger par la gravité des menaces qu'il a reçues. Mais comment se concentrer sur cette mission alors que les souvenirs brûlants de la nuit qu'ils ont partagée, quelques semaines plus tôt, la hantent à tout instant ?

BestSellers

A paraître le 1ᵉʳ septembre

Best-Sellers n°577 • suspense
Le poids du doute - Laura Caldwell

Et si son père n'était pas mort ? Cette question hante Izzy McNeil depuis qu'un inconnu lui a sauvé la vie dans une ruelle sombre de Chicago. Un inconnu dont elle n'a pas eu le temps de voir le visage mais dont la voix lui a semblé étrangement familière. Plus troublant encore : il l'a appelée par le surnom que son père lui donnait lorsqu'elle était enfant, jusqu'au jour tragique où il avait disparu, peu de temps après ses huit ans. Perturbée, Izzy doit malgré tout poursuivre son travail de détective et boucler au plus vite l'enquête qu'elle mène au cœur d'un dangereux réseau de gangsters. Une tâche facilitée par la présence du séduisant Theo, l'homme qui lui a rendu le sourire et sur qui elle peut vraiment compter. Mais à peine Izzy parvient-elle a faire passer au second plan ses préoccupations personnelles que d'incroyables révélations concernant son père vont venir bouleverser à tout jamais son existence.

Best-Sellers n°578 • thriller
Dans les pas de l'assassin - Leslie Tentler

Le cauchemar recommence…
En découvrant Reid Novak, profileur au FBI, sur le seuil de sa porte, Caitlyn sent la peur l'enserrer comme un étau. Pourquoi Reid est-il venu la trouver, alors qu'elle ne l'a pas revu depuis deux ans – depuis ce jour terrible où il a arrêté son frère Joshua, qu'elle avait été contrainte de dénoncer après avoir compris qu'il était un dangereux tueur en série ? Joshua est pourtant emprisonné à vie, dans un quartier de haute sécurité. Bientôt, son angoisse se mue en pure panique quand Reid lui annonce que plusieurs jeunes femmes ont été étranglées, et qu'on leur a enfoncé une pièce d'échiquier dans la bouche. Se pourrait-il qu'un fou ait décidé d'imiter la mortelle signature de Joshua ? C'est en tout cas ce dont semble convaincu le séduisant Reid. Tout comme il semble persuadé que Caitlyn est en danger, et qu'il doit la protéger.

Best-Sellers n°579 • thriller
Effroi - Alex Kava

Un soir d'automne, dans l'Ouest du Nebraska. Appelée d'urgence sur une scène de crime, Maggie O'Dell y découvre un spectacle aussi effroyable qu'incompréhensible. Une bande d'adolescents sous l'emprise d'hallucinogènes se serait amusée ici à se filmer jusqu'à ce qu'un phénomène étrange les foudroie sur place, tuant certains d'entre eux, et laissant les autres gravement brûlés. Déterminée à élucider le mystère de ce drame, Maggie recueille méticuleusement les témoignages des rescapés en s'efforçant de faire le tri entre réalité et divagations. Au fil des déclarations, une épouvantable certitude s'impose à son esprit : les survivants courent tous un grand danger. Comme en atteste ce meurtre, maquillé en suicide, qui est bientôt commis. Pour Maggie, plus rien ne compte désormais que de mettre fin à ce macabre engrenage. Avec le soutien du brillant et charismatique médecin colonel Benjamin Platt, elle s'engage alors dans une course contre la montre, sans savoir encore que ces adolescents sont en réalité les première victimes d'une machination sans précédent – et sans limites.

Best-Sellers n°580 • thriller

Elles étaient jeunes et belles - Karen Rose

Jeunes, belles et brunes. Nuit après nuit, des lycéennes disparaissent de leur chambre. *L'un après l'autre, leur corps est retrouvé quelques jours plus tard, sans vie…* Révolté par l'horreur de ces meurtres qui terrorisent Raleigh, en Caroline du Nord, l'agent spécial Steven Thatcher n'a plus qu'un but : mettre le tueur en série sous les verrous. Hélas, celui-ci a méticuleusement effacé tous les indices ; l'enquête piétine. Jusqu'à ce que la ravissante Jenna, un des professeurs de son fils aîné Brad, ne commence à recevoir d'inquiétantes et sombres menaces. De crainte qu'elle ne soit la prochaine cible du tueur, Steven se jure de la protéger. Car comme toutes les victimes de l'assassin, Jenna est jeune, belle et brune…

Best-Sellers n°581 • thriller

Les anges de verre - Erica Spindler

Alors qu'elle espérait sortir du gouffre dans lequel elle est plongée depuis le tragique décès de son mari, Mira Gallier est effondrée lorsqu'elle apprend que les douze vitraux qu'elle a restaurés avec passion ont été vandalisés avec des inscriptions bibliques, mais surtout, que le prêtre qui tentait de les protéger, un ami très cher, a été assassiné. Profondément choquée, Mira se remet courageusement au travail pour sauver ce qui peut encore l'être : ces chefs-d'œuvre de verre, sa raison de vivre… Mais quelques jours plus tard, elle est agressée dans son propre atelier, avant qu'un nouveau meurtre, signé d'un message biblique en lettres de sang, ne secoue La Nouvelle-Orléans. Mira, terrorisée, commence à perdre pied lorsque Connor Scott, un vieil ami, ressurgit après des années d'absence pour lui proposer son aide. Une aide précieuse pour Mira, car tandis que la police piétine, le tueur continue à cibler un par un les gens qui l'entourent. Et il devient évident qu'il l'a gardée pour la fin…

Best-Sellers n°582 • roman

Secrets d'un été oublié - Carla Neggers

Olivia en est certaine : elle a fait le bon choix en revenant s'installer à Knights Bridge. Ici, dans ce village où elle a grandi et où vivent tous ceux qu'elle aime, elle sera heureuse. Et puis, ce nouveau départ dans la vie n'est-il pas l'occasion pour elle de réaliser enfin son rêve, et de restaurer la vieille ferme qu'elle a achetée pour en faire une maison d'hôtes ? Une ferme à laquelle elle se consacre entièrement, et où elle investit, jour après jour, son énergie et son âme. Mais aussi son cœur, lorsqu'elle fait la connaissance de Dylan McCaffrey, le propriétaire de la maison jouxtant la sienne. Un homme auprès duquel elle se prend très vite à rêver à un bonheur partagé. Sauf que Dylan n'est en ville que pour quelques semaines, et repartira ensuite à l'autre bout du pays. Loin d'elle…

Composé et édité par les

éditions ✦ **HARLEQUIN**

Achevé d'imprimer en Italie (Milan)
par Rotolito Lombarda
en septembre 2013

Dépôt légal en octobre 2013